保険商品開発の理論［改訂版］

リスク回避の効用から商品設計のフレームワークまで

早稲田大学商学部 准教授　星野 明雄

HM 保険毎日新聞社

●改訂にあたって●

商品開発は多面性のある業務であり、全体像は複雑です。その複雑な構造を、あえてシンプルに鳥瞰すると、商品開発の仕事は、大きく２つに区分できます。マーケットのニーズを知りそれに適した商品コンセプトを考案する「アイデア発案」の仕事と、そのアイデアに従って具体的な商品内容を構築する「技術的設計」の仕事です。

本書の初版は、この２種のうちの前者、すなわちマーケットニーズに基づくアイデア発案に関することがらを、多面的に丁寧に解き明かすことを目指しました。保険商品開発の理論を、マーケットニーズの見地から論じるのは、あまり類のない試みであったと思いますが、一定のご評価をいただけたことをうれしく思います。初版の各章は、理解をより平易にするための細かな修正を加えたほかは、ほぼそのまま採録しています。

改訂にあたっては、初版では取り上げなかった、後者の技術的設計に関することがらにも、ある程度触れることにしました。これらのノウハウは、各保険会社の内部にとどまりやすい性質があり、各社の個別事情もあってテキスト化になじみにくいものといえます。ただし、法的な基礎知識や現存する主な商品の特性などの知識は、どなたにとっても有用なものと考えられますので、記述を加えました。併せて、ブランド戦略と商品開発の関係と大数の法則と保険商品の性格についても、簡単な解説を行った結果、第６章、第８章、第９章および第11章を増補することになりました。

本書が出版できたのは、ひとえに早稲田大学商学学術院教授の中出哲先生のご支援とご鞭撻によるものです。心から感謝を述べたいと存じます。この改訂版では、中出先生のお許しをいただいて、損害保険の根本問題である被保険利益と損害てん補の関係について、最先端のご研究に基づく理論を紹介させていただくことができました。無上の幸いです。

2023年８月

星野　明雄

●はしがき（初版）●

本書は、保険商品開発の理論を解説したテキストです。理論は机上のものではなく、自動車人身傷害補償などをはじめとする、長年の商品開発の経験から実証的に得られたものをまとめました。

商品開発は多面性のある業務です。本書はその中で特に、保険に対する契約者ニーズの研究を主題としています。マーケット側のニーズは、基礎から丁寧に解き明かす一方で、約款や数理などの保険会社内部に存在する技術的専門性は、トラブルや損失回避、リスク管理に必要な条件と捉え、ごく簡単に触れるにとどめています。

さて、業態を問わず、画期的な商品開発についてのテキストといったものは、あまり見かけないと思います。これには当然の理由があります。一般に、テキストや、さらにマニュアルやチェックリストなどのツールは、ルーティーンワークをまちがいなく実施するために有効なものです。マニュアル類は、ありがちな凡ミスを防ぐには効果的ですが、非凡なファインプレーを行うには役立ちません。画期的な商品開発を行う方法は、それを担う人が自力で発案するほかないわけです。

したがって、常識破りの画期的な新商品を目指すには、テキストを学んだだけでは不十分です。では、本書のようなテキストの存在意義は何でしょうか。大きく、2つの論点があります。

1つは、非凡なファインプレーを目指す方にも、基礎練習が必要だということです。たとえば、契約者にとっての保険の価値の本質は、損得ではなく、リスクの回避にあります。リスクの回避とは何か、顧客にどのように認知されるか、といった問題を深く考えることは、商品開発という仕事の土台を築く基礎工事に当たります。これをおろそかにしては、良い成果は望めません。上級者ほど基本を大切にするということは、あらゆる分野に共通の原則といえます。本書はこの基本を理解する手引きとなります。

もう１つは、保険の商品特性からよく生じることが知られている問題の認識です。日用品や家電製品など多くの分野で、一般に行われている商品開発は、何か形のあるものをデザインし、マーケットに問うことです。有形の商品を作るなら、原理となる科学や、製品デザイン、さらに製造技術など、多くの専門性が必要になります。これらと異なり、保険は無形の商品ですから、商品を作るだけならある意味簡単です。それだけに、やみくもに作れば、的外れな商品がどんどんできてしまいます。そこで、商品を設計する枠組み（フレームワーク）を持つことが有用です。

本書は、基礎の研究と、フレームワークの提示という、２つの観点で保険のニーズの本質を考える手引きとなるものです。ただし、これだけでは商品はできません。約款を作成するためには、一例ですが「時」と「とき」、「または」と「ないし」の違いといった基本的な知識はもちろん必要で、こうしたものについてはしっかり身に付ける必要があります。保険数理についても、技術論は専門家に任せるにしても基本となる考え方は身に付けておくべきです。

保険業界にかかわる方の多くは、販売の実務に携わっています。その他、保険金支払サービスや、事務システムなどにかかわる方も多く、商品を担当する方は相対的に少数です。少人数の部門では、そこに固有の専門性が要求されることがあります。商品開発も、そのような部署の１つですが、経理部門やIT企画部門などと比べると、基礎知識をしっかり学ぶという環境がやや弱いように感じられます。

本書を手に取られた方が、まずこれを読んでマーケット側の考え方を学び、さらに勤務先の社内資料や業界の講座などでオペレーション側の技術も身に付けることによって、一流の商品開発担当者を目指していただくことを願っています。

2021年11月

星野　明雄

●目　次●

第6章　会社戦略と商品戦略

● Column 目次●

序　章

マーケティングを基礎から学ぶ

1　商品開発とは

商品開発にはさまざまな要素があり、多くのアプローチ方法があります。

これを大別すると、商品を顧客のニーズの観点からとらえるマーケット側からのアプローチと、提供する事業者の業務から考えるオペレーション側からのアプローチの２つに区分できます。それはどういうことか、まず下記の会話をご覧ください。

(1)　商品開発担当Ａさんの考え

保険会社の商品部門に、商品開発を強く希望して他部門から転入してきた、若手の社員Ａさんという方がいます。転入後、そろそろ慣れてきたかと思う頃に、以下のことをお尋ねしてみました。

Q　：基礎書類[1]の勉強は、進んでいますか？

Ａさん：約款は、１つ２つ、ざっと読みましたが、詳しくはわかりませんでした。事業方法書や保険料及び責任準備金の算出方法書は、難しいので、読むのはやめました。

Q　：そうですか。Ａさんは、商品開発の仕事にやりがいは感じますか？

Ａさん：はい、もちろんです。私は、商品開発がしたくて、この部署に来たのです。良い商品を作りたい気持ちだけは、誰にも絶対負けません。

Q　：なるほど。それは素晴らしいですね。でも、良い商品を作るためには、勉強も大切です。それほど強い気持ちがあるなら、約款や事業方法書をマスターすることにも、取り組むとよいでしょう。

１）基礎書類とは、普通保険約款や事業方法書、保険料及び責任準備金の算出方法書などの書類をいいます。それぞれが何であるかは、第８章で説明します。

Ａさん：いや、でも……。私は、こんな保険があったらいいとか、いろいろ発想をめぐらすのが好きなのです。基礎書類のような、無味乾燥で難解なものを読むのは、苦手です。そんなことはしないで、商品開発がしたいのです。

さて、皆さんはＡさんのお話を聞いて、どう思われたでしょう。Ａさんにどのようなアドバイスをしたらよいでしょうか？

(2)　Ａさんへのアドバイス

真実は多面的です。ひと時代前の真実に従うと、アドバイスは以下のようになります。

①　アドバイスその１

Ａさんのいっていることは、野球でいえば、「僕はホームランを打ちたい気持ちだけは、誰にも絶対負けません。でも、そのためにトレーニングとか、素振りとか、地道な練習をするのは嫌です」というのと同じですね。練習なしで野球が上達できないのと同じように、基礎書類を勉強せずに商品開発はできません。基本はしっかり学んでください。

これが、オペレーション側からのアプローチのひとつの典型です。保険が「規制産業」といわれた時代の商品開発は、その商品を提供するために保険会社に何が求められるかを考えることが中心でした。その象徴が基礎書類だったといえます。

しかし、今は分業の時代です。全然違うアドバイスがあってもいいかもしれません。

②　アドバイスその２

> 商品開発には、技術者的な仕事と、マーケター的な仕事があります。Ａさんは、技術的な仕事は向いていないようですから、そういうものは、法務や数理の専門知識のある人に任せて、お客様のニーズを研究することに専念してもらうとよいでしょう。

本書では、このマーケターの仕事を詳しく解説します。基礎書類を作るための専門知識や、保険料算出の基礎を作るためのデータ収集や整備は、とても大事な仕事です。しかし、商品開発ではそれ以外にも、お客様のニーズを検討することが重要です。そして、このことは、全く別の仕事として、基礎からしっかりと学ばなくてはいけません。

したがって、**アドバイスその２**には、とても重要な続きがあります。

③　アドバイスその３

> マーケティングを、思い付きや自分の感性だけで、自己流にやっていたのでは、良い仕事はできません。法律や数理の勉強とは、分野が異なりますが、マーケティングでも一流を目指すには、基本を徹底して身に付けなくてはなりません。Ａさんは、基礎から、論理的に、保険マーケティングを勉強する覚悟がありますか？

さて、皆さんはどうでしょうか。

2 マーケティングとオペレーション

(1) オペレーションとマーケットをつなぐ

図表１をご覧ください。

保険に限らず、ほとんどの事業には、販売する商品やサービスを生み出す、生産にかかわる仕事と、それを顧客に届ける、販売にかかわる仕事があります。

事業が成功するためには、この両者を継続的に連動させることが必要です。ビジネスモデルという言葉は、幅広く使われ、その定義は人によってさまざまですが、図表１のように、マーケットとオペレーションをつなぐことが、ビジネスモデルの本質だという見方もできるでしょう。

オペレーション側と、マーケティング側の両方を知ることで、商品開発の全体像が理解できます。本当は、１人の人が、オペレーションとマーケティ

図表１ オペレーションとマーケットの関係

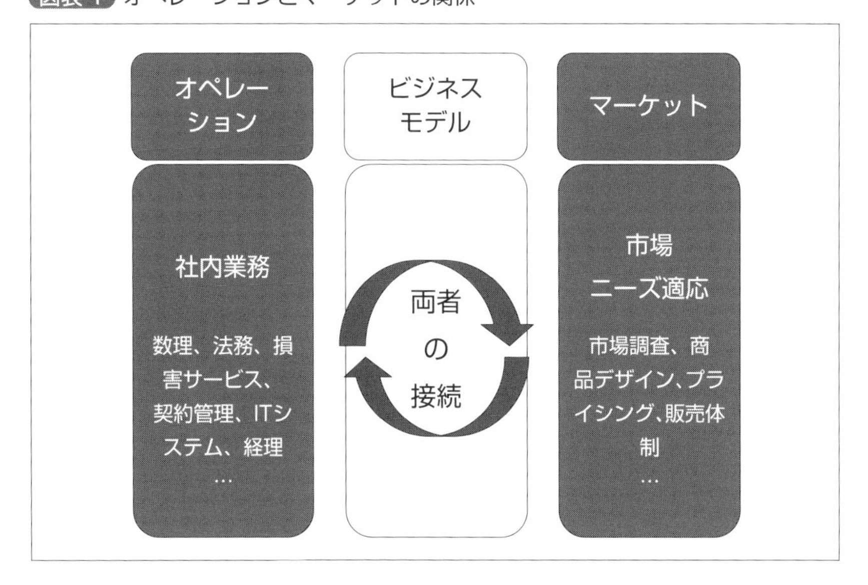

ングの両方に精通していたほうが、良い商品ができる確率が高くなります。

ただ、Aさんのように、両方を学ぶのは嫌だ、自分の得意なほうだけやりたいという人もいるでしょう。そこで、この2つを分けて考えてみます。

オペレーション側の仕事は、通常は保険会社の社内の教育研修体制や、OJT（On the Job Training）で業務を経験しながら学ぶことができます。ただし、会社ごとの個別の事情も多く、教科書的な学習では表面的にとどまりがちだという難しさがあります。基礎書類の作り方などは、「職人芸」的な伝承をされていることも多いでしょう。その価値は、今日においても変わりません。

歴史の長い保険会社において、商品開発のノウハウは主に、こうした職人芸の領域にあったものと考えられます。これらオペレーション側の仕事については、個別の事情が多く、規制等の変化もあるため、やり方を体系的に示すことは難しさがあります。

本書では、これらについては、特に重要で一般性のあることがらに絞って説明します。

(2)　マーケティング理論の必要性

一方、マーケティングのほうは、理論的に学ぶことによって、新しい地平が開けてきます。ところが、こちらについては、オペレーション側の仕事と比べても、社内研修などで学ぶ機会が少ないと感じています。これは、保険業界の関係者としては、少し残念なことです。

たとえば、保険料の割引を提案している人が、それによってどれだけ販売量が増えるのか、定量的に検討していない、といったことがありました。こうした検討は、容易な仕事ではないため、できなくても無理はないと考える人もあるかもしれませんが、後述するように、それでは顧客のニーズがわかっていないことになりますから、お客様本位の商品開発は難しいでしょう。

本書は、マーケット側の仕事、すなわち図表1の右側の仕事を、基礎から、論理的に学ぶことを主な目的としています。これが本書の最大の特徴です。

3　クイズ

以下の問い（クイズ）に、即答できますか。答えを書いてみてください。

もし、明快に答えられなかった方は、本書をお読みになったあとで振り返っていただければ、保険マーケティングを基礎から論理的に学ぶことの意味が実感していただけると思います。

Quiz

① 「低価格によって、顧客を囲い込む。これが、当社の戦略だ」といった経営者がいます。これはまちがいですが、では、どこがまちがっているのでしょうか？

② 「複数の保険契約を、セットで加入したら、保険料を割引するとよい」という案が、何度となく持ち上がります。実際に行われた例もありますが、そのうち消えていきます。良い考えにみえるのに、なぜ、成功しないのでしょうか？

③ 新商品案をめぐって、ある人は、「顧客にとってとても魅力的だ」といい、別の人は、「全く魅力がない」と主張して、どちらも一歩も譲りません。どうやって決着させるのがよいでしょうか？

いかがでしたか。答えは、**第12章**で解説します。

数理や法務とは異質ですが、マーケティングにも基本となる理論があります。高等数学を理解するには、まず算数から始める必要があるように、マーケティングも、きちんと身に付けるためにはまず基本理論から理解しなくてはなりません。

そういうわけで、**第1章**は、本当の基本までさかのぼって話を始めましょう。

第1章

保険購買という「取引」

1　価値、価格、原価 の「三本川」

われわれは日常、非常に多くの取引を行っています。保険の契約ももちろん取引です。スーパーで果物を買うことや、交通カードを使って電車に乗ること、美容室で散髪することなど、現代人の生活は、数多くの取引に満ちています。

取引の本質は何でしょう。その原型は、物々交換です。農家のAさんが持っているお米を、漁師のBさんが持っている魚と交換すれば、これは取引です。

AさんとBさんが、この取引を行う理由について考察してみましょう。この取引が行われるのは、Aさんにとっては、魚のほうが米より価値が高く、Bさんにとっては、米のほうが魚より価値が高いためです。その場合、取引により、AさんとBさんの両方にとって価値の増加が生じ、その分社会全体の価値が増大します。

このとき、魚と米が、Aさんにとっても、Bさんにとっても同じ価値を持つのなら、交換する意味がありません。同じものでも、人によって価値が異なるからこそ、取引によるメリットが生じるわけです。このことを、基礎から深く考えてみましょう。

これを理解する鍵は、いずれも「価」という文字の付いた、3つの語からなるキーワードにあります。

そのキーワードとは、価値（Value：バリュー）、価格（Price：プライス）、原価（Cost：コスト）の「三本川」です。まずこれについて、順を追ってご説明しましょう。

(1)　価値（Value）とは

ある女性が、150円を自動販売機に入れて、ペットボトルのウーロン茶を買うという購買行動を考えます（図表1）。

図表1 ペットボトル購入の理由

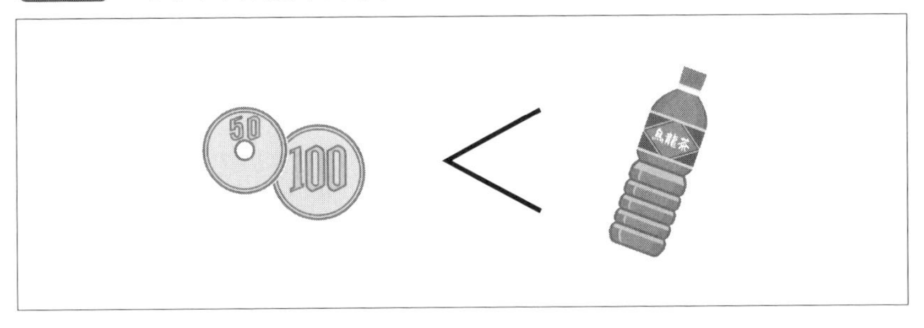

stock.adobe.com

さて彼女は、なぜこの取引をしたのでしょう。ウーロン茶のほうが、お財布に入れて持っていた150円分の硬貨より良いから、これらを交換したわけですね。このとき、ウーロン茶の値段、すなわち「価格」は150円です。では、このウーロン茶の「価値」はいくらでしょうか。

彼女の立場に立って考えてみましょう。価格が、150円なら買うことはわかりました。では、160円でも買うでしょうか。180円なら、どうするでしょうか。200円ならば……、と考えていき、「これ以上高ければ買わない」という、ぎりぎりの価格（留保価格といいます）を考えてみます。

この留保価格が、その購買者にとっての「価値」を表します。たとえば、彼女が、「200円までなら買うけど、それより高ければ買わない」と考えたとすれば、留保価格は200円です。そして、このウーロン茶は、彼女にとって200円の価値があることになります。その場合、以下のような関係があったため、彼女は、コインとウーロン茶を交換する取引をしたわけです。

コインの価値150円　＜　ウーロン茶の価値200円

(2)　消費者余剰

さて、この取引で、彼女にどれだけメリットがあったかを考えましょう。

留保価格が200円、つまり、最大200円まで払ってもよいと思っていたも

図表2 ペットボトル取引の消費者余剰

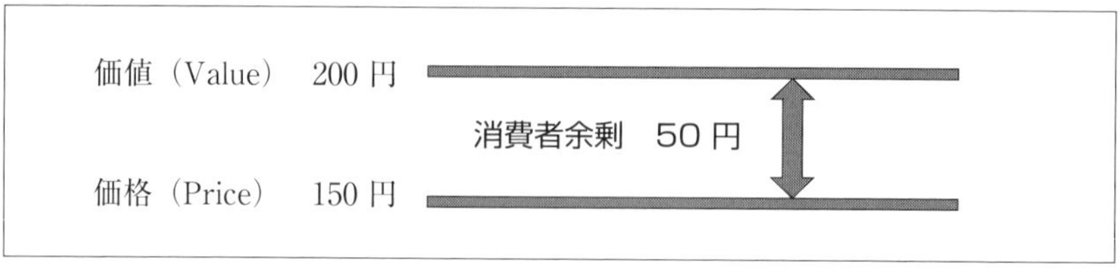

のが、150円の価格で買えたのですから、この取引によるメリットは、200円－150円＝50円です（図表2）。このメリットに当たる金額（この例では50円）を、消費者余剰（Consumer Surplus）[1]といいます。

⑶ 原価（Cost）とは

今度は、売る側、すなわち生産者（この場合は飲料会社）の立場から、この取引を考えてみましょう。ウーロン茶を売るためには、茶葉を仕入れること、加工してお茶にすること、ボトルに詰めて配送することなど、多くの工程が必要で、それには原材料費、光熱費、人件費などさまざまな費用がかかります。これらの費用を、原価といいます。

原価会計（Cost Accounting）は奥深い分野で、企業全体にかかってくる費用をどのように商品単位に分けるか、という問題は、多くの難しい要素を含んでいます。ただこれは本書の主題ではないため、今は、商品単位の原価をどう求めるかの議論には立ち入りません。話を簡明にするため、簡単な仮定を置きましょう。

すなわち、ウーロン茶1本の原価は、80円であるとわかっていたとします。

1）「余剰」というと、何か余分に余っているものという語感ですが、このSurplusの意味は、「利益」です。長年使われている用語ですので、消費者余剰としましたが、消費者利益と読み替えるとわかりやすいですね。生産者余剰も同様です。

Column 1 経費を配賦する

商品別の損益を把握するため、火災保険にかかる費用を調べたいとします。火災保険のパンフレットやチラシの作成費用が、火災保険にかかった費用であることはすぐわかります。

ところが、たとえばホストコンピュータは、自動車保険や賠償責任保険などのほかの保険にも使いますので、その費用のうちどれだけが火災保険に使われたものかは難しい問題です。人件費についても、火災保険の仕事だけをしている人は少なく、多くの人はほかの保険も取り扱っています。

そこで、何らかの方法で、会社としてかかった経費を、保険種目ごとに振り分ける必要が生じます。これを経費配賦といいます。

一般的なやり方は、社員へのアンケート調査などによって、種目別の従事割合を定め、これをもとに、経費の費目ごとにロジックを定めて配賦するのですが、調査に主観性が入るので、どうしてもぶれが生じます。

また、内勤社員の人件費などはほぼ固定的になっていたりします。すると、ある種目を廃止した場合、その分の経費はなくなるのではなく、ほかの種目に配賦されることになるでしょう。赤字の商品を廃止して、損益を改善したつもりでいたら、ほかの商品が赤字になったなどということも起こり得ます。

保険種目別の経費を把握することは、経営上重要ですので、しっかり行うべきです。ただしこれは簡単ではなく、契約ごとに１件当たりの経費を求めることはさらに困難です。したがって、その結果を利用する際には、さまざまな不確実性があることに留意し、それに見合った使い方をすることが肝要です。

(4)　生産者余剰

生産者側からこの取引をみると、原価 80 円で生産した商品が、価格 150 円で売れたわけですから、この取引で 150 円－ 80 円＝ 70 円のメリットが生じます（次頁図表３）。

このメリットに当たる金額（この例では 70 円）を、生産者余剰（Producer Surplus）といいます。

図表３ ペットボトル取引の生産者余剰

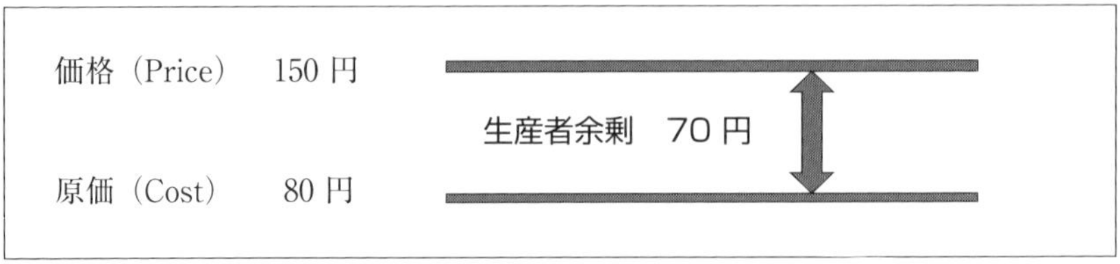

(5) 三本川

図表２・３にばらばらに出てきた、価値（Value）、価格（Price）、原価（Cost）を表す横棒を、３本まとめて並べると、**図表４**のとおり、「三本川」[2]の形になります。

図表４で、大事なことは、上下関係です。価値が、価格より高いから、消費者はこの取引を行うわけです。もしこの上下が逆転していたら、価値より高い価格を払って買うことは不合理ですから、取引は成り立ちません。

生産者にとっても類似のことがいえます。原価より高い価格で売れれば、利益が生じますが、価格が原価を下回ってしまったら（このことを、「原価割れ」と呼ぶ人がいます）、損失が出てしまいます[3]。

図表４ 三本川（横川）の図

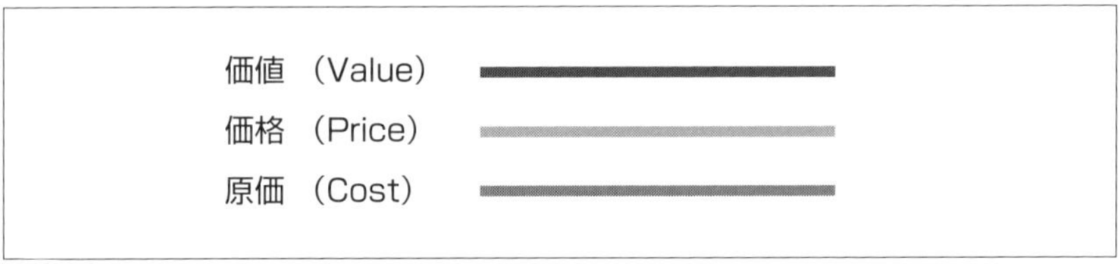

2）漢字の川の字を横にしたような形ですので、「横川の図」と俗称したりします。いずれも、正式な用語ではありませんので、ご注意ください。

3）事業によっては、在庫を抱え保管コストがかさむよりはよい、といった理由で、損失を甘受して原価割れの取引を行うケースがあります。衣料品などの業界では、在庫処分の値引セールが頻繁に行われますが、その場合の原価割れは必ずしも問題とはいえません。ただ、在庫という概念のない保険ビジネスで、原価割れの取引が生じたら、通常は商品の設計ミスを意味します。

通常の取引では、大小関係は、価値>価格>原価という順になり、これによって、消費者と生産者がそれぞれメリット（余剰）を得るわけです。

(6) 価　格

上記の大小関係が保たれていれば、価値と原価の間のどのような価格であっても、取引の原理は成立します。資本主義経済の下では、企業は利益を最大化しようとしますから、この間の価格で、利益を最大化する価格（最適価格）を模索するということになります。

それなら簡単ではないかと考える人がいるかもしれません。図表４で、価格をなるべく上のほう、価値の線にぎりぎり近いところに設定すればよいのではないでしょうか。そうすれば、保険会社は利益を最大化でき、儲かりそうです。一方、消費者の利益は最小化されてしまいます。これが、価格戦略の目指すところなのでしょうか。

そうではありません。価値は人によって違うからです。大勢の経済主体（消費者）が集まったマーケットにおける最適価格を追及すると、結果として社会の付加価値が大きくなり、多くの消費者余剰が生じるのです。これが、市場経済の基本原理であり、利益最大化を目的とする価格戦略が正当化される理由でもあります。このことは、第２章で改めて検討します。

Column2 市場経済と価格規制

資本主義社会の基本的な思想は、市場原理を用いることで社会の利益が増大するという理論にあります。一方、長い間、保険料は自由な市場に任せると市場の失敗が起きるので、厳格な規制が必要であるという考え方がとられてきました。

1996年の新保険業法以降の仕組みは、損害保険にあっては、主要商品の純率部分は参考純率をベースにする仕組みを設けたうえで、各社に保険料の裁量の幅を持たせること、生命保険にあっては、標準責任準備金の積立てや将来収支分析による十分性の検証などにより、責任準備金の積立てに関する規制を厳格にし、健全性を確保することで、商品に各社の創意工夫の余地を持たせ、料率について競争が働きやすい環境を設けています。

このように料率の自由度が高まったことで、一面では競争により、価格水準が低下する要素と、他面では、保険会社の利益追求のため、価格水準が上昇する要素が生じています。

日本に比べて料率の自由度の高い、欧米等の大手保険会社の利益水準は高いことから、グローバル化が進みROE（株主利益率）向上の要請が高まれば、後者の要素が強くなるという予想ができるかもしれません。

(7)　三本川と取引による社会の利益

この三本川の図表４を用いて、消費者余剰、生産者余剰を図解すると、図表５のようになります。

取引によって生じるメリットを、縦の矢印で表しています。

右側から見ていくと、まず消費者余剰（Consumer Surplus ＝図表５では、頭文字でCSと書いています）とは、購入者の認める価値と、価格との差です。最大200円払っても買いたい、と思うものが、150円で手に入れば、その取引による消費者余剰は50円となるわけです。

図表５ 価値、価格、原価と付加価値

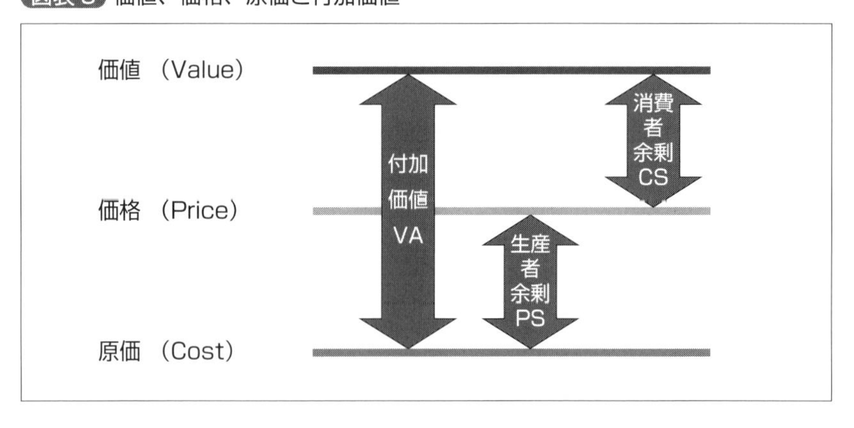

次は生産者余剰（Producer Surplus = PS）です。これは、価格と原価の差で表されます。80円の原価をかけて生産したものが、150円の価格で売れたなら、その取引による生産者余剰は70円となります。

最後に、両者を合わせた全体のメリットを付加価値（Value Added = VA）といいます。

社会全体でみると、80円の原価で製造されたものが、200円の価値を発揮したのですから、この取引を通じて120円のメリットが生じたことになります。社会の付加価値120円を、消費者には50円、生産者には70円と分配して、それぞれが分かち合ったとみることができます。

(8)　社会の利益の本質

上記の説明から明らかなとおり、下記の不等式が、付加価値の本質です。

価　値　>　原　価

その意味を、先ほどとは別の具体例で考えてみましょう。

名人芸を持ったラーメン屋さんがいて、安い原価（たとえば400円）で、非常においしくて高い価値（たとえば1,500円）のラーメンを作ったとします。400円のコストで、1,500円の価値を生み出したので、付加価値は1,100円になります。ラーメン屋さんは、これを1,000円で売っています。この場合、1杯について、お客様は500円の消費者余剰、ラーメン屋さんは600円の生産者余剰を得ます。すると、こんなにうまい（1,500円の価値がある）ものが1,000円なら安いということで、大人気で行列ができ、お客様にもラーメン屋さんにもとても良いビジネスになっています。この人がラーメンを作ると、その付加価値によって、社会が豊かになるわけです。

ここで、大事なことは、原価と価値は別物だということです。これをわかりやすく説明するため、今度は、下手なラーメン屋さんに登場してもらいましょう。この人のラーメンは、極上のイベリコ豚やフカヒレなどの高級食材を惜しみなく使うので、原価は3,000円もかかっています。ところが、どんな調理をしているのか、味付けが無茶苦茶で、そのまずいことといったら、口にしたとたん吐き気がして、とても食べられたものではありません。こんな人がラーメンを作ると、マイナスの付加価値が発生し、社会に損失が生じてしまいます。

このように、原価が高いから、価値が高いとは限りません。そうはならないという例は、たくさんあります。

さて、保険についてはどうでしょうか。

自動車保険には、対人賠償示談代行というサービスが付いています。自動車事故のうち対人事故の件数は比較的少なく、さらに対人事故の処理の中で示談交渉に要する業務量はその一部なので、これに要するコストは、保険料の数％程度です。その一方、お客様へのアンケート等では、この対人示談代行のサービスが自動車保険の一番の魅力だ、とする方が少なくありません。これは、低いコストで高い価値を提供しているものの一例です。

逆の例もあります。1990年代の初めの頃、損害保険各社が「損保年金」[4)]という商品を一生懸命売ったことがあります。内容からみれば、かなりの高利回りを保証していたため、顧客にとって悪い商品ではなかったのですが、損害保険会社の販売網と年金商品の親和性がないため、なかなか顧客に価値が認めてもらえません。各社は大きな努力を払い、苦労してこの損保年金を販売しました。その後、運用金利の低下によって、いわゆる逆ザヤ（利差損）が発生し、この商品は保険会社に大きな損失をもたらしました。

これは、コスト（金利負担も含めた保険会社にとっての原価）が、バリュー（お客様が買ってもよいと思う留保価格＝価値）を上回ってしまった例といえます。

(9)　保険マーケティングの課題

序章で、保険のビジネスモデルを、オペレーション（社内業務）とマー

4）年金払積立傷害保険というのが正式名称です。

ケット（お客様）をつなぐものだといいました。本章の「三本川」の**図表4**で考えると、**図表3**の生産者余剰を拡大するのが、オペレーションの主な任務であり、**図表2**の消費者余剰を拡大し、それによって消費者による購買を促進することが、マーケティングの主な任務と考えることができます。

このほかに、⑹で述べた価格決定という課題があります。

このあと、**第2章**から**第7章**にかけて、価格戦略を含めたマーケティングの課題を複数の観点から扱います。いくつかのアプローチを示しますが、どこからみる場合も中心となるテーマは、付加価値の拡大です。消費者余剰と生産者余剰を合わせた社会全体の付加価値を生み増やすことが商品開発のミッションなのです。

2 レーティングとプライシング

保険の価格すなわち保険料は、どのように決めたらよいでしょうか。

伝統的な考え方は、保険料は、支払う保険金の期待値である純保険料に、保険事業の経費と会社の利潤に見合う付加保険料を加えて計算するというものです。この考え方は、純粋にコスト側、すなわち原価から保険料を定めるもので、マーケットおよび顧客価値などの概念は含まれていません。

本書では、これをレーティングと呼びます。

一方、マーケット側の要素から検討すると、その商品に対して顧客の認める価値に基づいて、保険料を設定するというものになります。これを具体的に実行するには、価格に応じて販売量がどう増減するかを予測し、これを踏まえて保険料を決めるということになります。

本書では、これをプライシングと呼びます。

それでは、以下この両者についてみていきましょう。

(1) レーティングの基礎

① 保険の原価

保険の原価は、主に、将来支払うであろう保険金の原価（「期待値」という概念で表します。事故の確率を織り込んだ平均的な支払額という意味です）と、保険会社の事業運営の費用からなります[5)]。保険料のうち、保険金の期待値に相当する部分を純保険料といい、それ以外を付加保険料といいます。

代理店に販売を委託する保険会社の場合、事業運営の費用はさらに、代理店手数料と会社経費（「社費」ということがあります）に分かれ、さらに、それぞれを新契約時にかかる新契約費と、契約の維持管理にかかる維持費に分

5）株式会社の場合、株主から提供される資本のコストも、保険の原価ではないかという考え方もありうると思いますが、現時点で一般的ではありません。

けることができます。

なお、これらの内訳ではなく、保険料の全体を指すという意味で、顧客から領収する保険料を「営業保険料」ということがあります。

まとめれば、次のとおりです。

営業保険料＝純保険料＋付加保険料
純保険料＝保険金の期待値
付加保険料＝事業費＋利潤
事業費＝代理店手数料＋社費

② 収支相等の原則、給付反対給付均等の原則

上記の純保険料について、「収支相等の原則」という原則があります。これは、保険会社からみて、収入した純保険料の総額が、支払う保険金の総額に等しくなるべきであるという原則です。その会社の契約者全体でみて、収支がちょうどゼロになるという意味です。

一方、これと関係が深い原則に、「給付反対給付均等の原則」というものもあります。こちらは、個々の契約者からみて、支払う純保険料と、受け取る保険金の期待値が等しくなるべきであるという原則です。

どちらも、純保険料が保険金とちょうど過不足がないことを意味していますのでよく似通っていますが、全く同じものとはいえません。

団体保険契約などで、集団の中で個人ごとに多少危険度の差があるケースについて、保険料を平均してしまい、集団単位で一律の保険料とすることがあります[6)]。この場合、個人ごとにみれば、厳密には給付反対給付が均衡しないことになりますが、その集団でみれば収支相等になっています。

純保険料計算では、収支相等は成り立たせることが原則です。一方、上記のような例について、どこまで個別契約者ごとに給付反対給付を均衡させるのがよいかは、リスク区分の細分化と呼ばれる問題になります。

6）年齢群団別の定期保険などの例があります。

③　リスクプレミアム

なお、最近では、保険会社にとってリスクの大きな保険は、収支相等の法則だけで保険料を決めるのではなく、リスクに見合う割増（リスクプレミアム）を上乗せして純保険料を決めるほうが合理的で、株主の負託に答えることになるのではないかという考えもあります。

自動車事故のリスクや、住宅火災のリスクは、契約者にとっては大きな問題ですが、保険会社の側からすると、契約数がたくさんあって、過去の統計が安定しており、しかもそれぞれの事故にほとんど連動性がありません（これを「独立」である、といいます）。こういう場合は、大数の法則と、さらに中心極限定理という数学の定理が成り立ちます。

大数の法則については、第11章で詳しく説明します。この法則が成り立てば、保険会社にとっては、保険金支払総額は十分安定し、保険引受上のリスクはないといえます。ところが、台風などの自然災害については、統計データが少なく、しかも多数の被害が一斉に生じるので、個々の事故が独立になっていません。このような場合には、大数の法則も中心極限定理も成り立たないのです。

このようなものを補償する保険は、保険会社にとっても引き受けるリスクが大きいので、それに見合う利益が期待できないとおかしい、というのがリスクプレミアムの考え方です。近年は特に、台風による大規模の災害などで、保険会社の収支が大きく悪化することがみられます。このリスクプレミアムの在り方については、今すぐこれを適用して大きく保険料を変えることはないとしても、今後保険業界でさまざまな検討がなされていくと思います。

④　料率三原則

料率の三原則とは、保険料率は、合理的かつ妥当で不当に差別的でないものであるべきだという原則です。

合理的とは、保険料算出に用いる統計などの基礎資料が十分あって、それを用いて、保険数理に基づく科学的な方法で算出されていることです。妥当とは、将来の保険金支払の原資として、過不足がないことです。また不当に差別的でないとは、リスクの実態に基づき、適切な区分と水準に設定されていることです。

上記のことは、一義的には純保険料についての条件と考えられますが、営業保険料全体にも料率三原則という言葉が使われることがあります。

⑵ 市場経済との折衷点

① 市場との接点

上記のレーティングの考え方からは、顧客からみた価値や他社との競争関係といった、市場経済との接点は出てきません。一方で、保険の自由化によって消費者の利益を向上しようとするなら、消費者との接点であるマーケット側の事情を考えなくてはなりません。消費者が何を望んでいるかは、市場を研究することでわかります。これをせずに保険会社側の論理で商品や価格戦略を行っても、それが消費者のニーズに適う保証はありません。

たとえば、保険料は安いほうが消費者の利益になるから、下げるべきだと考えたとします。値段は高いより安いほうがよいので、それはまちがいない事実です。

しかし、話はそれほど簡単ではありません。価格を下げるため、代理店手数料を切り下げる場合、その結果サービスの質が低下するとしたら、消費者はどちらを望むでしょうか。あるいは、その分の利益を使って、苦情の多いシステムを改定するのと、どちらがより消費者余剰が大きいでしょう。こうしたことは、なかなか難しい問題で、かなり深く研究する価値があります。

消費者利益を高めようと考えるなら、マーケットに謙虚に学ぶ姿勢が必要です。これについては、**第７章**で検討します。

② コストベースからバリューベースへ

保険料の算定において、原価だけでなく、消費者が何を望んでいるかを考慮すると、いろいろなことがみえてきます。

この視点の転換は保険独自の文化であるレーティングの世界から、市場経済の標準語であるプライシングの世界へ、一歩踏み出すことであるといってもよいかもしれません。

さらに、保険料に限らず、商品設計全般を市場の観点から考え直したらどうでしょうか。

原価＝コストベースから、価値＝バリューベースへの発想の転換です。本書は、ご一緒に、その道を歩いてみようと思っていただいた方へのガイドブックです。

Column3　みんながそうだ！には理由がある

保険業界、あるいは金融業界にいる人たちは、皆保守的だ、というご批判を耳にすることがあります。なかなか耳が痛い話です。聞くと、「動きが鈍い」、「発想が硬直的だ」、「横並びでクリエイティビティを感じない」、「実現方法ではなく、断る理由を一生懸命考える」、「夢が描けない」といった印象を持たれているようです。

こういうご批判をみていくと、これではまずいな、という気になります。これを改善するのは、気持ちの問題だとする方が多いのですが、その前に、なぜこうなっているのかを考えることが有益です。

保険会社の1社や2社にこういう問題があるなら、経営者の性格など個別の要素が原因と思われます。一方、各社がこぞってそうである場合は、偶然そういうことが起きる確率は高くないので、事業への適応（業種特性）である可能性があります。

お客様は保険や金融にサプライズを求めてはいません。ハイテク産業やソーシャルメディアなどの業界とは、顧客の期待に違いがあります。保守的な体質は、ある程度までは「まちがいのないこと」というお客様の要求に適応している部分があります。

その場合は、他業界に比べて頭が固いからだめなんだ、といった風に短絡せずに、金融業界の現状の良いところ、悪いところを冷静に考えるのがよいでしょう。焦らず、落ち着いて足元をみると、意外に面白い発見があるかもしれません。

3　保険商品の特性

この節では、第２章の需要曲線の研究に先立って、保険という商品の持つ特性を概観します。複数の観点から保険の主だった特性を把握しておきましょう。なお、なぜ保険が価値を持つかという根本の原理と、ニーズがネガティブであるという特に重要な特性については、のちに章を改めて詳しく検討することにします。

(1)　リスク回避の効用

前節２(1)「レーティングの基礎」で述べたとおり、消費者すなわち保険の契約者が払う営業保険料は、保険金の支払原価すなわち期待値と、保険会社の事業に関する費用と利潤を含んで定められています。保険料は、契約者が必ず払うことになる支出です。これに対して保険金は、偶然事故にあった人がもらうもので、支払があるかないか、さらに損害保険についていえば、あるとすれば金額はいくらかということは、契約の時点では不確定です。ただ、上記の期待値、すなわち事故の確率を考慮した平均値でみれば、保険金の期待値は純保険料と等しいので、営業保険料を下回ります。

契約者にとっての保険の収支は、支出（営業保険料）のほうが、平均的にみた収入（保険金の期待値）より大きいことになります。すなわち平明にいえば、保険は契約者にとって、平均的に「損になる」契約といえます。

しかし、契約者のメリットは、平均の収支だけで決まるわけではありません。たとえば、火事で家を失ってしまうのは、とても困ったことです。これを避けるために、火事にあった場合の損失（1,000万円とします）の期待値（1,000円とします）より、高いお金（2,000円）を払って保険に入る、というのは、合理的な行動と考えられます。火事にあう人はめったにいませんから、ほとんどのケースで、火事による損失はゼロです。一方、運悪く火事にあってしまった、めったにないケースでは、損失は1,000万円という大きな金額になります。こういう、ゼロか1,000万円かというような大きなばらつきがあることがらは、リスク量が大きいと考えます。保険に入ることで、大きな損失を回避し、リスク量を減らすことができるのです。

保険は、このように、期待値からみれば損になっても、それとは別のリスク回避という効用があるので、価値がある取引となっています。

このことの理論的な検討は**第４章**で行いますが、今は、保険の価値の本質は「リスクを回避する」ことにあること、ここでいうリスクとは、損失の期待値ではなく、損失の不確実性の大きさであることを理解しておきましょう。

⑵　無形の商品

保険の本質は、目に見えない「契約」あるいは将来にわたる権利と義務の集合体です。有体物（形のあるモノ）ではありませんから、保険を販売するのに、原料の仕入れや、製造工程、在庫管理といった業務はなく、これに伴うコストやリスクも発生しません。在庫がないことから、売れ残った商品のコストを売れた商品の利益で賄う必要もありません。このため、在庫を持つ業種に比べて、粗利益の幅の小さいビジネスが可能となる余地があります。

また、供給量の制約や、いわゆるサプライチェーンという調達のシステムも考える必要がありません。ただし、一般的な意味での供給量の制約とは異なりますが、台風や地震などの巨大災害を補償する保険については、支払能力という観点から、引受の上限を考える必要があります。

⑶　ニーズがネガティブ

一般の商品やサービスの多くは、手に入れることが消費者の満足に直結します。たとえば、スマートフォン、ビール、テレビ、おいしい料理、観劇、漫画の本、旅行など、われわれの消費の対象の多くは、購入が直接的な欲求の満足につながるものです。

ところが、保険については、これと同じような意味の満足はありません。

保険は、持っていても特にうれしいものではなく、もし入っていないと、万一の場合に困るという理由で購入されます。「満足」を「得る」という肯定的なニーズと対比すれば、保険は事故による「損失」を「回避する」という、いわば二重否定の形で効用が生じるわけです。

保険の効用は、一般の財やサービスの効用とは異なり、損失（マイナス）×回避（マイナス）＝効用（プラス）という形で生じています。このことは、保険のニーズを分析するうえで、留意しておくべき事実といえます。本書では、これを「ニーズがネガティブ」であると表現します。

Column4 保険から、宝くじに進出!?

大勢の人から少しずつお金を集め、そのうちの少数の人にだけ多額のお金を払う、という点で、保険と宝くじは類似しています。違いは、保険のニーズが、リスクから逃れるというネガティブなものであるのに対し、くじは当たれば大儲けというポジティブなものであることでしょう。法的な観点では、保険契約には被保険利益（保険を付ける対象となる、守るべき利益）があるのに対し、くじにはそれがない点が違います。

ただ、保険事業者の有するさまざまな経営資源（数理計算、掛け金の集金、保険金の支払、募集体制など）は、事業としてくじを運営する場合に、非常に親和性が高いと思われます。

もちろん、今の法律は保険会社がくじを業務として行うことなど認めていませんが、もし将来そういうことが可能になったら、大きな可能性があるかもしれません。

保険は、時に、「人の不幸を食い物にするビジネスだ」などと誹謗されることがあります。事実はその逆なので、反論したいところですが、ここはその代わりに、宝くじを始めて、「人に夢を売るビジネスを始めました」と宣伝したら愉快かもしれません。

(4) 原価の事後確定性

通常の物品を販売する場合には、商品の原価は、仕入れや加工、流通など、商品が売れる前の段階に生じます。したがって、コスト・アカウンティングと呼ばれる経理の技術的な難易度は別にして、理念的には原価はあらかじめ決まっています。

保険の場合は、これと異なります。保険会社にとって、ある契約によっていくら保険金を支払うことになるかは、契約の時点では不確定です。保険期間が終了して初めて、その契約についての原価（保険金）が確定するわけです。

このことは、収支の一番重要な要素すなわち保険金の支払額について、確定値ではなく予測で判断をしなくてはならないことを意味します。

このため、保険産業が成長の初期にある社会、たとえば、新興国や戦前の日本においては、リスクを理解しない保険事業者が、保険金の予測を適切に行わず、無理な営業によって支払能力に問題を生じる事例が起きています。

今日の先進国では、支払能力をきちんとチェックする仕組みが整備されてきましたので、こうした問題は起きにくくなったと考えられます。

ただし、逆に、不確実性を常に意識した経営を行うため、保守的な業界体質になっているという批判があるかもしれません。

(5)　セールス重視の特性

保険の効用は大きいと考えられ、生命保険、医療保険、がん保険、自動車保険、火災保険など、主要な保険はいずれも加入率が高いのですが、その一方でニーズがネガティブという特性もあって、勧誘されて初めて加入する契約者が多いということも事実です。

この事情を反映して、生命保険業、損害保険業ともに、保険の募集に非常に多くの経営資源を投入する傾向があります。通信販売等を主軸としない、伝統的な保険会社では、セールス従事者のウエイトが際立って大きくなっています。保険の募集人の数は、第４章６(1)脚注9）のとおり、100万人という単位に達していますが、この募集人の活動の多くは、加入勧奨（勧誘）です。

営業とは、文字どおりにいえば、業を営むことで、ビジネスのさまざまな機能を含みますが、わが国の保険業界では、営業部門といえばセールス部門を意味します。営業とセールスを同義に扱っていることは、事業活動の中で、セールスが特に重要と認識されている証左といえます。

マーケティングの機能は、本来は大変幅広いものと考えられます。その中で、セールスを重視するわが国の保険業界は、チャネル・マーケティングといわれる募集・勧誘体制にかかわる機能を特に重視してきた歴史があります。逆に、商品設計や価格設定、ブランディング等の分野のマーケティングには、まだまだやるべき仕事が残されているかもしれません。

(6)　個人分野と企業分野

保険は、個人の契約者にも、企業やその他の形態の事業者にも利用されます。ただ、保険の役割を考えていくと、生活を守るための保険と、事業を守るための保険にはかなり特性の違いがあります（図表6）。また、制度的にみても、個人向けの保険は定型化されていて、補償内容や料率が画一的であり、国の認可を得ないと変更できない事項が多いのに対し、企業向けの損害保険は、補償内容や料率設定の自由度が大きいという違いもあります（生命保険は、人に付ける保険であるため、事業者向けの保険でも制度的な面では個人向保険と違いはありません。それでも、契約者が企業等である保険、たとえば団体定期保険などは、料率面などで個人保険にはないさまざまな柔軟性を持っています）。

図表6　個人向商品と事業者向商品の対比

	個人向け	事業者向け
保険の利用目的	個人の生活を守ること	事業の安定化
契約者保護の必要性	特別な配慮が必要	一定の自己責任
補償内容の自由度	厳格に規制	柔軟
保険料の自由度	厳格に規制	柔軟

このような特性から、商品開発の実務は、個人向商品と事業者向商品で、かなりの差があります。バリューベースのマーケティングという観点でも、随所に上記の契約者の特性による差が存在します。

この違いは重要です。しかしそれでも、基礎的な概念は、両方に通用する要素が多くあります。そこで、本書では、できる限り個人向けにも事業者向けにも応用できるように、原則的な概念を述べています。

ただし、取引の基本構造の説明に「消費者」という言葉を使ったことに表れているように、一義的には個人の契約者を想定して記述をしています。企業分野の商品を開発される方は、本書に書かれたマーケットニーズの研究を学んだうえで、具体的な顧客を想定し、よりオーダーメイド的な設計をすることを念頭に置いてください。

第2章

需要曲線の研究

1　マーケットの構造

第１章で学んだとおり、取引のベースとなる３要素は、価値すなわち購入者の効用、価格すなわち授受される対価、原価すなわち販売者のコストでした。ここからは、購入者（保険の場合は契約者）の立場から、価値と価格の関係を詳しく考察します。

(1)　価値の主観性

①　留保価格

第１章１の初めに挙げた、ペットボトルのウーロン茶を購入する例を振り返ってみます。

ある人にとって、定価150円のウーロン茶の価値が200円であったとすると、この購買取引で、その人は200－150＝50円の消費者余剰を得ることになります（図表１）。

この人が払ってもよいとする最大の価格＝留保価格が、その人にとってのこのウーロン茶の価値を表します。

ただ、世の中にはウーロン茶が嫌いな人もいます。200円どころか、ただでも欲しくない人もあるかもしれません。そうなると、その人の留保価格はゼロか、あるいはボトルを捨てる手間を考えるとマイナスかもしれません。価値とは、人によって違うもの、言い換えれば主観的なものです。このことを少し考察しましょう。

図表１　価値と価格の関係

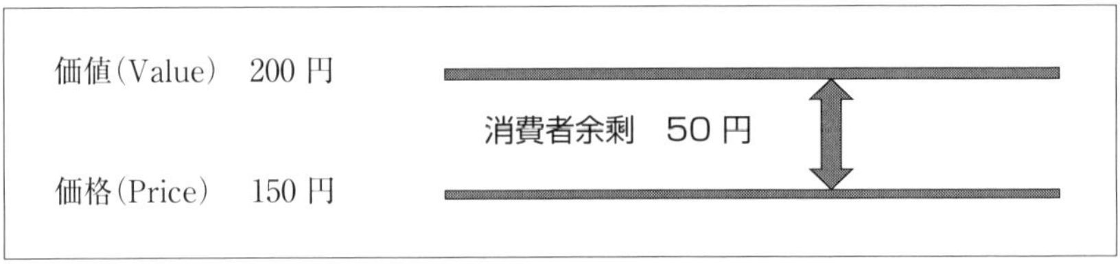

なお、ここからしばらく、人が「買うか買わないか」に着目した議論を行いますので、価値を表す言葉として、「留保価格」の概念を用います。本書では、価値と留保価格は一体のものとご理解ください。

②　市場における留保価格

さまざまな留保価格を持つ人が混在する市場を考えてみましょう。

A～Hの8人がいて、ある商品についてそれぞれ**図表2**のような価値を認めているとします。

それぞれの人にとっての価値は、A大人の300円からG氏の151円までさまざまです。今は、話を単純化するため、価格以外の条件をいったん忘れ、価格が安ければ買う、高ければ買わないという前提で考えましょう[1)]。

A大人にとっての消費者余剰は300－150＝150円ですから、この人は喜んで買うことになるはずです。G氏の余剰はわずかですが、いちおうプラスですから、ここまでの人が購入します。

この図にはもう1人H選手という人がいて、この人の価値は130円＜価格（150円）となっています。この人は、買えば消費者余剰がマイナスになり、効用が減ってしまいますから、（平たくいえば損になるので）、買わないこ

図表2　さまざまな留保価格

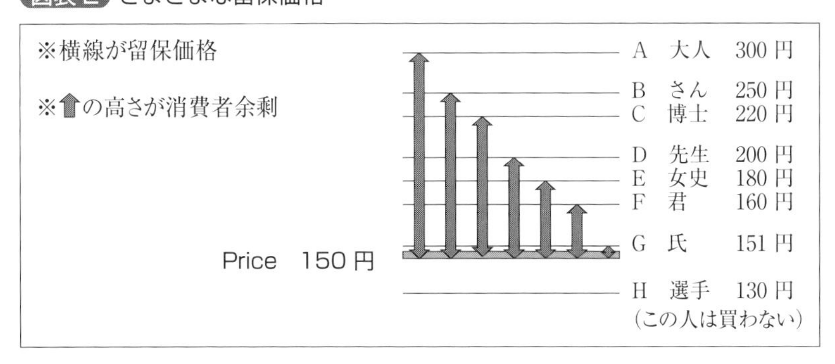

1）もちろん、現実にこんな前提は成り立ちません。より現実的な購買行動は、次章以下で保険という商品の特性を検討したうえで、のちに詳しく考察します。

とになります。

(2)　グラフ化

①　留保価格の集積

価格戦略を検討するためには、このように人によって異なる留保価格が集まった市場を考える必要があります。前記(1)図表２の８人の留保価格を集めて、高い順に並べると図表３のような階段状のグラフになります。

G 氏までが買い、H 選手は買わないという事象は、グラフでは図表３のような形状として理解できることを確認してください。

図表３ 留保価格の集積

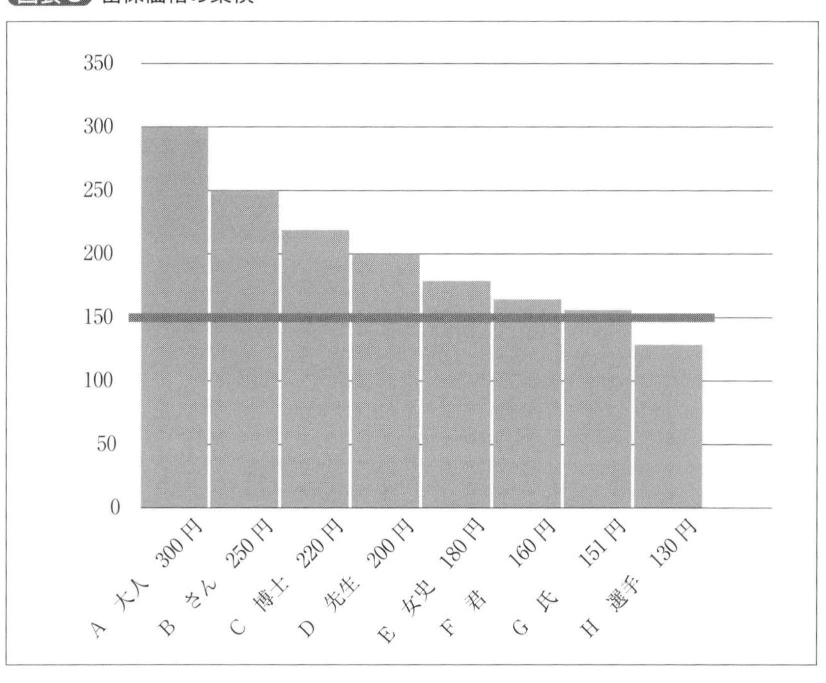

②　需要曲線

さて、さらに多く人のデータを集めていくと、階段が滑らかになって、右肩下がりの曲線が見えてきます（図表４）。

図表４の各棒の頂点（各人の留保価格を表していました）をつないでいった曲線が、需要曲線、あるいはDemand Curveといわれるものです。

この需要曲線は、価格決定－値段をいくらに設定するか、割増や割引などをどうするか－が販売量にどのように影響するかを知るための、もっとも基本的なツールになります。

「需要曲線を考えずに価格戦略を行ってはいけない」のですが、それはなぜか、以下、丁寧に考察していきましょう。

図表４　市場の需要

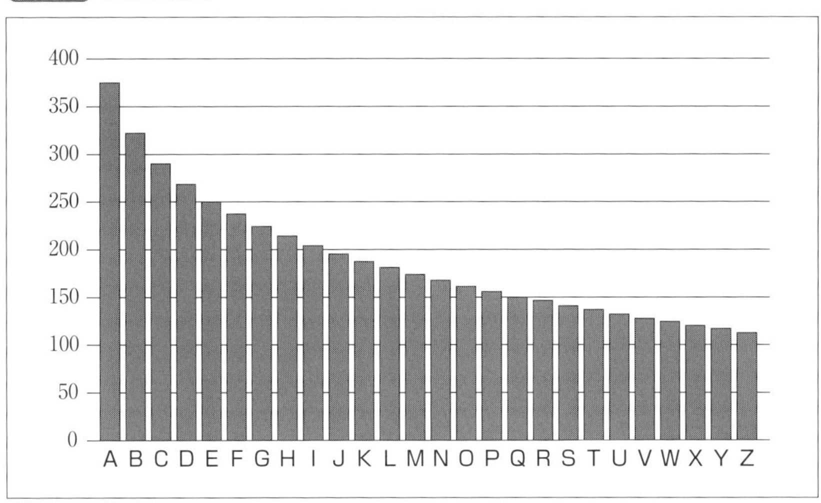

2　需要曲線

前節で取り上げた、棒グラフの頂点をつないだ需要曲線（Demand Curve）の姿は、図表５のようになります。もし需要曲線が正確にわかれば、価格と販売量の関係を定量的に定めることができます。

たとえば、販売予測をするとき、価格が100円なら販売量は１万個、価格が150円なら販売量は5,000個というように、価格に応じた売行きをあらかじめ計算することも夢ではありません。

⑴　需要曲線とは

A大人からH選手まで、さまざまな留保価格を持つ人の購買行動を示した、前記１⑵図表３を思い出してください。図表３のグラフに、実際の販売価格（この場合150円）を、横串のように通すと、留保価格がそれより高い人は買い、低い人は買わないということになりました。

図表５　需要曲線の形状

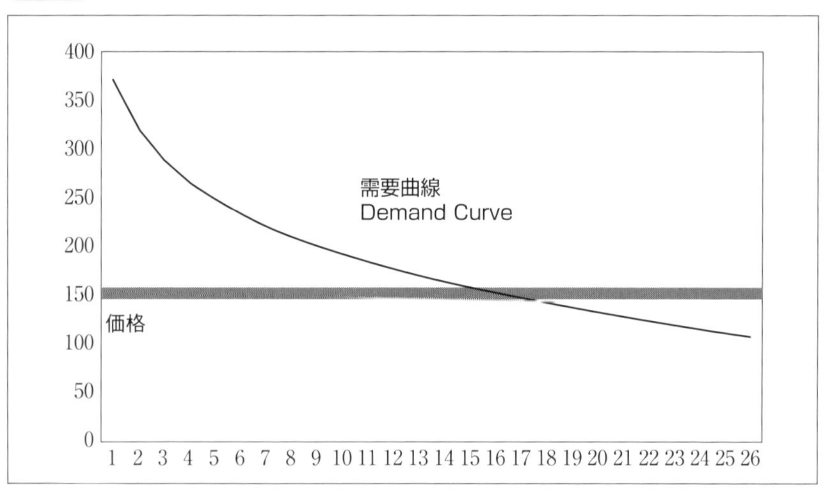

(2)　潜在的な販売量

図表６で、縦軸は価格を表し、横軸はさまざまな購買者を並べたものを表すと考えてください。横軸の数値が１～26となっているのは、前掲１(2)図表４のA～Zにあわせたものですが、この数に特別な意味はなく、単に右に行くほど購買者が多いことを表します。横軸の表すものは、これまでの例では顧客の数ですから、潜在的な販売量を表すとみることもできます[2)]。図表６の需要曲線と価格の交点より右側の顧客は買わず、左側の顧客は買

図表６　需要曲線と潜在的な販売量

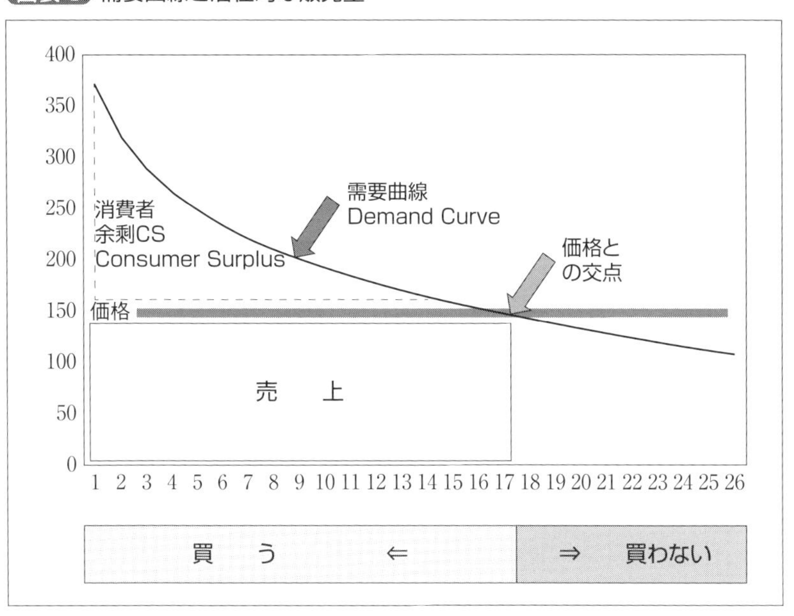

2）実際には、１人で複数の単位を購買する者もいますから、販売量を買う人の人数とみる考え方はあまり汎用性がありません。ミクロ経済の教科書では、より一般に販売量が価格の関数であるというとらえ方をします。ただし、保険マーケティングでは、のちに明らかなとおり、このように「買う人」の集団を想定して考えることでさまざまなメリットがあります。

うことになります。このとき、その商品の売上はどうなるでしょうか。売上とは、商品の価格単価に販売量を乗じて得られます。すなわち、以下のようになります。

売上＝価格×販売量（買う人数）＝（図表６の）長方形「売上」の面積

図表６の価格と需要曲線に囲まれた三角形のような部分の面積が、市場における消費者余剰（各人の消費者余剰の合計）を表します。市場がうまく機能すれば、価格調整によって、消費者余剰と生産者余剰（この図には記載していません）の合計が最大化されます。これが市場経済の基本となる原理です。

⑶　需要曲線の一般的な表現

ミクロ経済の一般的な教科書に合わせて書けば、図表７のようになります。

図表７ 価格と販売量の関係

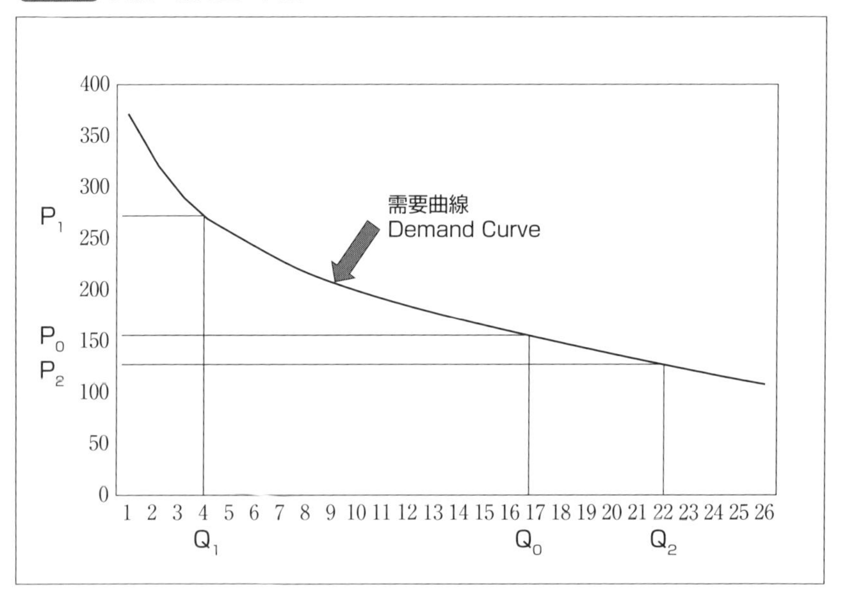

図表７で、価格と需要曲線の交点から下ろした垂線の足Ｑが、その価格における販売量を表します。Ｐが増減すれば、それに応じてＱも増減するわけです。

需要曲線は、価格と販売量の関係を示す関数であるといえます。

3　需要曲線の問題点

さて、需要曲線のさまざまな利用を考える前に、その問題点あるいはツールとしての弱点を認識しておくことが重要です。

人の活動や社会現象などの現実を、そのまま計算対象とすることはできません。社会科学やビジネスでは、数理をはじめとした理論が適用できるように現実を抽象化することが必要になります。そのために、モデルを用います。

モデルは、ある種の道具すなわちツールですから、やる仕事に適したツールを選ばなくてはなりません。ツールには強力なものもあれば繊細なものもあります。どんなツールにも、長所と短所がありますから、仕事への適合性を理解して使うことが重要です。土木工事にエッチング装置[3)]を持ち出しても意味がありませんし、脳外科の手術に棍棒を使ってもいけません。

需要曲線は、有力なツールですが、有益かどうかは使い方次第です。そこで、応用する前に、どのような弱点があるかを考察しておきましょう。

(1)　実在するのか

前掲２の図表５～７では、需要曲線を幅の細い明確な線として書き表しました。

このような曲線が表すものは、きちんと定義できる関数です。あいまいさがなく、１つの値（たとえば価格）を定めれば、それに対して１つの値（たとえば販売量）が返ってきます。その性質のことを、一意性ということがあります。

一意性のある関数とは、y＝f(x)という形の、xを決めれば、それに対応するyの値は１つだけに決まるという関数です。

3）半導体等の電子デバイスの製造ラインで使用する、薄膜を加工する装置。

しかし、先のウーロン茶の例でいえば、喉が渇いていなければ、お茶はいらないという人が普通でしょう。価格は同じでも、ほかの条件で購買行動は異なります。すると、同じウーロン者の需要が、ある条件の下では、$y=f(x)+10$ に増大したり、別な条件の下では逆に、$y=f(x)-10$ に減少したりすることが考えられます。

需要yが、価格xだけで決まるものではなく、ほかの条件によって変わるとすると、yの値は、$f(x)-10 \leq y \leq f(x)+10$ という風に、幅を持った帯のようになります。

喉が渇いているかどうかといった、このグラフに取り込まれていない条件で、xの値に対するyの値が異なると、そのグラフは図表８のように、境目があいまいになってしまいます。

さらにこの線がどんどん希薄になってしまえば、モヤモヤした「天の川」のようなものになり、１つの価格に対して、需要曲線が示す販売量は１～

図表８　あいまいな需要曲線

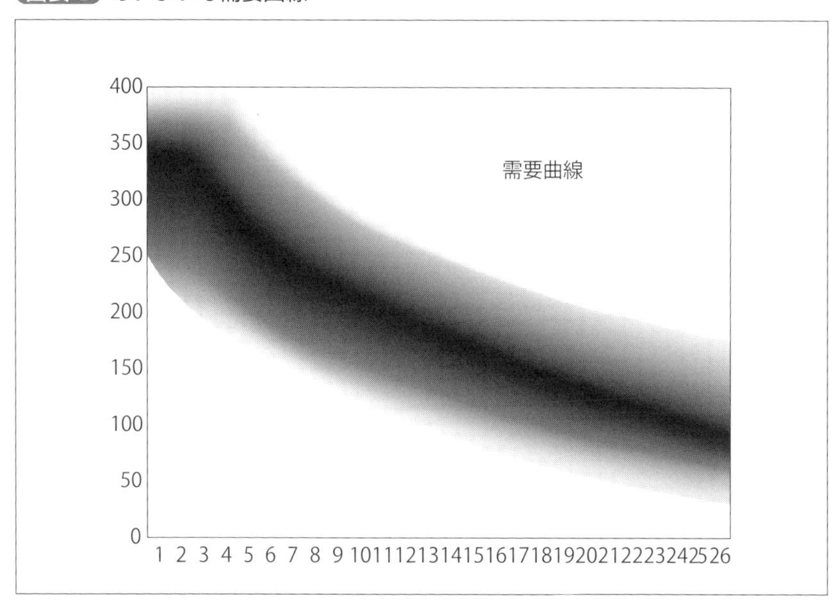

100の間の幅だ、というようなことになっていきます。

このように一意性がなくなれば、関数としてきちんと定義されているとはいえません。あいまいさの度が過ぎれば、そもそも需要曲線というものは存在しないと考えるべきでしょう。

概念が定まらないのでは、もちろんツールとして役に立ちません。

このことに注意したうえで、解決は後回しにして、別な問題に着目しましょう。

⑵　測定可能か

一歩譲って、需要曲線がきちんと定義できることは認めたとします。

次の問題は、観念的にはそのようなものがあったとしても、実際にどのような曲線であるか、その形状がどのような数表または算式で表されるのかを、知りうるのかという問題があります。測定が困難もしくは不可能ではないか？という疑問です（図表９）。需要曲線が実在したとしても、測定できなければ、役立てることはできません。

留保価格は、購入者が主観的に持っている価値評価によって定まるものですから、どうやったら購入者本人以外がこれを知ることができるのかという問題があります。さらに、別な問題もあります。市場に参加する人の留保価格を集めたものが需要曲線ですが、その全員の留保価格を調べることには、無理があるでしょう。需要曲線の測定は、どう考えても容易なことではなさそうです。

⑶　変動が激しく不安定ではないか

仮に、前記⑴、⑵の問題がクリアできたとしても、需要は時とともに変化します。仮に需要曲線が定められ、測定できたとしても、絶えず激しく変動していたのでは経営戦略に利用することは難しいでしょう。

一般に、市場の需要は変動があるもので、物品によっては、ひと頃は爆発的な需要があったものが、一定時間ののちにはほとんど顧みられなくなり、

図表9　需要曲線の測定

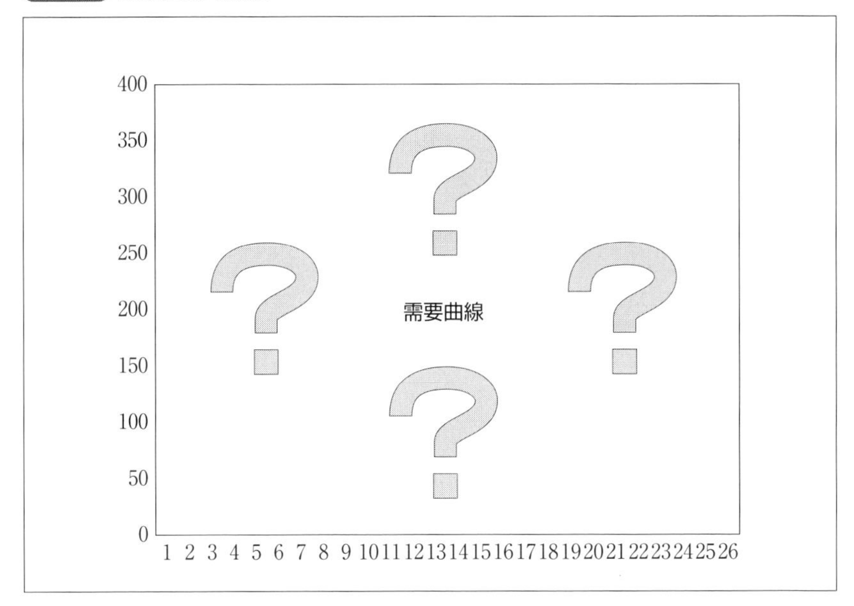

またあるとき突然復活するというような事例があります。こうした動的（ダイナミック）な需要特性を持つものの販売戦略には、静的なツールである需要曲線はあまり有効とは考えられません。

4　保険マーケットへの適合性

以上述べたように、一般には、需要は価格以外の要素に左右され、定量測定が困難で、時間的変動が大きいという性質があるので、価格から販売量を求めることは容易ではありません。

しかし、それでも「価格決定のフレームワーク」を持つことは重要です。少なくとも、価格戦略を検討する際には、このフレームワークがないと、「それによっていくら販売量が増えるか全く予測できないまま、割引制度を導入した」ということが現実に起こり得ます。

狙ったとおりの効果が出るか否か以前に、どのような効果を期待して価格戦略をとるのかを明確にしておくことが、必要かつ有益です。

⑴　保険の需要曲線

さて、これまでは一般論でしたが、これからは保険に即して価格と需要の関係を考えましょう。

①　ネガティブな購買動機

保険の場合は、需要曲線が特に安定していて、また測定しやすいという特性があります。その本質的な理由は、「ニーズがネガティブ」なものであることに起因します。

第１章３「保険商品の特性」⑶で触れたように保険を購買する動機は、加入するとうれしい、あるいは楽しい、というポジティブなものではありません。加入しても楽しいものではないということから、嗜好性・ファッション性や情動的な流行がなく、その結果需要は安定します。

②　面倒くさいと思われがち

もうひとつの大きな特性は、保険は「面倒くさい」ものであると認識されがちなことです。面倒くさいものについては、購買者はあまり細かな差異を詳しく検討したり、競合商品との比較を丁寧に行ったりすることが少なくなります。その結果、商品等の軽微な差異の販売に対する影響が小さくなるのです。

たとえば、コンピュータゲームのような嗜好性の強い商品については、キャラクターの表情がどうもしっくりしないとか、音楽のリズムが心地よくないといった、製品面からみれば相対的に軽微な差が、大きな販売量の差につながることがあります。そのほか、CMの出来不出来や、著名人が勧めるかどうかなど、製品や価格以外の要素で大きく販売量が左右されます。こうした性質があるものの需要曲線は非常に不安定です。

ニーズがネガティブで、面倒くさいと思われがちな保険については、こうした要素はかなり小さいといえます。需要曲線が安定しているとは、そのことを指します。

これらのことから、前述した需要曲線のあいまいさの問題は、保険に関しては相対的にとても小さくなっています。また、測定についても保険の場合は、適切な市場調査を行うことで、高い精度で推定ができます。これについては、第７章で解説します。

5 需要曲線の応用

(1) 人の集まりとしてみた需要曲線

経済学では、需要曲線は（前掲２図表５）のような滑らかな曲線と考えますが、いま、これを（前掲１(2)図表４）のような、さまざまな留保価格を持った人の集まりだと考えてみましょう。

① 購買者の特性

図表10の左側にいる人は、留保価格が高い、すなわち高い価格であっても購入してもよいと考える人たちです。一方、右側には、より安い価格でなければ買わない人たちがいます。

今、需要を検討している商品の価格がＰであるとします。左端のＡさんの留保価格は、Ｐよりずっと高いので、少々値上げしようが値下げしようが、

図表10　市購買者の集まりとしてみた需要曲線

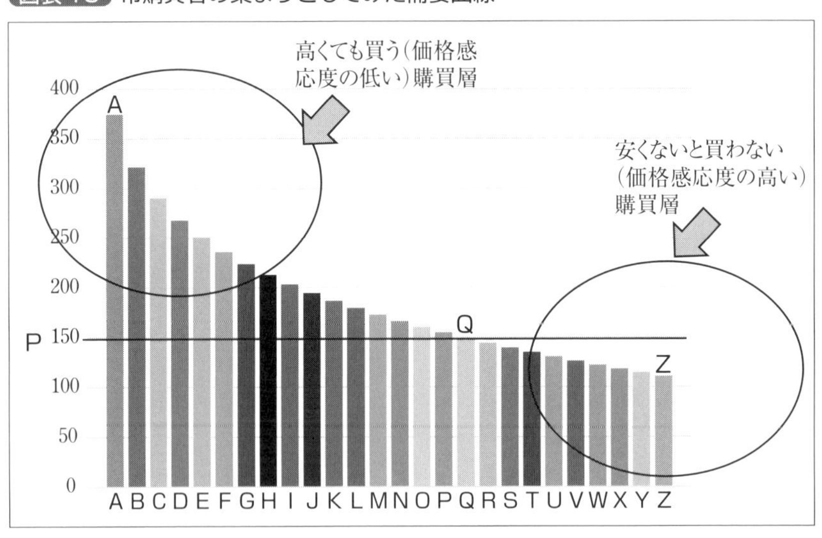

いずれにしてもＡさんは購買すると考えられます。一方、右側にいるＺさんは、価格がＰよりかなり低い留保価格まで下がらないと買ってくれません。中ほどのＱさんは、ちょうど境目に近いところにいます。Ｑさんの留保価格はＰに近い値ですので、この人にとっては、わずかな価格差が、購買するかどうかの境目になります。

図表10のどこに位置するかは、購買者の持つ性質によります。すなわち、値段が高くても良いものを買おう、と考える高級志向の消費者は左側にいて、安い価格でなければ買わないと考える人が右側にいるわけですが、このような購買性向は、人ごとに定まっていると考えられます。

②　マーケット・セグメンテーション

マーケティングのさまざまな戦術において、図表10のどの位置にいる購買層をターゲットとするかを考えることは重要です。これにより、たとえば、左側の顧客層をターゲットにして、廉価版の商品を投入する、といった戦略がうまくいかない理由が理解できます。特に、価格戦略を考える場合には、このようなターゲットゾーンの認識が不可欠です。

さて、顧客を、購買特性ごとのセグメントに分けることができれば、有効なターゲット・マーケティングが可能です。ただ、購買特性は顧客の心の中にあるものですから、外部から直接知ることは困難です。そこで行われるのが、属性によるセグメント化です。

性別、年齢、既婚未婚や子供の有無の別、といった属性要素でマーケット・セグメンテーションが行われています。これは、顧客を購買特性で区分するためのひとつの方策です。もちろん、同じセグメントの人が皆同じ購買特性を持つわけではありませんが、販売する商品によっては良い近似となります。

顧客の特性によるマーケットセグメントは、さまざまな観点で極めて重要です。高級乗用車が欲しい人に、軽自動車を売ろうとしてもうまくいきませんが、このことには、ライフスタイルや価値観など、多くの顧客特性がかかわっています。レクサスを買いに来た顧客は、価格を安くしたからといって軽自動車を買うというものではありません。

多くの業界で、商品の「ラインアップ」として、たとえば高級車から大衆車まで多くの品ぞろえを行っています。商品のラインアップとは、異なる購買特性を持つ複数のマーケットセグメントへの対応策と理解できます。

多様な顧客特性を、価格選好という観点から理解するツールとしても、需要曲線は重要です。

⑵　価格変化と需要曲線

①　価格感応度

値上げまたは値下げを行うと、消費者の需要はどう変わるでしょうか。このことを分析するのも、需要曲線の重要な仕事です。（前掲２⑶図表７）に示したとおり、価格が高くなれば、需要は減少し、低くなれば増大することになります。

これをもう少し深く理解するため、価格の変化に対する販売量の変化の比率を考えてみましょう。

図表11の点線で示した、傾きの急なカーブは、価格感応度が低いマーケットの需要曲線を示し、一点鎖線で示した、傾きの緩やかなカーブは、価格感応度が高いマーケットの需要曲線を示します。ここで、価格感応度とは、価格の変化に対してどれほど需要が増減するかの指標[4]です。価格の変化を⊿P、需要の変化を⊿Qとすれば、（⊿Q／⊿P）で表すことができます。

4）経済学では、価格弾性値（E＝（⊿Q／Q）／⊿P／P）を、価格に対する販売量の変化のしやすさの指標に用います。弾性値は、理論的に取り扱いやすく、単位の取り方に依存しないので、より本質的に「変化のしやすさ」をとらえるものといえます。ただ、本書のレベルのマーケティングの理解には、上記の簡明な感応度（⊿Q／⊿P）でも十分です。

図表11　価格感応度と需要曲線の傾き

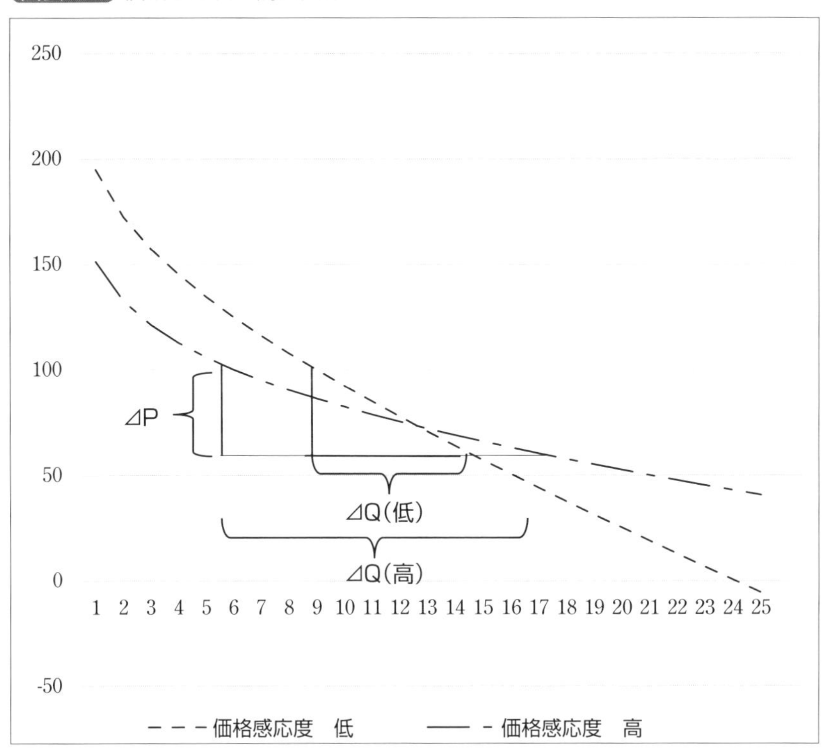

ところで、需要曲線は価格を縦軸、販売量を横軸に書くのが慣習なので、慣れないと「傾きが急」、「緩やか」という言葉のイメージと、実際の意味が食い違うように思えるかもしれません。

傾きが急であれば（図表11の点線）、価格の差⊿Pに対する販売量の差⊿Qが小さくなります。価格差に対する、売上の変化が小さいので、こういう場合は価格感応度が低いと考えます。

逆に傾きが緩やかだということは（図表11の一点鎖線）、わずかな価格の変化に対しても、販売量が大きく変化することになりますので、価格感応度が高いというわけです。傾きの緩やかな需要曲線は、熾烈な価格競争を暗示しています。

②　価格感応度と需要曲線上のセグメント

価格感応度は変化率ですから、留保価格の高低とは別物です。

ですから、留保価格が低いセグメントは、価格感応度が高く、留保価格が高いセグメントは価格感応度が低いと、一概に断定することはできないのですが、一般的に、需要曲線は右に行くほど次第に傾きが緩くなっていくと考えられます。

初学者の方のイメージとしては、いわゆる富裕層のような顧客は（前掲⑴図表10）の左側に、また、ネット上の比較サイトで少しでも安いものを探し求めるような顧客は右側に多いというイメージを持つとわかりやすいと思います。

一般的な傾向としては、留保価格が低い顧客層ほど、価格感応度が高く、その逆も成り立つと考えて、大きな支障はないでしょう。

⑶　売上最大価格

前掲２⑵の図表６で、需要曲線がわかれば、ある価格に対する売上の量が、以下のように表せることを示しました。

> 売上＝価格×販売量（買う人数）＝図表６の左下長方形の面積

このことを利用すると、売上を最大にする価格を求めることができます。

もし需要曲線が求められたら、これを使って売上最大価格を求めるのは難しいことではありません。

需要関数の形がわかれば、価格に対する販売量がわかるので、それらを掛け算すれば、売上が求められます。その価格を上下に動かせば、売上も左右に動きます。

価格を動かしながら、いろいろな組合わせで、「売上＝価格×販売量」を計算してみて、これが最大になるような価格を探せばよい[5]ことになります（図表12）。

一方、需要曲線を知るには、知恵が求められます。本当にできるのか？と

図表 12　売上の最大化

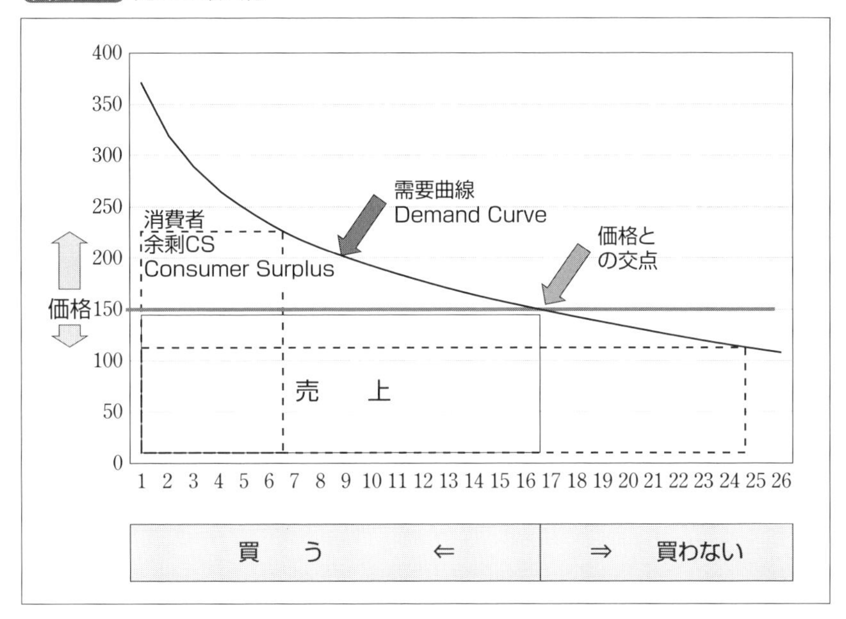

疑う方もおられるかもしれませんね。これは可能です。そのためには、必要な情報を「マーケットに聞く」ことになます。その方法は、第７章に述べる市場調査によります。

(4)　最適価格

さて、売上の最大値が利益の最大値ではありません。売上から、原価を引いたものが利益です。たとえば、利益率が5%しかない商品の価格を10%引き下げたら、売上がどうなろうと利益はマイナスになってしまいます。そこ

5）理論上は、この売上を方程式で表し、微分して0になる点を求めれば得られます。ですが、マーケットから情報を集めて求めた関数は、方程式などで表さず、単にデータとして並べて使うことをお勧めします。表計算ソフトを使えば、微分など知らなくても、いろいろな価格に対して売上の数値を並べていけば、その中から簡単に最大値を見つけられます。

で、次は原価を考えたうえで利益の最大化を考えます。

図表13の台形のような、コストと価格に挟まれた部分の面積が、利益を表します。

一般に、契約１件当たりのコストは、販売量が多いほど下がると考えられます。これを規模の利益またはスケールメリットなどと呼びます。

たとえばシステム開発のコストなど、契約件数の多少にかかわらず定額的にかかる費用がある場合に、これが生じます。そのため、**図表13**のコストの線は、右に行くほど、つまり販売量が大きくなるほど、低くなるように書いてあります。

ただ、現実的にこのようにコストを分析することは簡単ではありません。代理店手数料をはじめとして、多くの経費は売上に比例的な要素を持っていますから、コストを一律とみなして、**図表13**の台形を長方形として計算してしまってもよい場合も多いでしょう。

図表13 利益の最大化

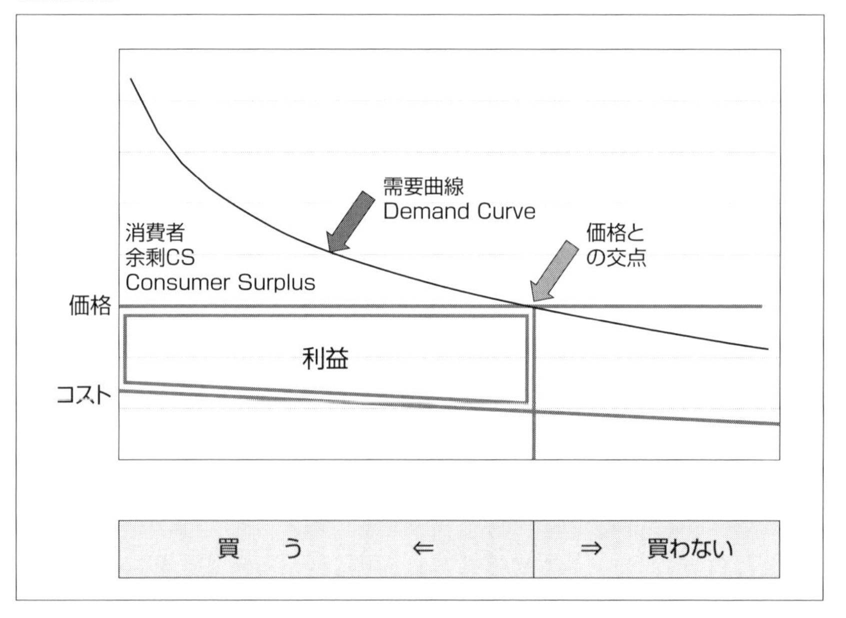

(5)　競争下の需要曲線

ここから、同様の商品やサービスを販売する競合会社の存在を考えましょう。

①　需要曲線の下方シフト

この場合は、需要の一部は競合会社に「持っていかれて」しまい、残った部分だけが、自社の販売につながることになります。当然、競争相手がいない場合より、需要は縮小します。

競争相手がいない場合の需要曲線を、「独占化の需要曲線」とすると、競合相手がいる「競争下の需要曲線は、それより下方にあることになります(図表14)。

②　価格感応度の上昇

このとき、需要曲線はただ移動するだけでなく、その傾きもより緩やかになる（価格感応度が高くなる）と考えられます。独占下の需要曲線に関して

図表14　競争による需要曲線の下方シフト

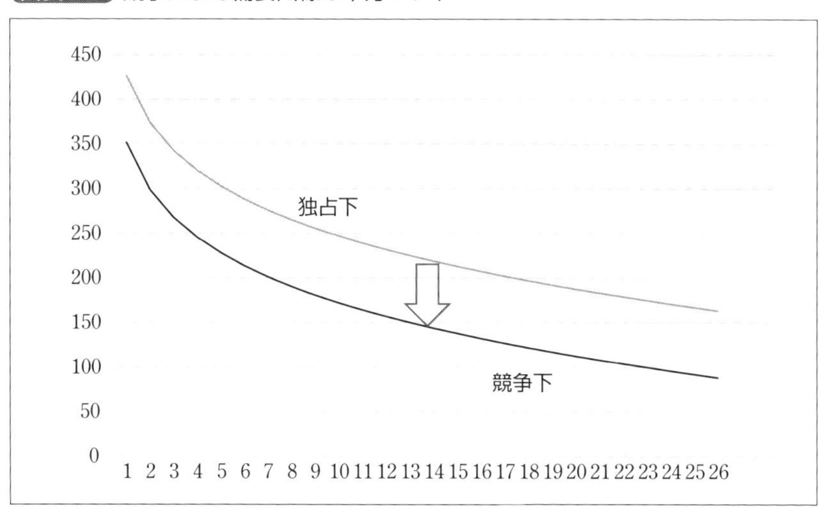

図表15 競争による価格低下

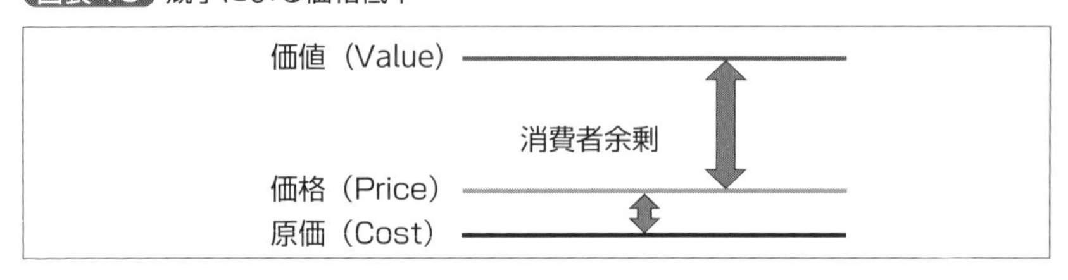

は、購買の判断は買うか買わないかの選択でした。

しかし競争下では、買う場合はどの事業者から買うかという選択も生じ、自社を選択した購買者だけが自社にとっての需要を生みます。「買うか買わないか」という判断より、「どれを買うか」の判断のほうが、価格感応度が高いというわけです（図表15）。

価格感応度が高い場合は、一般的に最適価格は低くなります。

さて、仮に独占下においては需要曲線の把握が可能であったとしても、競争下の場合は、かなり条件が難しくなります。競争がある中でも、需要曲線の推定は可能でしょうか。やり方次第では、うまくいきます。どうすればよいかは、やはり第７章で検討しましょう。

6 価格戦略

(1) 他業界の価格戦略

ここからは、主に保険以外の業界にみられる価格戦略を学んでみたいと思います。保険の特殊性から、これらの考え方が適切でない場合や、そもそも規制があってできないものも多いのですが、そのまま取り入れるというのではなく、これを参考にその背後にある考え方を知ることは有益でしょう。

ここで取り上げるのは、「価格差別化」、「囲込み」、「時間差」、「ラインアップ」です。この名称のうち、価格差別化以外は、正式なものではありません。

① 価格差別化

英語ではPrice Discriminationという語感の良くない用語です。その意味は、高くても買う人には高く、安くないと買わない人には安く売る、ということですから、ますます雰囲気が悪いですね。料率三原則は、不当に差別的な料率を禁止していますから、保険数理的な根拠ではなく、相手をみて値段に差をつける価格差別化は、保険に応用することは難しいでしょう。ただし、一般の業界ではよく行われることです。

(i) 値引き交渉

価格差別化の最も素朴な方法は、自動車ディーラーや家電量販店などでよく見かける、値引き交渉です。セールスマンは、顧客の価格感応度を、交渉を通じて推し量ります。そして、感応度の低い顧客には高い価格で、高い顧客には安い価格で販売することで、利益の最大化を図るわけです。この方法は、あまり洗練されたものとはいえず、印象もよくありません。そこで、時々、値引き交渉なしの定価販売をうたう事業者が現れますが、長続きしないところをみると、なかなかこれに勝ることは難しいようです。

ⅱ　学生料金、女性専用ランチ等

映画館などでは、学生に割引料金を提供することが非常に多くみられます。学生も社会人も、座席１つを占領することは同じですから、コスト側から考えると、差をつける根拠はありません。ところが、この両者の価格感応度は大きく違って、学生は値段が高ければ需要が大きく減少するのに対し、社会人はそれほど価格に敏感ではありません。そこで、映画の配給側としては、学生と社会人とでセグメントを分け、それぞれのセグメントの最適価格を設定しているわけです。

また、レストランで、女性専用ランチとしてコストパフォーマンスの良い（値段の割に内容が良い）食事を出すことがあります。これは、商品内容自体も女性向けにしていて、同じ商品の価格に差をつけているわけではありませんから、映画館等の例とは違います。ただし、男性より女性のほうが価格感応度が高いケースが多いことから、女性に対してよりコストパフォーマンスの良い（お店としては利幅の少ない）商品を提供することは理に適っています。

ⅲ　割引クーポン

価格差別化の戦略の中で、よく洗練されているのがこの割引クーポンです。アメリカのスーパーマーケットなどで、クーポンを持参した人に限り、特定の商品を割引して販売することが大流行しました。お財布一杯にクーポンを詰め込んだおばあさんが、お目当ての１枚を取り出すまで、長い行列に待たされて困った経験があります。

これは、需要曲線を知らないと、意味がわからない戦略にみえます。クーポンを持ってきた人だけ割引して、ほかの人には定価で売ることで、お店にとってどんな良いことがあるのでしょうか。

クーポンを切り取って持ってくるのは面倒ですし、中味も、対象商品や適用期間が限定されていて、わかりにくくなっています。割引を求めて、その面倒でわかりにくいものをわざわざ用意してくる人は、まちがいなく価格感応度の高い人です。ですから、彼女には安く売ります。一方、そんな面倒なものはどうでもいいという人は、価格感応度が低いので、そういう人には、割引なしで売るわけです。

この方法の巧妙な点は、価格感応度を、年齢や性別などの属性から推定するのではなく、クーポンを持参するという行動によって顧客に自ら名乗り出てもらうところにあります。

ⅳ　価格差別化の狙い

価格差別化は、ある意味では、事業者が消費者余剰を生産者余剰に塗り替えてしまうという側面があります（図表 16）。

図表 16 左側の高くても買うセグメントには、高い価格 P_2 で販売し、安くなくては買わないセグメントには、より安い価格 P_1 あるいはさらに安い P_0 で販売するなど、価格を使い分けることで、P_0 の線上にある三角形状の面積（もともとは消費者余剰の総和を表していました）を生産者余剰に「塗り変えて」います。

図表 16　価格差別化の一側面

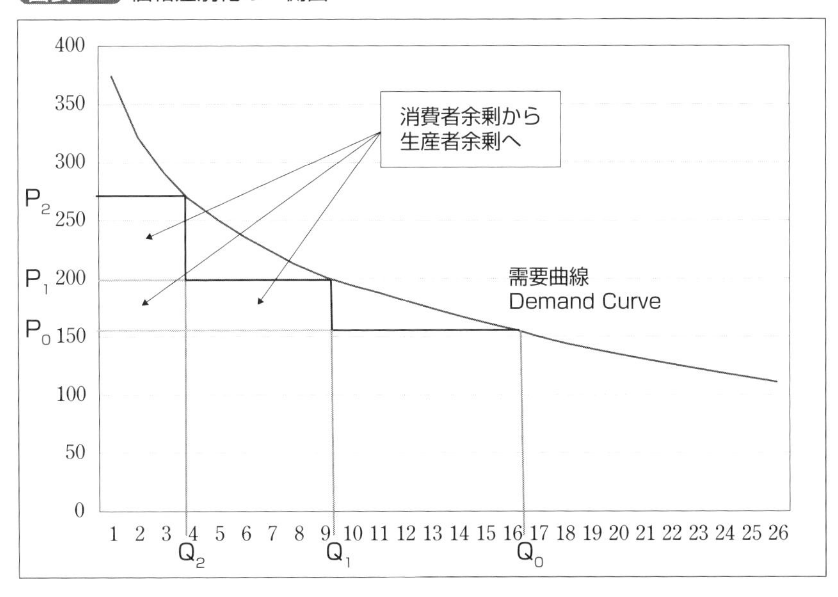

②　囲込み

囲込みとは、購買者の流動性を下げる仕組みです。ここでいう流動とは、顧客が、取引先を自社から競合するほかの事業者に変更することです。他社に切り換えることをスイッチングということがありますが、流動性を下げるとは、顧客にとってのスイッチングのコストを高めることということもできます。

(i)　ポイント制度

わかりやすい例は、商店街のスタンプ、航空会社のマイレージ、カードのギフト等に使われるポイント制度です。ポイントが貯まると、何か特典がもらえます。必ずしも現金とは限らないので、ポイントそのものは価格戦略ではないという見方もできますが、広い意味ではこれに含めてもよいでしょう。

このような制度が機能していると、ポイントが貯まるからという理由で、自社が選好されやすくなり、その結果価格感応度を引き下げる効果があります。

(ii)　嗜好付け

パーソナルコンピュータや、そのソフトウエアにも、学生割引があります。こうしたものは、使用するのにスキルが必要なので、使用者としては、使い慣れるほど、継続して同じ商品を使うメリットが大きくなります。コンピュータメーカーとしては、割安な料金を武器に、使用者に学生のうちから使い慣れてもらうことで、将来のスイッチングコストを引き上げることが期待できます。

大手ハンバーガー店が、お子様向けのメニューに魅力的なおもちゃを付けることも、子供の頃から自社商品の嗜好付けをして、将来のスイッチングコストを増大させる戦略と考えられます。

③　時間差――タイミングによる価格差別化

(i)　ハイシーズン・ローシーズン価格

ホテル、航空機、ゴルフ場などの価格は、シーズンによって異なることが定着しています。レジャーなどのサービスは、同じ人にとっても、時期によって価値が異なります。ハイシーズンには留保価格が上がり、価格感応度は下がることを利用した価格設定が行われています。

(ii)　ハッピーアワー

1日のうちの時刻による需要差を利用して、同様のことを狙うものです。居酒屋、カフェなどで、時間帯による割引が行われます。

(iii)　スキミング

家電などでは、新しい機構を世に出すとき、出始めの時期に非常に高い価格で高級商品に搭載することがあります。しばらく時間が経つと、庶民的な価格に下がってきます。新しい機構を真っ先に手に入れたいと考える購買層は価格感応度が低いので、まずその層に高額商品を販売し、そのあとで一般の層向けに通常の価格で販売することになります。

小説などについても、真っ先に読みたい層には、ハードカバーの比較的高額な本を提供し、一巡したのち廉価な文庫本を出すことがあります。

④　商品ラインアップ

商品のラインアップを持つことも、購買特性ごとに異なる商品と価格帯を提供することを通じた価格戦略の一種ともいえます。オーディオ、カメラ、車などには、愛好家向けの高級品がラインアップされることがありますが、これは価格感応度の低い層を狙ったものです。逆に、エントリー商品と称して、機能を抑えた廉価商品を用意することもあります。

いずれも、商品内容が一般向けとは違いますので、①で述べた価格差別化などとは全く意味が異なりますが、価格感応度の異なる層ごとにセグメントした価格設定を行っているという点で、これも広義の価格戦略といえるでしょう。

⑵　割引戦略の意味

①　保険料割引というアイデア

本章の最後に、保険についての割引戦略を考察しておきます。

保険商品の新アイデアを、社内で募集すると、「複数保険セット割引」、「長期継続割引」など、一定条件を満たす契約に対する保険料割引のアイデアが提案されることがあります。

こうした割引は、おおむね３～20％程度のケースが主です。これを検討する際、条件を満たす契約に、割引の根拠となるリスクや経費などの原価（Cost）の優位性があるか否かが、第一の問題です。

たとえば、5％の割引をしようと思った場合には、当該対象契約の利益率が5％以上ないと成功しないのは明らかですね。医療保険や生命保険ではともかく、損害保険ではこの条件を満たすことも、必ずしも容易とはいえません。割引幅が大きいほど、必要となる利益率も高くなります。

②　割引という価格戦略のターゲット

さて、価値（Value）側の観点から、このような割引が販売量の拡大にどのような効果があるかを考察しましょう。

仮に、割引率を5％とします。この割引の、「有効ターゲット」は、人の集まりとして考えた需要曲線でみると、どこの領域でしょうか。150円の価格を、5％割引して143円にした場合を例にみてみましょう。

図表17で、留保価格が150円より高い（左側の）人たちは、割引があってもなくても購買する層です。したがって、この人たちには、割引の効果はありません。

逆に、留保価格が143円より低い（右側の）人たちは、割引があってもなくても購買しない層ですから、この人たちにも割引の効果はありません。

割引が有効なのはその間にいる、留保価格が143円以上150円未満の人たちです。このセグメントに属する人たちは、マーケット全体からみると一部に限られます。もし需要曲線が、図表17のような形をしていた場合には、

図表17　5%割引の意味

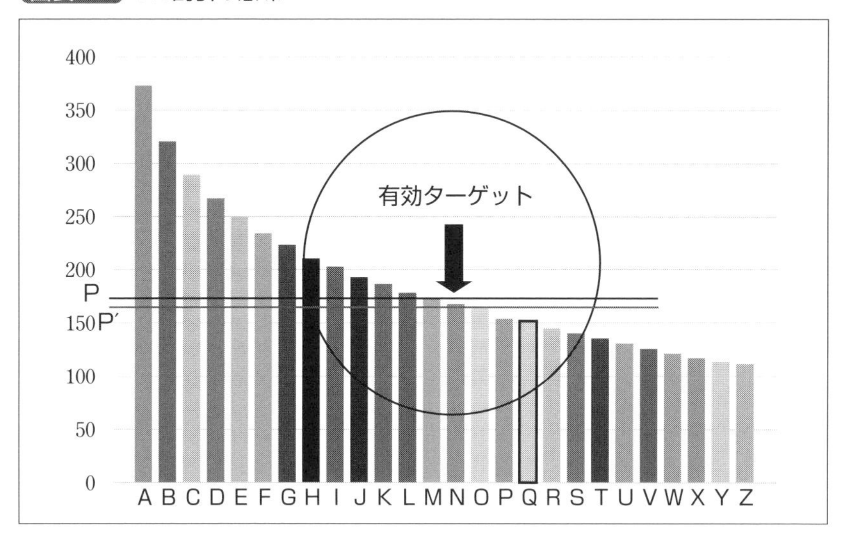

全体の4%程度に当たります[6)]。

この場合、この戦略による売上の増大効果は4%ということになります。価格の低下はいうまでもなく5%ですから、これでは利益はもとより、売上の額も減少してしまいます。

③　割引戦略の意味

割引戦略とは、マーケット全体を対象にした戦略ではなく、「現在の価格では買わないが、○%安ければ買う」というセグメントを対象とした戦略であることを、よく認識することが必要です。割引戦略によって売上が増加するのは、市場が、このようなセグメントが大きな割合を占める構造を持つ場合に限られます。保険の場合、そのようなケースは、資産運用型の貯蓄性商品を除いては、あまり多くありません。

加えて、経験則として20%未満の割引は、認知誤差に埋没しやすい（顧

6）これは単なる例示です。実際の需要曲線は、市場調査によって求めます。

客に価格差を認識してもらえない）ことも知られています。

割引戦略が成功するには、かなり多くの条件があることになります。一般的に、あまり容易ではないと考えておくほうが安全でしょう。

第3章

保険商品のニーズ

1　付加価値の高い商品

(1)　価値は高く、原価は低く

第２章でみてきたとおり、保険契約による社会全体にとってのメリット（付加価値）は、保険の価値（Value）と、その原価（Cost）の差によって決まります。良い商品とは、この差が大きい商品にほかなりません。目標は、価値は高く、原価は安くということになります（図表１）。

商品設計において目指すべきテーマは、契約者にとっての価値を高くすること、そして事業者にとっての原価を低くすることの、２点となります。そこで、このことを基礎から論理的に考えてみます。

(2)　価値は大きく

①　理か情か

すでに述べたように、価値は、人によって異なるものです。換言すれば、人の判断によって定まるものともいえますが、では、人の判断とはどのようになされるのでしょうか。

夏目漱石は、「智に働けば角が立つ、情に棹させば流される。……兎角（と

図表１　価値は大きく、原価は小さく！

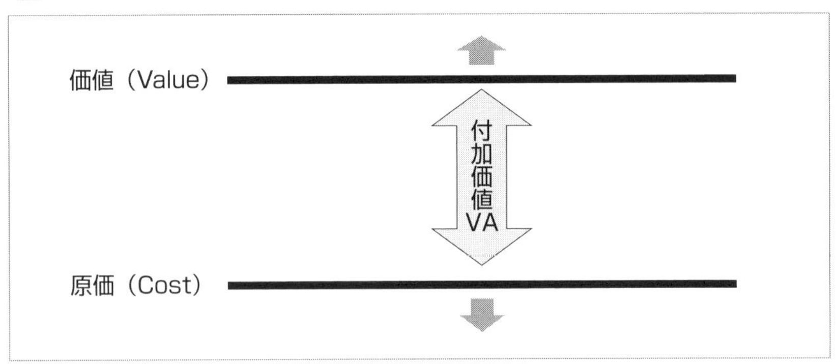

かく）人の世は住みにくい。」（『草枕』）と嘆きましたが、人の判断には、理知による要素と、感情による要素が混在します。

保険の価値を、理で考えれば、その本質は経済効用です。また、情の面でみるなら、その本質は、加入したいと思う気持ちでしょう。この両者の基準が一致していればいいのですが、必ずしもそうとはいえないことがあります。

もし両者が矛盾した場合、どちらが優先されるでしょうか。取引行動、特に個人消費者の購買行動は、経済効用では割り切れず、感性や気分といった情緒的な要素で決定されることがよくあります。しかしその一方、保険は数ある商品やサービスの中でも、もともと「理の世界の産物」という性格が強いものです。

ありきたりな結論ですが、理も情も、どちらも重要というほかはありません。商品開発をするうえでは、両方の観点に目を配る必要があります。

そこで、理と情のそれぞれの側面から、保険の価値を考えてみましょう。

②　効用理論（理）

第１章３で述べたとおり、保険の効用は、リスク回避にあります。したがって、対象とするリスクの量が大きいほど、保険の効用も大きいことになります。

ここでいうリスクの量とは、損失の期待値ではなく、そのばらつきの大きさでした。したがって、リスク量の大きい事故とは、すなわち「めったにないが、もし起きるとひどいことになる」ような事故のことです。そのような事故を補償（保障）[1] する保険が、経済効用が大きいということになります。

1）保険金の支払を表す「ホショウ」に対し、損害保険では「補償」の文字を、生命保険では「保障」の文字を当てます。表記が統一的でありませんが、損保の損害てん補性と生保の定額給付性から、それぞれの業界で一般的用語となっています。本書では主に「補償」を使いますが、主に生命保険に当てはまることがらを扱う際には「保障」を使い、両者を混在して使用します。

その逆に、頻繁に起きる一方、損害の額はさほど大きくないものについての保険は、相対的に経済効用が小さいことになります。

自動車保険の例でいえば、対人賠償保険（被害者の死亡や身体障害に関する賠償の保険）の加入率が100％に近いのに対し、車両保険（自分の車の修理費などの保険）は、加入率が50％程度となっています。対人の傷害事故は、頻度は少ないものの、万一起きてしまうと結果が非常に重大であるのに対し、車両をぶつけたりこすったりする事故は頻度が大きく損害の単価は小さいものが多いので、この加入率の差は、それぞれのリスク量の大きさに応じているものと考えられます。

これを参考に、さまざまなリスクについて、その発生の頻度と、起きた場合の被害の大きさを図示してみましょう。

図表２の横軸は、発生の頻度を表します。左側は比較的頻繁に起きる事象を、右に行くほどめったにない事象を表します。図表２の縦軸は、起きた場合の被害の程度を表します。上に行くほど、被害が深刻です。

図表２「困ること」のマッピング

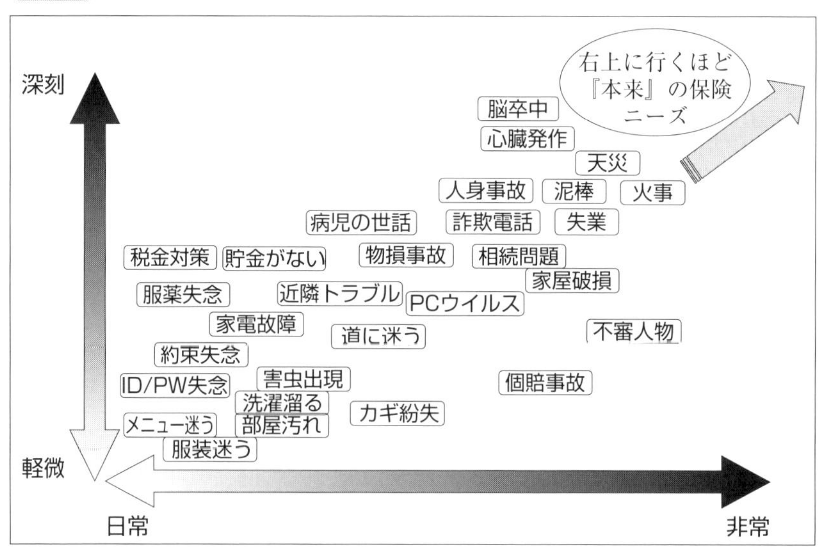

「めったにないが、もし起きるとひどいことになる」ような事象は、**図表2**の右上に位置することになります。ここに掲げたような事故（脳卒中や心臓発作、天災、火事、泥棒、人身事故）などは、保険のニーズが大きいと考えられます。

それに呼応して、これらを補償する保険がすでに普及しています。経済効用からみて保険のニーズが高い領域は、すでに「開発が進んでいる」とみることもできます（図表3）。

③　行動特性（情）

その一方、世間では、経済合理性の観点からでは、説明の難しい購買行動も広くみられます。

たとえば、今日価格が数百万円もする高級腕時計は、ほとんどが旧式の機械的なムーブメントを採用しています。高級時計は、正確に時を刻むという本来の性能からみれば、1,000円のデジタル時計に劣るのですが、それより

図表3「困ること」のマッピングと保険

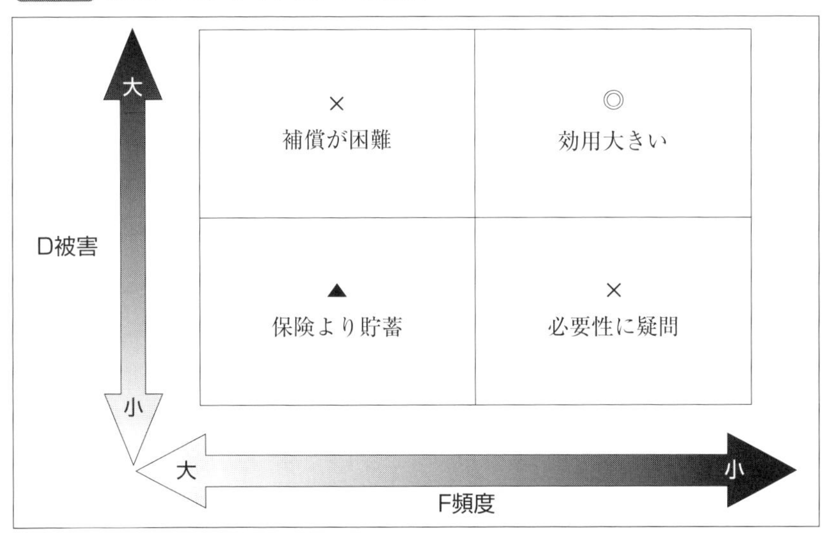

はるかに高い価格で取引されています。

この例では、商品の価値は、その性能からでは説明できません。購入者の感じる愛着や所有による満足感というような、情の要素が大きく作用している可能性があります。

保険の価値についても、さまざまな理由から、理に基づくリスク回避効果と、情に影響される契約者の評価とが、連動しないケースがあります。

保険の契約者は、経済効用の多寡以上に、感性に合うかどうかを重視して、価値を判断することがあると考えられます。こうした判断の傾向を知るには、実際に契約者の意向を聞いてみることが一番です。行動経済学では、アンケート調査など、実験的な方法（Empirical study）によって、人の判断特性が研究されています。

まとめると、契約者にとって、高い価値の商品を生み出すには、まず、経済効用すなわちリスク回避効果の高い補償を考案することです。しかし、それだけでは十分ではありません。真の価値を知るには、契約者に聞くこと、すなわち市場調査が必要になります。市場調査については、第７章で検討します。

Column5　幻の究極保険？

「めったにない大きな事故」のリスク回避に極めて有効な、「究極の保険」を考えました。

この保険は、偶然な事故（火事、ケガ、詐欺、天災等）による損害を、すべて補償します。どんな大きな損害でも、支払に上限はありません。ただし、保険金は、実際の損害額から、免責金額 50 万円を差し引いた額となっています（損害額が 50 万円以下なら保険金はゼロです）。

事故の種類を問わず、また補償額に上限を設けないことで、万一の大損害を完全に補償し、その一方、50 万円の免責金額を設定することで、貯蓄等で備えれば足りる小損害を対象から外し、価格を抑えています。

理屈を考えれば、保険の経済効用を極めた、とても良い保険のはずです。ところが、新商品アイデアとして、保険会社社員をモニターとしたアンケートを取ったところ、加入意向がほぼゼロで、直ちに廃案となってしまいました。

不人気の理由は、免責金額が高いので保険金がもらえる気がしない、こんな保険は役に立たなくて損だ、ということでした。第1章で述べたとおり、どんな保険でも、払う保険料ともらう保険金の期待値を比べると、損になるのが当然です。そんなことは百も承知の保険会社の社員が、こういう感想を持つということは、理屈だけでは価値が認めてもらえないということの証明でもあります。

これに対し、最近市場で人気の高い商品は医療保険です。入院1日当たり5,000円から1万円くらいの日額を保障し、支払日数は30日限度のものが、よく売れています。

この保険は、保険金を上限まで受け取っても数十万円で、大損害に対するリスク回避効果は小さくなっています。理屈のうえでは、さほど効用が大きくなさそうですが、市場は大きく[2)]、生命保険業界の主要商品となっています。

(3)　原価は低く

次に、原価を低くすることについて考えましょう。保険の原価は、保険金の期待値（純保険料に相当）と、経費（付加保険料に相当）からなります。そこで、これらを区分して、それぞれについて引き下げる方法を考えます。

①　純保険料を引き下げる

原価のうち、純保険料に相当する部分は、保険金の期待値（平均的な支払額）そのものですから、これを単純に引き下げたら、同じ補償は提供できないことになります。そこで、何か工夫が必要です。その方法は2つ考えられます。

2）2021年度で年間新契約362万件、保有契約は4,333万件の販売量があり、年換算保険料は保有契約で7兆円規模に達しています（生命保険協会「生命保険の動向〔2022年版〕」）。

(i)　リスク細分で低リスク層にマーケットを絞る

保険料を階層別（セグメント）に分け、事故の少ない層に絞ったマーケティングを行うことが考えられます。たとえば、自動車保険の保険料を、年齢群団別に決定して、相対的に事故の少ない40代と50代にターゲットを絞ることなどがこれに当たります。このように、契約者の群団をリスク特性によって区分けする価格戦略を、リスク細分といいます。

生命保険や医療保険で、喫煙者と非喫煙者を分け、非喫煙者向けに価格の安い保険を提供するのも、同じ考えによるものです。この場合、喫煙者については価格を引き上げないと収支が合いません。喫煙者については、相対的に価格競争力がなくなりますが、そこのマーケットはターゲットから除外してしまい、非喫煙者に的を絞ったマーケティングを行うわけです。

この方法には、さまざまなバリエーションが考えられます。最近では、管理状況が優良なマンションに限って割引を提供する火災保険が話題になりました。

(ii)　付加価値の低い補償を切り捨てる

契約者にとって魅力の低い補償を切り捨てることで、原価を下げることも考えられます。典型的には、総合的にいろいろなリスクを補償する保険から、補償の一部を切り離す方法です。

たとえば、高層階に住んでいる人は、水災に対するリスクを感じないと考えられます。こういう人向けには、総合的な火災保険から水災補償を除外し、保険料を引き下げた商品とすることで、魅力が増すかもしれません。

このような発想から、すでに傷害保険に入っている人を想定して、医療保険から傷害の補償を外し、疾病だけを補償する保険が考案されたこともあります（この保険は、やや複雑な仕組みであったためか、あまりヒットしなかったようです）。

医療保険の分野で成功した例は、入院期間の短期化という時代の潮流にあわせて、従来180日あるいは360日が主流であった支払限度日数を60日に短期化し、低価格にした商品が挙げられます。

Column6 認知不協和を招くな

近年の保険商品は、補償やサービスを充実する方向に進んでいるようです。多くの場合、補償やサービスを拡張するのは悪いことではないのですが、時々お客様から、「いらないものを外して価格を下げろ」という声を頂戴することがあります。

いろいろな補償を、自由に着脱できるようにすればよいのですが、一方で商品の複雑化を避ける観点から、あまり自由度を高めることは難しいという制約もあります。このため、比較的原価が安く、保険料への影響が軽微な補償やサービスについて、全件自動付帯としてしまうこともあります。

すると、一定の頻度で、お客様から「余計な補償を付けるな」と、お叱りをいただき、苦情になってしまうこともあります。商品設計者の論理で、「保険料の増加は小さく、付けておいて役に立つこともあるのだから、大きな問題ではない」と考えたことが、お客様にとって強いご不満になるのです。

その原理は、「認知不協和」という心理に基づくものと考えられます。人は、「意味のないものに金を払わされる」と、自らの在りたい姿に反すると感じます。その場合の不快度は、経済的損失と比べて、大きなものになることがあります。補償やサービスの自動追加が苦情になるのは、「いらないものを買わされる」ことの心理的な負担が問題です。

この場合は、価格の水準以上に、その変化が重要で、余計なものが付いたため去年より高くなった、という場合に問題が起きやすくなります。保険料の引上げにつながるような改定は、認知不協和を起こさないため、実施のタイミングや方法などに、十分注意を払うことが必要です。

② 付加率を抑える

(i) 比較優位なサービス

保険会社と契約者の両方の利益を合わせて考えたとき、本質的に効率良いサービスを提供することができれば、両者にメリットが生じます。先に挙げた、自動車事故の対人賠償の示談交渉はその例です。この交渉は、一般の人にとっては、経験が乏しく、困難で心理的負担も大きいものとなりがちです。一方、保険会社は、通常業務としてこれを行うための組織やノウハウを保有していますので、相対的に小さなコストで実施できます。

この場合、事故の相手との交渉を、契約者に代わって保険会社が実行することで、社会全体のコストを下げることができると考えられます。この考え方は、ほかにも広く応用が考えられるでしょう。

(ii) 効率化

付加率を抑える観点で不可避なのは、事務改善、システム高度化等で経費を下げる、「効率化」の努力です。これに取り組まない保険会社は、ないといってよいと思います。技術の進歩、特にIT（情報技術）の高度化で、コストが削減できる領域は多いと考えられます。

効率化は重要ですが、保険料を引き下げる手段として考えたとき、直ちに決定的な要素とはならないことが一般的です。販売の報酬を除いた保険会社の経費は、保険料対比で20%弱くらいの水準です。多くの人がさまざまな仕事をしていますので、たとえば保険料会計や保険金支払、経費処理、勤怠管理など、個々の業務ひとつひとつの占める割合はあまり大きなものではありません。したがって、仮にある業務の効率を50%改善できたとしても、保険料全体の引下効果はわずかなパーセンテージにとどまります。会社を挙げてさまざまな改善を行った場合でも、通常は、保険料に対して1%といった単位の削減は難しく、コンマ数%が限度となります。

効率化は重要ですが、それによって、お客様にメリットと認識してもらえるだけの保険料引下げを行うのは、容易ではないことを認識する必要があります。

同じ原理から、複数契約のセットや、満期時の自動継続など、会社経費を節約することを主眼とした商品を開発する場合は、その特性を契約者のメリットにつなげるところが、難易度が高くなりがちです。

2　高付加価値商品発案のヒント

1で述べたように、良い商品とは、価値が高く、コストの低い商品です。前掲1⑴図表1を念頭に、常にこのことを意識して、アイデアを探るとよいのです。

⑴　商品開発による価値創造

前掲1⑵図表3に示したように、頻度が低く、起きた場合の損害が高額になるような事故の補償は、経済効用が大きくなります。主だったものは、すでに対応する保険がありますから、新商品を開発するには、新たな時代の変化によって生じるリスクを探すことになります。

起きたら本当に困るような、大きな損害額を伴う事故は何か、常に目を配ることが重要です。たとえば、がんの保険では、古くから普及している診断一時金のほか、先進医療に対する補償、抗がん剤治療に関する補償など、治療費が高額となるおそれのある治療について追加的な補償が増えてきています。

斬新な新商品ではなくても、低頻度かつ高損害額の事故の補償を、現行より拡大させることも、付加価値の向上につながります。昔の火災保険は、時価払や比例てん補などの考え方があって、保険金を受け取っても家を再築するには金額が不足し、加入者が困ってしまうということがありました。商品改定を経て、新価払や価額協定などが可能となり、火災保険の支払金額の水準は実質的に引き上げられました。今日では、保険金の金額に関する苦情は非常に少なくなり、この問題はほぼ解決してきています。

ほかの保険種目についても、保険金の支払水準の引上げを検討するべきものがあるかもしれません。

Column7 時価払と比例てん補

●時価払の考え方

保険には、利得禁止という考え方が強くありました。火事で中古の住宅が焼けた跡に、真新しい住宅を建てれば、契約者にとっては、事故の前より新しく良い家に住めるようになって、利得が生じます。保険では利得が許されないという考え方をとると、新しく家を建て直す金額（新価または再調達価額）まで補償することはできず、経年で劣化した分を割り引いた金額（時価）で補償することになります。これが時価払の考え方です。しかし、契約者としては、中古の住宅を安く建てるということは不可能ですので、時価払の保険では再築ができず、困ってしまうことがありました。

●比例てん補の考え方

1,000万円の価値がある建物に、半分の500万円しか補償が付いていなかったとします。保険会社としては、全額付けた場合の半分しか保険料をもらっていないので、支払う保険金も半分でないと収支が合わない、という考え方をします。すると100万円の損害が生じたとき、保険金はその半分の50万円ということになります。この考え方を比例てん補といいます。これに一理はあるのですが、契約者としては、500万円まで保険をかけたのだから、それ以下の金額は満額補償すべきだと期待して、トラブルになるケースがありました。

●商品の変化

上記のような補償は、保険会社からみて理にかなっていても、契約者にとっての価値が低いことになります。近年の個人分野の保険では、再調達価額を支払い、かつ比例てん補を適用しないようにした商品が非常に多くなりました。良いことであると考えられます。

①　契約者の直感に訴える補償

医療保険の例のように、それほど高額な補償でなくても、契約者が必要だと感じる度合いが高いものがあります。保険に限らず、多くの商品についていえることですが、購買者からみて「直感的にこれは良い、と思われる商品」がヒットします。

たとえば女性専用の傷害保険や医療保険は、「女性向けに設計された保険」というコンセプトが、契約者の感性にポジティブに訴えると考えられます。こうしたマーケットセグメント化は、先に述べた価格戦略の観点だけでなく、直感に訴えるターゲティングの観点でも、重要な手法です。

これに限らず、加入者が、これに備えておきたいと感じるような、直感に訴える補償を見つけ出すことは、保険商品開発の大きなテーマです。

②　保険会社が契約者に対してコスト優位性を有するサービス

自動車保険の示談交渉の例のように、プロにとっては日常茶飯事ですが、一般の人にとっては非常事態といえるようなことがらについて、契約者にコンサルティングを行い、あるいは業務を代行することで、付加価値の大きなサービスを提供できることがあります。

示談代行の対象を広げていくことのほか、事故の発生後の損害軽減や復旧のためのサービス、信頼できる修理業者のネットワークの紹介なども、これに当たると考えられます。

③　時代変化への適応

時代に適応した新たな保険商品を開発するには、「社会課題の解決」という視点が鍵になります。社会的に大きな問題となっていることがらに目を配り、これによる損害を補償するアイデアを探るわけです。情報漏洩の保険や、精神的な疾患で働けなくなった場合の保険、不妊治療の費用の保険などは、いずれもこのようにして考えられた保険といえます。

新聞をみれば、多くの社会的課題にまつわる記事が報道されています。たとえば、空き家が増えていること、認知症となった親の介護の負担が大きいこと、相続で争いが生じやすいこと、外国人の雇用に関するトラブルが生じていることなど、さまざまです。

こうしたさまざまな社会問題に関して、上記①～③の視点から、新たなアイデアを模索します。

今後は、個人だけでなく、中小規模の事業に関する分野で、こうしたものが増えていくことが予想されます。

(2) 失敗例とその本質

① 等級プロテクト特約とは

自動車保険の分野で、「等級プロテクト」という特約が流行したことがあります。この商品は、あまりうまくいかずに廃れてしまったのですが、保険商品の付加価値を考える観点で、成功しなかった事例に学ぶことも重要といえます。そこでこの事例を少し分析してみましょう。

自動車保険には、ノンフリート等級制度というものがあります。この等級制度では、等級が高いほど保険料が安くなるようになっています。事故で保険金を支払った契約は、翌年等級が下がり、保険料が上がります。逆に、無事故の契約は、等級が上がって保険料が安くなります。一番保険料が割高になる１等級から、一番安い20等級までの区分[3]があります。

ノンフリート等級制度は、過去の事故歴によって、リスクの違いを判定し、それを保険料に反映する仕組みです。リスクの実態を保険料に反映させるものですので、合理性のある制度と考えられます。

ただし、事故のあった契約者からみると、保険料が翌年から１割も上がる（低い等級の場合は、さらに引上幅が大きく、最悪50％も値上げになることもあります）というのは困ったことです。そこで、事故があっても等級が下がらない（保険料が値上げにならない）仕組みを作ればよい、と考えた人がいます。この特約は、狙いどおり人気が出て、一時はかなり普及しました。

② 特約の廃止

事故があっても等級が下がらないため、人気が高かったのですが、この特

3）近年ではさらに「事故あり等級」といって、事故のあった契約は、上位の等級でも割引率が小さくなる制度が導入されるなど、少し複雑化しています。

約が広まった結果、小さな事故でも保険金が請求されやすくなりました。そのため、保険会社の支出が増え、採算が合わなくなってしまいました。この特約は現在では廃止されています。

等級プロテクト特約の、どこがうまくいかなかったのでしょうか。特約の保険料が不足していたことが問題だった、という考え方もあります。結果的に採算が悪くなったので、それはたしかに、一面の真実です。しかし、もっと大きな理由がほかにあります。

前掲1⑴図表1でみた、価値と原価の関係を考えてみましょう。社会全体でみたときに、自動車保険は、顧客の安心という価値と、保険会社の負担する原価との間に、かなりの付加価値がありました。等級制度は、過去の事故歴という要素で、契約者の群団をセグメント化し、それぞれのリスク実態に見合う公平な保険料を賦課する仕組みです。

③　付加価値の不在

この等級プロテクト特約は、等級制度という、保険業界自らが設けた制度を、無効化する仕組みということができます。このようにすることで、たしかに事故のあった契約者は、等級制度による保険料引上げから逃れることができるのですが、では社会全体からみた付加価値は、どこにあるのでしょうか（図表4）。

図表4　等級プロテクト特約の付加価値

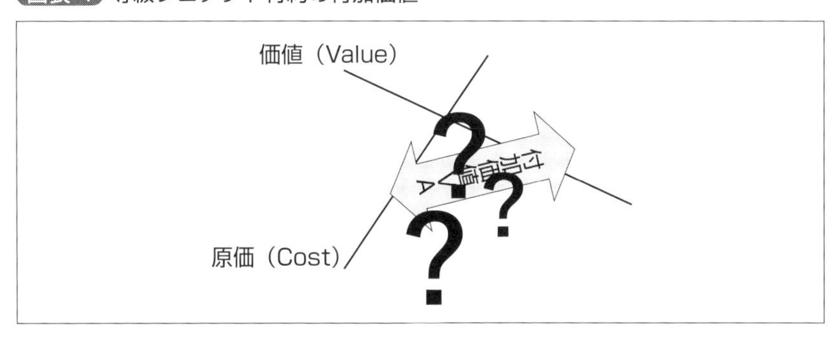

この特約について、前掲１⑴図表１のような付加価値を示す図解が難しい理由は、技術的なものではありません。この特約は、社会全体としての利益を生まないのです。保険業界は長年の経験で、過去の事故に応じたリスクを保険料に反映する等級制度を作り出しました。過去に事故のあった契約者に対しては、その事故の頻度に応じて保険料を割り増しし、逆に無事故の契約者に対しては保険料を割り引くという、合理的で、公平性にも資する仕組みであると評価できます。もちろんこの制度には、さまざまな欠点もあり、完ぺきとはいえないのですが、おおむね有効に機能していたのです。これを保険会社が自ら無効化することは、社会に利益を生じさせるものではありません。この特約には、成り立つための基本的な原理がなかったのです。

「事故があると保険料が上がるのは困る。そういうことがないようにするのは良いことだ。」という等級プロテクト特約の思想は、契約者ニーズの感情面をとらえている点は良かったのですが、理論面からの考察、すなわち「社会の利益」の視点を欠いていました。そのため、一時的には販売が好調となったものの、その後廃止を余儀なくされています。

新しい商品を考えるときは、図表１に立ち返って、社会にどんな利益（付加価値）をもたらすのかを熟考することが大切です。この特約の最大の教訓は、そこにありました。

3 「利殖志向」と「掛捨て嫌い」

(1) 保険の貯蓄機能

保険の本質は、リスク回避ですが、特に生命保険には、貯蓄の機能があります。この理由を考えてみましょう。

死亡率も、入院等の発生率も、年齢とともに高まる傾向があります。若いうちに払い込んだ保険料で、将来のリスクに備えようとすれば、その年齢の危険度に応じた保険料（自然保険料ということがあります）のほかに、将来に備えるための保険料（貯蓄保険料ということがあります）を払い込んでおく必要があります。たとえば、終身の死亡保険や医療保険は、貯蓄保険料が累積した保険料積立金という、貯蓄に近い「残高」を持っています[4)]。保障期間が有期の定期保険では、貯蓄効果はなさそうに思えますが、満期年齢を100歳近くまで長くした定期保険は、終身保険に近いものになるので、かなり貯蓄性があります。

さらに、養老保険では、被保険者が満期に生存している場合に、満期保険金を払いますが、この満期保険金は実態として非常に貯蓄に近い性質を持っています。

なお、一部ですが損害保険にも貯蓄性のある保険があります。損害保険の主要な商品は保険期間が1年ですが、貯蓄性の商品は、保険期間を長期にしたうえで、通常の保険料のほかに積立保険料というものを付け加えて、これを原資に満期返戻金を支払います。

4）医療保険などでは、価格を引き下げるため、解約しても保険料積立金の一部または全部を返戻しない商品が増えています。これらの商品は、あえて貯蓄の機能を引き下げて、保障機能に重きを置くものといえます。数理上は、解約時に「没収」される原資を、予定解約率によってあらかじめ算定し、その分保険料を割り引いています。

⑵　貯蓄と保障の「ニーズの三角形」

さて、このような保障と貯蓄が組み合わさった保険のニーズはどこにあるのでしょうか。

どちらも広い意味では、将来に備える手段ですが、貯蓄と保険では、その特性はかなり違います。

保障は、万一の事故に備えるリスク回避を目的とするものです。このために、原価（保険金の期待値）に比べて、かなり大きな金額を払う契約者は大勢います。また一方、保険会社としても、万が一の事故を保障するためには、引受判断や事故の査定など、さまざまな業務が必要なので、多くの付加保険料が必要になります。その結果、加入者の側からみると、純保険料のほか、それと同額に近いくらいの付加保険料を支払うケースが少なくありません。

逆に貯蓄を主とする商品を考えると、貯蓄保険料に匹敵するような大きな経費を徴収されたら、商品の魅力は極端に小さくなってしまいそうです。

これを価格感応度という観点からみると、保障を主とするに商品に対する価格感応度は相対的に低く、逆に貯蓄を主とする商品の価格感応度は高いと考えられます。

商品によって、図表５のどの点に位置するかが異なります。

図表５　保険と貯蓄のニーズ

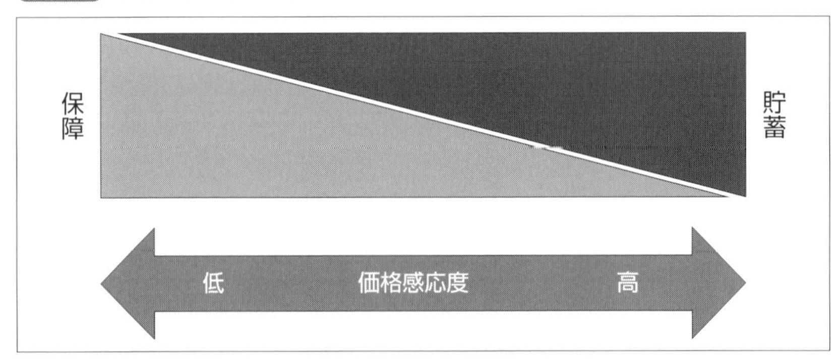

(3) 貯蓄重視商品

バブル期の末期（1980年代の終わり頃）、生命保険、損害保険の両業界がそろって、貯蓄性に重きを置いた商品を大量に販売したことがあります。典型的なものとして、生命保険は一時払養老保険、損害保険は積立割合[5)]95%の積立保険を販売しました。

その後のバブル崩壊と低金利により、保険会社はいわゆる逆ザヤ（資産運用の成果が、保険契約の設計上必要な利回りを下回り、利差損という損失を出すこと）に苦しむことになり、これらの商品の販売は裏目に出てしまいます。

貯蓄商品は、保険会社以外のさまざまな金融機関が販売しています。異業種が入り乱れた競争があり、顧客の価格感応度は高くなっています。保障系の商品であれば、競合相手との価格差が5%程度あっても、サービスなどほかの要素の差である程度競争に生き残れるかもしれませんが、わずかな運用成果の差を競うような貯蓄商品について、5%の価格差があれば、全く勝負にならないでしょう。この違いは、マーケットの持つ価格感応度の差ということができます。

一部に金融機関としての側面を持つとはいえ、保険会社の体質は、全体としては万一の保障に合わせた経営資源を整えています。保険では、契約1件1件を、販売経費をかけて募集することが必要です。募集に相当な経費を投じないと販売量が伸展しにくい特性があり、さらに契約管理が銀行の預貯金よりずっと複雑です。この構造を持ったまま、図表5の右側の、貯蓄商品の領域で他業界と競争するのは、かなり難しいことと認識する必要があるでしょう。

(4) 掛捨て嫌いというニーズ

貯蓄性の商品が流行する以前、積立割合が80%前後の、保障と貯蓄を合

5）営業保険料に対する、貯蓄部分の保険料（積立保険料）の割合をいいます。これが95%であれば、保障ではなく貯蓄性に特化した商品といってもよいでしょう。

わせた積立型商品がありました。この商品には、根本的な批判が寄せられたことがあります。批判とは、この種の保険に入る代わりに、貯蓄性でない「一般型の保険」[6]に加入し、差額を貯金したほうが得になるので、商品としてのメリットがない、というものでした。これに対しては、積立型の商品には、契約者に対する貸付けの制度や、条件によって払われる配当金があるなど、ほかにも特徴があるので、メリットがないわけではない、という反論がされていましたが、この批判にかなり本質的なものがあることは事実と考えられます。

経済合理性からいうと、これらの商品のメリットは乏しいといえるでしょう。積立型の商品が支持された理由として、最も大きなものは、理ではなく情にかかわります。契約者の心情として、保険料をかけただけで、何ももらわず満期になって契約が終了するのは、損をした気持ちになるという心情があります。これを避けることが、心理的には好ましいので、何かお金が返ってくる仕組みに魅力が感じられるのです（積立部分の保険料にも付加保険料が上乗せされますので、収支計算上は、もっと損をしてしまうことが多いのですが）。今日でも、保険期間の満了時に保険料の一部が返戻される商品があります。これら商品へのニーズは、積立型保険の「掛捨て嫌い」心理に近いものであると考えられます。

契約者にとって、多少収支のマイナスが多くなっても、何らかの返戻金を支払うという保険は今後も開発され続けるかもしれません。

⑸　月払の効果・年金不振の宿命

①　一時払と月払

貯蓄のニーズを区分すると、これからお金を蓄積していく資産形成のニーズと、すでに保有する財産を利殖する資産運用のニーズに大別できます。こ

6）以前は、貯蓄性がないことを指して、「掛捨て保険」と呼んでいましたが、語感が悪く、誤解を招きやすいので、「一般型」という言葉が好まれるようになりました。

れを保険商品の側からみると、保険料月払の保険と、一時払の保険が、それぞれに対応します。

契約者の立場でみると、資産をコツコツ蓄積していくことと、まとまったお金を利殖することは、かなり異なった目的といえます。

価格感応度を考えると、一時払の資産運用商品は感応度が高く、月払の資産形成商品では低いことがわかっています。

300万円を一時に払って、3年後に250万円返ってくる商品では、貯蓄商品として話になりません。一方、月に5,000円払って、3年後に15万円返ってくる商品は、ひょっとすると、意外に加入者がいるかもしれません。

② 月払のマジック？

月5,000円を3年払えば累計は18万円ですから、これで15万円もらったのでは全く割が合いません。ところが、理ではなく情で評価する場合は、こういう計算にはなりません。「月に5,000円なら、飲み会を少し我慢すればすむ。それで、3年後に15万円入るなら、旅行に行けてよいではないか」といった具合になります。「馬鹿にするな」と思われる方もあると思いますが、月払にすると負担感を感じなくなるということは、よく知られた原理です。クレジットカードの手数料は、年率にするとかなり高いものがありますが、利率計算ではなく、「月々○○円なら払える」という感覚に支えられて、カードによる割賦払は広く普及しています。

生命保険の保険料を、毎月3万円ずつ30年間払えば、合計は1,080万円になります。ただの掛け算ですから、とても簡単な話ですが、中には、「1,000万円以上か。そんなに払うとは思っていなかった」と驚く方もいます。

③ 年金払の難しさ

支払を月払にすると、負担感が軽減されるのと同様の原理で、逆にお金を受け取る時に分割で受け取ると、ありがたみが薄れる効果もあります。

上記と同じ単純な掛け算を考えると、1,000万円の原資を30年間分割して受け取れば、毎月３万円弱の金額になります。仮に、金利が毎年1%付いたとしても、月に３万2,000円くらいです。実際に老後の生活設計をしていると、そのくらいで妥当と思われる方もあると思いますが、「1,000万も払って、たった３万か」と感じる方も意外に多くいます。

現実には、生命保険の年金は、年金ではなく一括受取りする人がほとんどです。支払う保険会社にとっても、毎年契約を管理するより、一括払したほうが、経費負担が小さくてよいと考えられます。

海外では、税制優遇を受けるため、年金の体裁をとるが、実態は一時払の投資信託に近い年金もあります。

Column8 理と情

理と情ではどちらが強いでしょうか。脳の進化の歴史を考えると、喜怒哀楽などの情は、大脳辺縁系という比較的古い組織が担っています。大脳辺縁系は、犬や猿にはもちろん、爬虫類や魚類にもあり、数億年の進化の歴史を経ています。一方、理を司るのは大脳新皮質という、一番新しい外側の皮質です。感情を司る辺縁系のほうが、より古く内側にあるわけです。そして、もっと奥にある脳幹部は、心拍や体温調節など、無意識に行われるさまざまな統制を司っています。

これらが競合した場合は、内側の古いほうが優先されます。たとえば、買い物をするのに大脳新皮質を働かせ、いろいろ難しい検討をした結果、一番割安な店に行ったとします。ところが、そこの店員たるや無礼千万、人の足を踏みつけておいて、謝るどころか上から目線でこちらにお説教を始める始末です。こんなに胸の悪くなる態度は見たことがない、と大脳辺縁系の怒りのスイッチが入ると、難しい検討などどこかに飛んでしまいます。せっかく見つけた安い店を出て割高な隣の店で買う羽目になりました。情が出てくれば、理が引っ込むわけです。

アメリカの社会心理学者ジョナサン・ハイトは、理と情の関係は、情が依頼人、理は弁護士だといったそうです。人の判断は、やりたいことを情に従って決めてから、理を使ってそれを正当化することが多いことを考えると、うまいたとえのように思います。

第4章

保険の効用の研究

保険の効用の多面的な理解

(1) 保険の価値＝効用の発生原理

これまで、価値（Value）に基づいてマーケットを理解することの重要性を述べてきました。その中で、保険の価値は、保険金の期待値にではなく、リスク回避にあること、保険の需要は、一般の物品等に比べ安定しており、測定しやすいこと、需要は経済合理性（理）に根差してはいるが、直感的な評価（情）に影響されることなどの特徴について考察しました。

本章では、より根本にさかのぼって、なぜリスク回避に価値があるかを研究します。

(2) 多面的にみることのメリット

保険マーケティングに限らず、複雑な事象を理解する際の一般論として、対象を多面的にみることが有益です。

保険事業は、人々が相互に助け合う仕組みという側面もあれば、産業の進展を支えるインフラという側面もあり、また、人身事故の被害者の救済の仕組みを提供するものでもあります。さらには、投資家が資金を集める手段[1)]としても利用されています。

CTスキャン１枚だけで、その対象物を理解することはできないのと同様、これらのどれか１つの側面をとらえただけでは、保険の本質を理解することは困難です。さまざまな観点から、総合的にとらえることによって、初めて全体像が浮かび上がってきます。

本章では、保険の価値＝効用という対象に絞って、これを多面的に、かつ

1）世界最大級の投資会社バークシャー・ハサウェイは、保険料集金から保険金支払までの滞留期間を利用し、低コストの資金を得て、柔軟な資産運用を行っています。バフェットはこの資金を「フロート」と呼んでいます。

極力原理にさかのぼって理解することを目指します。

(3)　効用の理解

まず次節では、古典的な効用逓減の理論から始めて、行動経済学の重要な成果である損失回避心理を検討します。続いて、経済理論を離れ、より直感的な顧客の期待を考えてみます。

効用と価値とは表裏一体です。これらの関係は、見解の分かれる難しい問題を含んでいますが、本書では効用と価値は同等のものと考えることにします。

しかし、効用と価値を一体と考える場合でも、これらと需要とは必ずしも連動しません[2)]。マーケティングは、需要に基づくものですから、効用がどのように需要に結び付くかを考えることは大変重要です。そこで、効用を需要に結び付ける過程で、特に問題となる重要な論点を２つ考察します。

ひとつは、保険という無形の商品の購買行動にさまざまな影響を与える、「面倒くささ」です。

もうひとつは、保険商品を市場に届ける販売者、すなわち代理店や募集人の役割です。

これらを検討することによって、保険需要について多面的な理解が得られます。その知見を活用すれば、商品設計上のさまざまな問題に対し、柔軟な解決が考えられるでしょう。

2）アダム・スミスは、「水とダイヤのパラドクス」でこれを例証しています。すなわち、水は生存に不可欠で、効用は極めて大きいのに対し、そのような効用のないダイヤが、水より貴重なものとして取引されている、というわけです。

2　リスク回避の原理

(1)　効用逓減――リスク回避の原理

①　効用の理論

第１章３「保険商品の特性」で、リスクを回避することは、契約者の効用を高めると述べました。リスクの量を減少させることが、保険の価値の源泉というわけです。

そして、ここでいうリスクの量は、損害の期待値ではなく、そのばらつきの度合い、いわば不確実性の大きさにありました。

本章では、長年にわたり、リスク回避の根拠とされてきた、限界効用逓減型の効用関数について考察しましょう。なお、前述のとおり本書では、効用関数の表す効用と、これまで論じてきた価値とは、同じ意味と考えて差し支えありません。

リスクの本質は、不確実性にあります。不確実なことがらについては、その評価は確率的に行うことが適切です。

確率論は、賭博の期待値を求めることから始まったといわれています。その生立ちは、ド・メレ問題[3]に関する1654年のパスカルとフェルマーの往復書簡が嚆矢とされます。その後しばらくの期間、確率論は賭け事の期待値を求めることで発展しました。当時は、賭け事の価値＝期待値と考えられ、それを求める方法が研究されたわけです。

価値が期待値と等しいなら、効用関数は**図表１**の３本の線のうち、真ん中の中立型という直線になります。富が増減すれば、それと比例して効用が増減するという考え方です。

3）1つのサイコロを4回振って、少なくとも1回は6の目が出る確率と、2つのサイコロを同時に24回振って、少なくとも1回は6のゾロ目（両方とも6の目）が出る確率を計算したといわれています（それぞれ約0.518と約0.491になります）。

② 直線的でない効用関数

これに対し、賭け事の真の価値、すなわち効用は、期待値に比例しないとの理論を示したのが、ダニエル・ベルヌーイです。ベルヌーイは1738年、期待値と人が認める価値が一致しないことをパラドクス（矛盾）とし、この問題の解決策として、富（Wealth）に対する効用（Utility）が対数関数で表されるモデルを提唱しました。対数関数は、増加率が逓減する凹関数[4]の一種です。図表1でいうと一番上の、回避型という丸くカーブした線で表されます。凹関数では、金額が大きくなっていくと、次第に金額の増加に対する効用の増加率が下がっていきます。

図表1 リスク回避型、中立型、愛好型の効用関数

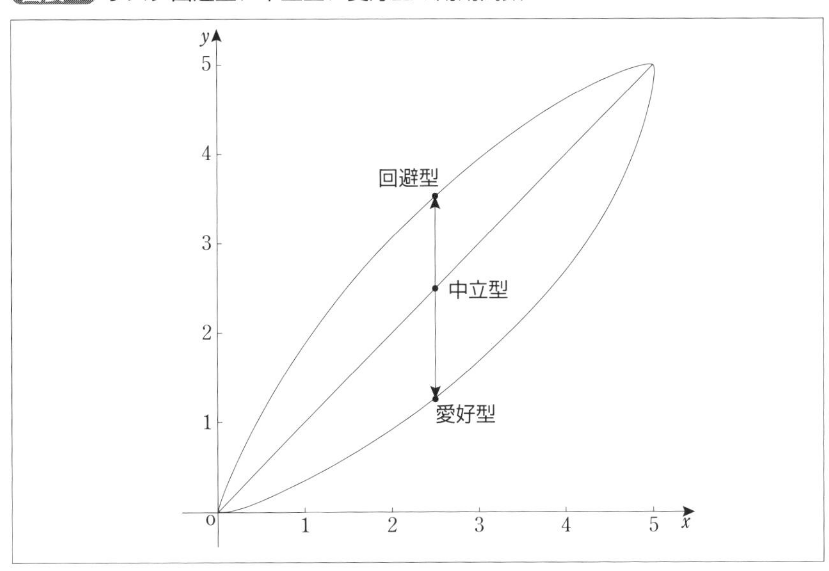

4）漢字を使う日本人には紛らわしいのですが、凹関数（Concave）というのは、別名「上に凸」な関数で、形的にはへこんではいません。へこんだ形の関数を凸関数（Convex）あるいは「下に凸」といいます。凹凸の漢字の形からみると、逆ではないかと思ってしまいそうですね。心配な方は、英語でConcave、Convexと呼んだほうがよいかもしれません。

これは、たとえば、0円と100円の効用の差に比べると、1万円と1万100円の効用の差は小さい、という意味です。たしかに、金額の差よりも、その比率のほうに目が行きやすいので、そのように感じる人も多いかもしれません。このように、金額の大きさにつれて、効用の増加率が下がることを、限界効用逓減[5)]といいます。

その後、効用理論は経済学の主要な理論のひとつに発展します。フォン・ノイマン（コンピュータの作動原理やゲーム理論の創設などで有名なあのノイマンです）とモルゲンシュタインは、一定の仮定の下で効用関数が一意に定まることを示し、人は効用の期待値すなわち期待効用を最大化するとの仮説を唱えました。さらに、ノーベル経済学賞受賞（1972年）のケネス・アローは、富に関する効用関数u（w）に対し、限界効用の弾性値R（w）＝－w・u"（w）／u'（w）を研究して、これがリスク回避性の適切な指標であると主張、さらにこのモデルを用いて、一定の条件の下で加入者に最適な補償は、免責金額付きの保険であることを示しました。

③　効用逓減とリスク回避選好

さて、効用関数が凹関数だと、なぜリスク回避を選好することになるのでしょうか。

図解によって説明します（こういう分析を好まれない方は、この解説を飛ばしても、⑵以下の理解には支障ありません。ただし、保険の効用の原理とされていることですので、お気の向いたときに、一読いただくことをおすすめします）。

事故の確率をp（0＜p＜1）とし、事故が起きたときの損失をLとしましょう。そして、「理想的な保険」があって、事故の損害を完全に補償し、かつ、付加保険料はゼロであるとします。このとき、保険のある場合とない

5）この限界という言葉はわかりにくいですね。元の語は、Marginalといいます。いろいろな量の、変化率を指すものと理解しておくとよいでしょう。もし微積分をご存知の方は、「限界～」といわれたら、「～の導関数」と考えていただければOKです。

図表２ リスク回避の効用

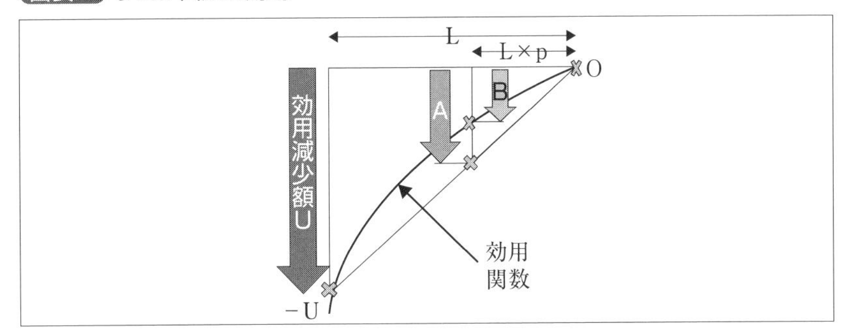

場合の効用が、それぞれどのように表されるかを、図表２で考えます。

(i)　保険がないケース

保険を付けない場合の効用は、事故があった場合とない場合で、違ってきます。

事故がなければ、効用は減りません。この状態が、図表２のOです。

事故が起きると、資産が損失Lの分、減少します。このとき、効用は、効用関数上でそれに対応する額（図表２の矢印の長さU）だけ減少します。

事故の確率pを用いて示すと、確率（1−p）で効用は0、確率pで−Uとなります。これを平均した、減少する効用の期待値は、比例関係から図表２の矢印Aとなります。

(ii)　保険があるケース

保険に加入すると、保険料L×p（これが損害額の期待値です）を支払い、資産が減ります。このとき、効用の減少は、効用関数上それに対応する額、すなわち矢印Bになります。

保険が事故の損害を完全に補償するのであれば、事故があってもなくても、効用の減少額はBで変わりません。

まとめると、保険を付けない場合の効用減少の期待値はA、付けた場合はBです。効用関数が凹関数（上に凸）であれば、B＜Aですから、付けたほうが効用の減少が緩和されます。

このように、保険を付けたほうが、効用のマイナスの期待値が小さいので、保険の効用はプラスであるということになります。

もし効用関数が、凹関数（猫背のようにカーブした形）でなく、逆に、前掲**図表１**のリスク愛好型のように凸関数（反り返った形）であれば、保険の効用はマイナスになります。また、リスク中立型の直線であれば、保険の効用はゼロです。

図表３ プロスペクト効果による期待効用の変化

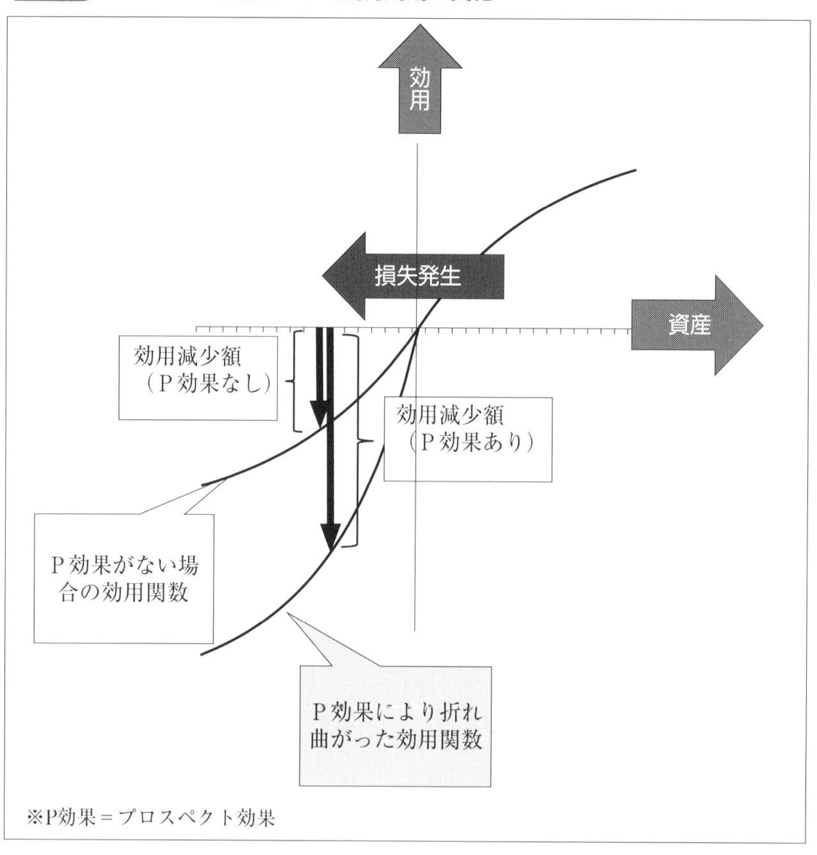

(2)　損失回避とプロスペクト理論

このように、効用関数が凹関数であるなら、すなわち限界効用が逓減するなら、保険に効用があることになります。

一方、これとは別に、ノーベル経済学賞の心理学者のダニエル・カーネマンらは、人間には損失を回避したがる心理があると指摘しています。カーネマンらの唱えるプロスペクト理論は、一言でいうと、同じ金額であれば、それを得たことによる効用の増加より、失ったことの効用の減少のほうが何倍か大きいと主張する理論です。

プロスペクト理論によれば、効用関数は「参照点」（図表3の原点）を境に折れ曲がっています。参照点の左側においては、右側より傾斜が急です。参照点とは、利得と損失の判断を分ける基準のことで、これより右側が利得、左側が損失と認識されます。参照点は、一定しているものではなく、下記Column9の例では、実験の提示の仕方によって異なる参照点が生じています。事故によって損失が発生する場合、効用は図表3の左側に現れるので、プロスペクト効果による損失回避傾向が加わって、保険の効用はさらに大きくなります。

Column9　オマキザルの損失回避心理

オマキザルと人間を比較した、とても面白い実験をした人がいます。

実験は2段階で、まず人間相手に2種類の実験を行い、心理バイアスの存在を確認します。続いて主役のオマキザルに登場してもらって、それと類似した2種類の実験をして結果を比べたのです。

(1)　人間を対象とした損失回避心理の実験

①　第1の実験

被験者に10万円を与え、AとBの2つの選択肢を示します。

Aを選ぶとさらに5万円が追加され、計15万円もらえます。

Bを選ぶと確率50%で10万円が追加されますが、裏目に出ると追加はもらえません。

まとめると、次のとおりになります。

Ａ＝15 万円（確実）

Ｂ＝20 万円（確率 50%）または 10 万円（確率 50%）

期待値はどちらも 15 万円で、Ａは確実、Ｂは不確実という選択です。やってみると、保守的な（リスク量の小さい）Ａを選ぶ人が多くなります。

②　第２の実験

被験者に 20 万円を与え、ＡとＢの２つの選択肢を示します。

Ａを選ぶと、なんと５万円が取り上げられてしまいます。

かくてはならじと、Ｂを選ぶと、確率 50%で何も取られませんが、裏目に出ると今度は 10 万円を取り上げられてしまいます。この収支は下記のとおり、第１の実験と同一です。

Ａ＝15 万円（確実）

Ｂ＝20 万円（確率 50%）または 10 万円（確率 50%）

収支は同じですから、合理的に判断すれば、①と同じ結果になりそうです。ところが実験すると、今回はＢを選ぶ人が多くなるのです。

これが、損失回避心理の効果です。利得に対しては、保守的な判断をする人が、損失を避けるためなら、リスクを厭わなくなっています。

提示の仕方が違うだけで、内容は①も②も全く同じですから、両者の結果は不整合です。この矛盾は、心理バイアスと呼ばれる、人間の不合理な行動特性の一例です。

⑵　オマキザルを対象とした類似の実験

まずオマキザルにトークン（擬似コイン）を与え、訓練によりこれが餌と交換できる「通貨」だと教えます。サルは容易にこれを覚えます。

①　第１の実験

助手Ａは、ブドウを１粒、サルに見せて現れます。彼にトークンを渡すと、見せた１粒に、追加の１粒を加え、計２粒のブドウがもらえます。

助手Ｂは、同じくブドウ１粒を見せて現れますが、彼は、時には２粒を追加して計３粒をくれ、時には最初の１粒しかくれません。ブドウの収支は、以下のとおりです。

助手Ａ＝ブドウ２粒（確実）

助手Ｂ＝ブドウ３粒（確率 50%）または１粒（確率 50%）

助手ＡとＢは同じことを繰り返し、サルにそれぞれの特性を覚えさせます。慣れればサルは、助手Ａとの「保守的な」取引を選ぶようになります。

②　第２の実験

助手Ａ、Ｂとも、３粒のブドウを見せて現れます。Ａを選ぶと、Ａは１つを取り上げてしまい、残る２粒のブドウをくれます。

Ｂを選ぶと、時にはそのまま３粒をくれ、時には２粒を取り上げて１粒しかくれません。

この実験のブドウの収支は、第１の実験と同じです。

さて、サルの判断やいかに？サルは、今度はＢを選びます。サルも、人間と同質の認知バイアスを持つことが実証されました。

「人は（サルも）損失を避けるためなら通常以上のリスクをとる。」

この実験の知見は、心理バイアスは、長い進化の歴史で植え付けられた、本能に根差していると考えられることです（本 Column の内容は、TED Global 2010. Laurie Santos：A monkey economy as irrational as ours を要約し、一部書き換えたものです。ご関心のある方は、Ted.com をご覧ください）。

3 イーコン対ヒューマン

前節で例をみたとおり、人間の行動は、経済合理性を追求するようには統制されていません。理と情がぶつかれば、情が優先して、合理的な説明が難しい判断を下すことがよくあります。

(1) 適応的な本能

本能は、自然選択により進化します。ミツバチは幾何学的に優れたハニカム構造の巣を作り、太陽の方角を利用して仲間に花の在りかを教えます。ハキリアリは、収穫した葉を発酵させて食料を作ります。脳の構造が単純な生物にも、高度に適応的な複雑な行動を行う本能が備わっています。

これに比べれば、人間ほど成功した動物が、適応的な本能を持っていないはずがありません。事故や災害などに対するリスク回避は、生物として生存上有利な行動性向であったと考えられます。この本能が、3,500 万年以上も前に、人間と進化の枝が分かれた新世界ザルにも備わっているのは、さらに古い時代の共通の祖先から受け継がれたからであると考えられます。長い進化の歴史に耐えて、それぞれ今日まで残ったということは、この本能は、生物種としての存続に有用性が高かったのでしょう。

損失回避は、心理バイアスのひとつで、必ずしも経済合理的な行動ではありません。しかし、非合理的な面はあったとしても、一度得た富は手放さないという本能は、種の保存上有用であったから進化したものと思われます。

(2) 経済的には非効率

心理バイアスは、経済的に非効率な行動を招きます。第３章でご説明した月払効果なども、心理バイアスの例といってよいでしょう。

ほかにもサンクコストバイアス[6]など多くの例が知られています。こうしたバイアスは、合理的ではありませんが、進化に根差しているため、安定的です。形を変えて何度も出現します。

保険に関係の深いバイアスとしては、発生確率が低いものについては、その高低が意識されないというものがあります。

4億円の宝くじの当選確率は、1,000万分の1です。もしこれが、1億分の1であれば、期待値は1／10になります。では、そうすれば値段が1／10でないと買わないかというと、実際には当選確率の差は認識されず、購買行動にはほとんど影響がないと考えられます。購買の判断は、発生確率はあまり気にせず、当たった場合いくらもらえるのかという点に集中しがちです。

(3)　イーコンとヒューマン

カーネマンに続くノーベル経済学賞の行動経済学者リチャード・セイラーは、経済学的に合理的な行動をする仮想の人間をイーコン（Econ）と呼び、人間（Human）と区別しています。アリエリーという学者は、予想どおりに不合理（Predictably Irrational）という表現で、行動バイアスは、でたらめなものではなく、明確な傾向を持っていて予測可能だと説明しています。

保険は、第1章3に述べたように、無形の経済取引であり、また、ニーズがネガティブという特性があるので、流行に左右されないことなどの性質があります。これらの性質により、保険は、冷静な経済合理性に基づく判断の対象になりやすい要素を持っています。

この観点で、保険マーケティングには、リスク回避効果などの経済的な評価を、十分考慮すべきです。その一方で、保険といえども、購買行動の中に合理的といいにくいものもみられます。ありきたりの意見となってしまいますが、結局のところ、イーコンとヒューマンの両方の観点から、保険の効用を評価する必要があるということになります。

6）すでに費やしてしまったコストを、将来の判断に影響させてしまうことをいいます。株式の売買で買値より高く売ることにこだわって、売り時を逃してしまうことなどがその例です。

4 安心感

⑴ 契約者の視点

ここでこれまでの理論とは離れ、現実の契約者が保険の効用をどのように認知しているかを考えましょう。

保険金を実際に支払う事故は、頻度が少ないので、多くの加入者は保険料を払っただけで何も受け取らずに契約を終了します。これを結果的にみて、保険料が掛捨てになって損をしたと感じるケースがあることは事実です。積立保険のご説明の際にも、「掛捨て嫌い」という心理に触れました。経済効果の点からみて、「正しい」理解は、事故のなかったケースでも保険は機能している、というものです。その機能とは、リスクの減少です。

保険に「安心」を期待するという声が多く聞かれます。この安心とは、リスクの減少を指すものと考えられます。このような理解は、保険の本来機能を正しくとらえるものですから、好ましいことです。

⑵ 「安心」の要素

ほとんどの加入者にとって、保険が提供するものは、保険金そのものではありません。事故の有無にかかわらず、すべての契約者が得るものは、リスクの回避です。これを、加入者の側からみた用語である「安心」と言い換えましょう。

ただし、加入者にとって安心とは何か、ここにはさらに考える余地もあります。いざというとき保険が給付するのは、金銭（保険金）ですが、安心を構成するのは、より幅広い概念です。たとえば、自動車事故の際に、保険代理店もしくは保険会社と提携した警備会社の警備員が、現場に駆け付けるサービスがあります。これがあることが安心だ、と感じる加入者も、相当数いると思われます。その場合、安心とは、誰かが現場に駆け付けることになります。

契約者の期待する安心の概念を広くとらえることで、新たなニーズが発見できる可能性もあるでしょう。

本章2「リスク回避の原理」でご説明した、損失回避の効用は、保険の原理として重要で、保険業界の関係者としては理解しておくべきことといえます。一方で、保険の契約者が、このような効用の理論を意識して保険の加入判断を行っているかというと、そのような実感はありません。むしろ、2⑴図表2に示したような効用の説明など、意味がわからないと考える方が、多く保険に加入しているのが実際ではないかと思われます。そうした方々の求めているものは、深層からみればリスクの回避であっても、直接的にはより感覚的な安心感であるといえるでしょう。

したがって、保険や付帯サービスを考えるとき、この「安心感」を起点とした評価を行うことが重要といえます。

⑶ 安心感の認識

さて、安心をどのように認識すべきかという問題を考えてみましょう。安心とは、リスクに脅かされない状態であるといえます。リスクの種類は多様ですので、初めから「何があっても安心」といういわば理想的な状態を望むことは、難しいことであると思えます。その場合、安心を得ようとするには、火事、台風、交通事故、がんの罹患など、特定のリスクを想定して、それに対する備えを考えることが現実的でしょう。

この場合の安心感とは、それ自体で完結した概念ととらえることは難しく、安心を脅かす何かのリスクがまず先に存在し、そのリスクに対応する手段をとることによって得られるものと考える方が自然といえます。

この観点から保険の歴史をみると、当初は、船の難破や住宅の火災など、特定の原因事象（―特定のリスク―）から、財産や第三や利益を守る形で発生しています。火災保険を例にすれば、火災のみの補償からスタートし、変遷を経て、火災のみならず爆発や落雷、風災、水災、車両など外部からの物体の衝突などを含めた、住まいに関する総合補償という形に進化してきたものと考えられます。自動車保険については、草創期には自動車という財に関する補償から始まったと伝えられますが、その後の変化を経て、今日では自動車そのものの損害にとどまらず、傷害や賠償責任、各種の費用などをカバーすることで、幅の広い総合補償となってきました。

⑷　総合的な安心

このような流れをみると、保険の目指すところは、火事の発生や自動車の衝突などの特定の原因事象に対する安心から、次第に自動車や家屋を保有または利用する人に生じうる多様なリスク全般からみた安心を目指して進化しているように感じられます。過去には難しいと思えた、「何があっても安心」という目標に、近づいていくべき時代かもしれません。ただし、当然そのためにはコストがかかり、保険料の高額化要因となりますので、契約者が保険料の負担感を強く感じている場合には、必ずしも市場に歓迎されるかどうかはわかりません。

一方社会の進歩によって、火災や自動車の衝突などの発生率が減少していくなら、従来のリスクをカバーするための保険料は低下していきます。保険料の負担感が減少していく流れの中であれば、総合的な安心を目指すための補償の拡充が、歓迎されることになりやすいと思われます。過去に火災保険のたどった補償拡充の歴史は、この道に沿った歩みであったととらえることもできると思います。

⑸　サービスとの親和性

上記⑵で紹介した交通事故現場への駆け付けというサービスは、自動車保険と親和性が高いものであり、顧客に安心感を提供するうえで有効と考えられます。アンケート調査などによれば、特に女性のドライバーに好評であるようです。また、賠償事故における示談交渉も、安心感の提供に重要なサービスといえます。

保険商品に付帯するサービスの新設を考える際には、そのサービスの契約者にとっての効用がどのようなものかを熟考すべきです。安心感を構成するためのサービスと、それ以外の目的、たとえば利便性の向上を目的とするものとでは、顧客にとっての意味合いが異なります。価値のある保険付帯サービスの種類はさまざまに考えられますが、その中で、契約者に安心感をもたらすサービスは特別な重要性を持つものといえますので、他とは切り分けて検討するに値します。

保険の「面倒くささ」という問題

(1) 面倒くささの重要性

第２章４で指摘したとおり、保険の検討は、「面倒くさいもの」と感じられることが多くあります。このために、内容を細部まで吟味した加入検討がなされにくく、商品性の細かな差異が需要に与える影響が小さくなります。このことは、保険の需要が安定していることのひとつの要因と考えられます。

面倒くささの問題は、決して軽視できません。多くの事業において、面倒くささの克服は、マーケティングの死活問題といって過言ではないからです。今日、各種の電子決済事業、ネット販売事業、ソーシャルメディア事業、P2P プラットフォーム事業[7] などの比較的新しい業態が、巨大なビジネスを構成しています。これら新業態のビジネスモデルは、いずれも、利便性すなわち「面倒くささからの脱却」を、競争力の源泉としています。

以前から、いわゆる文明の利器には、「面倒くささからの脱却」を本質とするものが多くありました。たとえば、「掃除機がなくとも掃除はできるが、それは面倒くさい」と考えれば、掃除機は面倒くささからの脱却装置といえます。冷蔵庫がなくとも、頻繁に買い物に行けば食材は賄えますが、それは面倒くさいことです。同様に、洗濯機、炊飯器、自転車、計算機など、多くの文明の利器は、不可能を可能にすることではなく、面倒くささから脱却することを役割としています。

つきつめれば、文明の進歩とは、面倒くささからの脱却にほかならない、といえるかもしれません。さて、上記に挙げた、掃除や買い物、洗濯や計算などは、さまざまな技術革新のおかげで、ずいぶん面倒くささが軽減されま

7）個人と個人の取引を仲介する場を提供するビジネスをいいます。peer to peer を縮めて P2P と書きます。配車の Uber や宿泊の Airbnb などが代表例です。

した。

それに比べると、保険の加入を検討することは、今日でも、多くの人から面倒くさいものと感じられているように思われます。

(2) 保険の面倒くささの理由

辞書で「面倒」の語句を引くと、手間がかかってわずらわしいという意味と、気分としてわずらわしいという意味とがあります。面倒くささには、内容的に煩瑣で厄介だという側面と、心理的にやりたくないという側面とが存在しています。

そして、保険の場合には、この両方の意味で、面倒くささが強く存在しています（図表４）。

① 心理的なわずらわしさ

やりたくない、後回しにしたいと思われがちな用事を並べると、税金の書類の処理などと並んで、保険の加入検討が上位にきます。

保険に精通しているはずの保険会社の職員に聞くと、ほとんどが、自分が契約者として加入するための保険の検討はわずらわしくやりたくないと考えています。保険会社の職員がそうであれば、まして、約款などになじみのない一般の契約者は、その傾向が強いと思われます。

この、「必要だと感じていても、今はやりたくない」とう心理的な負担感を、以下、仮に「重荷感」と呼ぶことにしましょう。

図表４ 面倒くささの要因

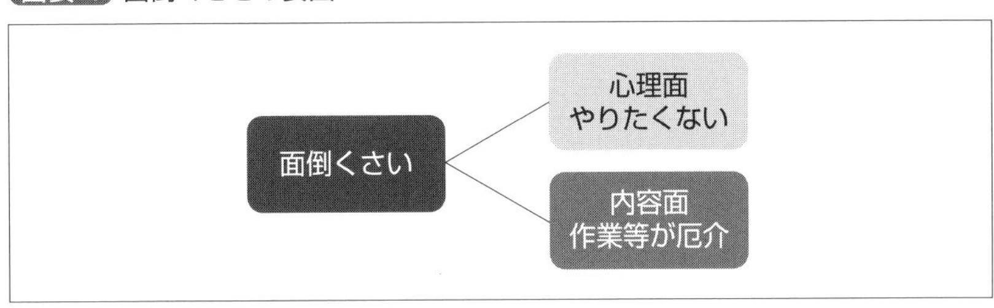

②　内容面のわずらわしさ

保険は、預貯金などに比べ、契約に必要な情報量が多くなっています。保険申込書を預金口座開設申込書と比較すると、記入項目がずっと複雑です。損害保険の場合、契約管理の基礎となるマスターデータには、通常200程度の項目があります。たとえば自動車保険では、車両のメーカーや型式、製造年月、排気量などのほか、近時は用途、走行距離、免許の色等も加わって、記入項目はますます複雑化の傾向にあります。ほかにも、補償内容や運転者年齢の範囲、家族限定の有無など、加入者が判断する条件も多く、それぞれを決定して申込書に記入することが必要です。

さらに昨今は、保険の「プランニング」の必要性が説かれています。これを踏まえて保険加入する場合、家族構成はもとより、財産および収入の状況、子女の教育計画、老後の年金などを幅広く考慮した判断が必要で、さらに検討すべき情報の量が増えます。

保険は、各種の契約の中でも、内容や手続が特に煩雑な部類に属するといえるでしょう。

(3)　心理的な重荷感

さて、この２つのわずらわしさのうち、重荷感について考えましょう。

人は、いろいろなことに、重荷と感じる心情を抱きます。典型的な対象は、必要と認識していてもやる気が生じず、着手できないことがらです。これを取り扱う心理学で、アメリカで近年注目されているのが「Procrastination（プロクラスティネーション）：先送り・引延ばし」です。

①　プロクラスティネーションの心理

学生がレポートに着手せず締切りを逸することや、所得税申告が先送りされやすいことなどが、Procrastination の例に挙げられています。このPsychology of Procrastination は通常、当事者の心理すなわち「人の問題」として研究されています。その主な特徴は、以下のようなものです。

・当事者は罪悪感を抱きつつ、改善できない。
・誰にでも起きる「普通の現象」である。
・程度に個人差がある。
・常態化すると、メンタルヘルスに悪影響がある。

さて、この心理の対象となりやすいことがらには、以下の共通の性質があると考えられます。

a　やらなくてはいけない（義務感）
b　（他人ではなく）自分自身のために必要
c　手続や作業が煩瑣

仮にこれらを、「重荷感３大要因」とでも呼びましょう。保険は、このすべてに当てはまると考えられます。

さて、aとcが、重荷と感じられることは自明でしょう。ここで特に注目したいのが、bの「自身のため」であるという性格です。

義務感から、しなくてはならない行動は、煩わしいものです。しかしその中でも、他人のための義務感には、意外に積極的に取り組むケースがみられます。災害ボランティアやチャリティ活動、リサイクルのための日常的ゴミ分別、共用施設の美化運動などを積極的に行う人は多くいます。

これに対して、自身のための義務感に対しては、積極的に取り組まない人が多いようです。子供の勉強について、「勉強はお前自身のためなのだから、しっかりやらなくてはだめだ」と説得しても、通常効果はありません。逆に、「それなら無理してやらなくてもよいわけだ」と思われてしまうこともあるでしょう。無駄遣いで貯蓄ができない、スポーツクラブに通うのが億劫になる、禁酒禁煙が守れない、夜更かしが止まないなど、多くの「自分のためになすべきこと」に関して、類似の心理が作用していると思われます。

②　「背中を押す」仕組み

この対策のため、意図的に自らを制約し、または外部から背中を押してもらう仕組みを求める、屈折的な行動もみられます。たとえば、高い受講料を払い教室に通う、クラブ仲間で互いに懈怠（けたい）をけん制する、高額な碁盤やゴルフクラブを買うことで、自らに上達のプレッシャーを課すなどがこれに当たります。

保険を用いる例もあって、「健康ポイント」付保険に加入して自ら歩数目標を課す人や、古くは月払の貯蓄型保険に「強制貯蓄装置」として加入する人がありました。

このような意図的な自縄自縛、いわばユリシーズ的行動[8]は、一定の頻度でみられます。自身の利益に対して、procrastination が働きやすいことの傍証ともいえるでしょう。

⑷　重荷感の影響

①　需要の強さと知識の不足

個人分野の保険に関しては、消費者の加入率の高さと、知識の乏しさが好対照をなしています。

生命保険文化センターの「平成 30 年度 生命保険に関する全国実態調査」によれば、生命保険（個人年金保険を含む）の世帯加入率は 88.7％です。一方、同調査によれば、保険に関する知識については、「(B) ほとんど知識がない」または「どちらかといえば (B) に近い」とする回答が実に２／３（66.6％）に上っています。このことは、保険の本来機能発揮の観点からも、また不適切募集の防止をはじめとする事業の健全運営の観点からも、好ましいこととはいえません。

②　全般的な市場安定傾向

保険は一般の商品と比べ、需要に流行がなく、増加・減少とも緩やかであ

8）ギリシャ神話の英雄ユリシーズ（オデッセウス）は、船乗りを惑わせ難破を誘うサイレンの歌声に対し、自らを帆柱に縛り付け身動きできなくすることで、難を逃れたそうです。

ること、商品の細部の違いが認識されにくいことなどを先に述べました。これらの原因が、保険の検討に対する重荷感にある可能性があります。

③　価格感応度

貯蓄商品以外の生命保険は、価格に関する感応度が高くありません。

また損害保険は、生命保険に比べれば「コモディティ化」しやすいといわれますが、激しい価格競争が生じているというデータの裏付けはありません。保険より安価な共済の選好度は長年定常的ですし、通信販売型の商品は、低価格を前面に立てた広告を行っていても、シェアは各社合計して市場の１割未満です。通信販売を行う会社の中でも、価格水準の低さとマーケットシェアの高さは連動していないといわれています（データは非公開）。

対面販売においては、一層価格感応度が低くなります。

価格感応度の低さの要因として、一般的には、ブランド力の強さ、スイッチングコスト（解約控除等）の高さ、比較情報の不足が考えられます。

しかし、ブランドに関しては、本来極めて重要と考えられるものの、現在のところ、わが国では確立できている例は少なく、「どの保険会社（商品）も大差ない」との認識が強いといわれています。

また、解約より抑制されているとはいえ、かなりのスイッチングコストが発生する「自社転換」が、生命保険では盛んに行われています。一方損保については、スイッチングコストは一般に大きくありません。これらのことから、スイッチングコストが切換えの重大な制約とは考えにくいといえます。

比較情報についても、今日、インターネットや情報端末上のアプリケーションの発達により、情報入手は容易になっています。さらに、金融機関やプラットフォーマーなど、他業態とのタイアップで販売経路が多様化する中、情報入手機会は増加トレンドにありますが、これまで価格感応度には目立った変化は生じていません。

このように考えていくと、上述の各種の要因はさほど本質的ではなく、それ以上に、「面倒くささ」が、価格感応度の低さの本質である可能性があります。検討すること自体が負担であれば、当然価格感応度は低くなるわけです。

⑸ 「重荷感」と「背中を押す効果」

すでに述べたように、契約者は、保険の必要性を認識する一方で、加入行動は「重荷」と感じている可能性があります。

このような「重荷感」があれば、それによって保険の普及が需要に対して抑制されてしまうことが想像されますが、現実に、保険の加入率は高くなっています。このことから重荷感は、加入を阻害するほどではないが、内容の理解を妨げる程度の影響をもたらしていると考えられます。

さて、生命保険業、損害保険業ともに、募集人の数が多くなっています。その活動の多くは、加入勧奨（勧誘）です。

また、営業とは、字義的には業を営むことで、本来はビジネスのすべての機能を含むはずですが、保険業界では、営業部門イコールセールスもしくはその支援部門を意味します。営業とセールスを同義に扱っているのは、保険の事業活動全般の中で、セールスが、経営上際立って重要と認識されていることの証左ともいえるでしょう。

この理由として、上記「重荷感」が契約者側に存在する中で、事業者側としては、セールスに多くの経営資源を割くことが、合理的な会社経営であったことが考えられます。

セールスの活動は保険会社の事業の主要部分を占め、また、契約者の保険加入に重要な役割を持ちます。次節では、セールスすなわち保険販売者の機能を考察します。

6 介在者を通した効用と費用最適水準

(1) 保険者、販売者、契約者の３者関係

生命保険、損害保険とも、多くの会社は、大勢の募集人による販売体制を構築しています[9]。

通信販売や、一般の（いわゆる内勤の）職員による直接販売もありますが、これらのボリュームは少量で、太宗は、代理店または営業職員により販売がされています。

代理店は、保険会社とは独立した機関です。

営業職員については、整理が難しい点が多くあります。最近は、内勤職員のように固定給に近い処遇を設ける会社もあり、一概にはいえませんが、一般には、内勤の職員と異なり、保険の経営から一定の遮断がなされた立場という見方が可能です。多くの保険会社で、営業職員に関しては、募集の機能だけに特化した体制を敷いており、募集の成績によって、短期間に頻繁に人員が入れ替わります。

このように、保険募集で主流の体制は、契約者、募集人、保険会社からなる、3 者体制となっています。この構造が、契約者が望んだものなのか否かは、議論の余地があります。もしかしたら、顧客としては相手の当事者が単一である、2 者構造が望ましいところ、事業者側のニーズによって、保険の引受と募集が分離している可能性もあるからです。

9）2021 年度における損害保険の募集従事者数は 2,003,511 人（日本損害保険協会ホームページ「募集従事者の推移」）、生命保険では営業職員 242,947 人および代理店使用人数 971,682 人（生命保険協会「生命保険の動向〔2022 年版〕」参考「営業体制」29 頁）と、生損保それぞれ百万人のオーダーにあります。

⑵　保険販売者の機能

保険販売者（具体的には営業職員または代理店の店主もしくは従業員）の行うセールス活動を、そのスタイルによって大別してみましょう。

①　プル（Pull）型セールス（情報提供）

各種の情報提供を行い、契約者の自主的な加入判断をサポートするものをいいます。提供する情報は下記の例のように、保険商品の内容や付帯サービスなどを含みますが、これにとどまらず、公的な健康保険や年金、税制など、広範なことがらに及ぶこともあります。

提供情報の例

- ・保険商品の補償内容、引受規定、付帯サービス等
- ・リスク判断情報（がん罹患率、平均治療費、入院日数、賠償事故例）等
- ・所得税、相続税、公的年金受給額水準等

②　コンサルティング型セールス（伴走）

下記のような、契約者固有の情報を、契約者からの聴取等によって収集し、これを上記の一般情報と合わせることで、総合的な保険提案を行うものをいいます。保険販売を前面に押し出すのではなく、顧客の生活設計（ライフプラニング）を支援する、総合的なコンサルティングを目指します。

収集情報の例

- ・契約者の年齢、職業、引退見込時期、退職金等
- ・家族構成、子の進学時期や学費見込、配偶者の職業等
- ・資産状況、リスク選好等

③　プッシュ（Push）型セールス

上記のような情報提供やコンサルティングとは別に、勧奨によって、契約者の加入を促すもの（お勧め営業、お願い営業）をいいます。契約者のためであることを強調して「背中を押す」方法、少額のギフトを提供する方法、周

辺の人間関係を利用する方法などがみられます。

勧奨行動の例
・直截に加入を勧め、ときに販売者自らの事情を訴えるもの ・菓子、筆記具、イベントのチケットなどを提供し好意を得ようとするもの ・占い、バイオリズム診断などのためと称して生年月日を聞き出し、保険設計書を作って勧誘するもの ・契約者の所属集団（職場等）の関係者を通じて加入を勧奨するもの等

④　セールス活動の比較

セールスの在り方として上記①～③を見比べると、①と②は、契約者すなわち被勧誘者からみた有益性が感じられますが、③は勧誘者側の利益が前面に出ていて、勧誘される者にとってのメリットがないように思われます。

今日家電量販店などでは、「お客様から呼ばれるまで、店員のほうからは声を掛けません」という販売姿勢を売り物にすることがみられます。このような販売姿勢は、上記の③プッシュ型のセールスを否定するアンチテーゼのようにもみえます。

一方保険では、ネットなどによる非対面募集に、③を脱し①へのシフトを図る狙いと考えられますが、そのボリュームはさほど大きくないので、効果は限定的であるように見受けられます。

(3)　加入勧奨（Push）の考察

①　コンサルティング型の不振

さて、加入者にとって、プッシュ販売とは何でしょう。極端なプッシュ販売は、押売りにほかならず、有害無益です。では一般的に、プッシュ型のセールスはすべからく価値がない、といえるでしょうか。

加入者側が自らのニーズを十分に把握している場合は、最も望ましい販売手法は、上述(2)①の情報提供型です。しかし、一般の人にとって自身の保険ニーズを把握することは容易でないので、このケースは多くないでしょう。

すると通常は、ニーズ把握を支援しつつ保険提案を行う、⑵②のコンサルティング型が、最適な販売手法と思えます。ところが、ある保険会社が、大きな経営資源を投入して、この⑵②の方法の徹底を試みたところ、意外に成果がないことが判明しました。巨額投資により、各種の補償を一体化した自在性のある商品と、ライフプランニングを綿密に行うシステムを開発し、これをセットして総合的コンサルティングを行う販売手法を実施しましたが、利用されることはほとんどなかったと伝えられます。

一方、代理店や営業職員等による伝統的な販売は、さまざまな新販売手法が投入される今日も、なお主要な地位を保っています。

②　プッシュ型の存続理由

⑵②の周到なコンサルティングを行う手法が、⑵③の単純なプッシュ販売に勝てないとすると、その理由は何でしょう。

ひとつは、保険会社のコンサルティングが理念倒れに陥り、ニーズから乖離している可能性があります。しかし他面では、市場すなわち契約者側に、長時間の検討を必要とするコンサルティングを厭い、プッシュ型販売を許容する構造が存在している可能性もあります。

ひとつの仮説として、契約者が「面倒くささ」心理を乗り越えるにあたり、加入勧奨が有効であるという見方が考えられます。もし契約者が「背中を押してほしい」と希望しているなら、プッシュ型の勧誘にも、ニーズに適う面があることになります。

個別の事例では、大震災ののち、「地震保険など不要と思ったが、代理店に強く勧められて入った。感謝している」と述べた契約者があります。また逆に、「契約者に断られたが、もっと強く勧めておけばよかった。悔やんでいる」といった代理店もあります。

もちろん、これらは地震発生後の結果論で、こうした個別事例が加入勧奨を正当化するものではありません。ただ、少なくとも一定の条件では、プッシュ型販売が消費者に価値をもたらす可能性を示しています。

とはいえ、その構造を認めるのは、危険なことです。販売者は通常、契約量に応じた報酬を得ます。そのため、販売者が、こうした構造を奇貨として、消費者ニーズにそぐわない勧誘販売を正当化するリスクがあるからです。

⑷　面倒くさささの解決策――対極の二法

保険の重荷感が残ったままでは、契約者の理解が進まず、さまざまな問題が生じ得ます。そこで、2つの異なる方向の対策が考えられます。

①　重荷感の克服と十分な理解の促進

重荷感を乗り越えて、契約者に詳しく理解してもらうことが、望ましいのは言を俟ちません。現に、保険を理解してもらうための、業界側の努力は、長年にわたり存在しています。保険業界は、保険審議会や国民生活審議会の意見を踏まえて、昭和の中期から「ご契約のしおり」による概要説明（保険審議会答申：1962年）や約款の平明化（同：1975年）に取り組みました。1996年の保険業法改正以降、重要事項説明書の交付義務、契約概要と注意喚起情報の分離や、それぞれについてのガイドラインの策定などに誠実に対応し、現在も平明化の努力は続いています。

しかし、保険がわかりやすくなったとの意見が、契約者側から聞かれることはありません。保険の理解促進は、今日も不十分といわざるを得ませんが、何が原因でしょうか。

保険会社が取組みを意図的に形骸化させている証拠はなく、それどころか、むしろ募集文書などの作成担当者には、本心からわかりやすい説明を目指している者が多くみられます。

努力はなされているとすると、次に考えられる問題は能力不足ですが、業界ベースで多数の職員が従事していることを考えると、多くの関係者がそろって能力に劣る可能性は、確率的に低いと考えられます。

ただし、読み手の立場に立って情報を伝えることは難しいため、当事者の能力が押しなべて必要なレベルに達していない可能性を、事業者自ら否定してしまうのは僭越かもしれません。いずれにしても、保険会社側の努力によって、保険の十分な理解が浸透しているとはいいがたい状況にあります。

②　理解する努力からの解放──「保険のプロにお任せください」

その一方で、前述した重荷感が、加入者側において理解の妨げに作用している可能性もあります。もし契約者の正直なニーズが、「詳しく保険を理解する努力がしたいのではない。そんな苦労をしないで、安心を得たいのだ」というものであったら、どうでしょうか。そのような契約者の考えは、改めさせるべきだということで、「消費者教育」が事業者の務めだとする考えもあります。しかしこれには、一方の当事者である事業者が、教育者として適格なのかという基本的な問題があります。

もうひとつの選択は、面倒くささを克服するのではなく、回避することで解決を図る方法です。面倒くさいことを考えなくても、信頼できる他人に任せて安心が得られるのであれば、それは契約者にとって望ましい解決となり得ます。現実に、面倒くさいから販売員の言うなりに保険加入する人は存在するわけですが、この場合の問題は、販売員の信頼性の確保です。

③　消去法の選択と根強い問題の発生

上述の両者の選択は、契約者の判断によるべきです。ただ現実には、①の理解促進が成果を上げているとはいいがたく、消去法で②に依存する契約者が少なくないと考えられます。その結果、信頼の破綻によって、一定頻度で問題が起きています。任せた募集人が、信頼を裏切る不適切な募集を行う問題は、今日にあっても、決して過去のものとはいえません。

⑸　販売者という経営資源への費用配分

①　販売者の信頼の必要条件

販売者が信頼を確立するためには、販売者の採用や教育などのさまざまなプロセスにおいて、お客様本位の理念を徹底することが不可欠です。これは、募集体制にかかわる問題です。

では、販売者が信頼を得るために、商品開発において考えるべきことはなんでしょうか。もちろん、答えは多面的です。

販売者にとってもわかりやすいように、内容を簡明にすることや、募集文書などの説明ツールを見やすくすることも、その方法です。

ただし、数多い論点の中でも、外してはいけない必要条件があります。それは、募集人の報酬です。代理店の信頼性は、能力と信用の組合わせによります。プロの信頼を確立するためには、それに値する能力と信用を有する人材を、労働マーケットから調達する必要があります。

②　報酬水準の最適化

報酬の水準はどのようにすれば最適化できるでしょうか。報酬が低すぎれば、労働市場から好適な人材が調達できなくなります。逆に高すぎれば、そのコストは保険料の高額化につながるでしょう。

これらのバランスを、顧客の視線から最適化するには、思考実験で報酬の水準を動かしてみると有効です。たとえば、現行より募集報酬を３割引き下げた場合、それによる保険料の低下は、5%程度のケースが多いと考えられます。顧客が、募集人材の質は落としてよいから、保険料を5%引き下げてほしいと望んでいるなら、引下げが正しい戦略です。逆に、保険料は5%引き上げてもよいから、人材の質を上げてほしいと望むなら、引上げが正しいことになります。これは、市場調査を行って、データ的に検証するに値する課題です。

もちろん、報酬は引き下げつつ、募集の質も上げろ、という意見もあると思います。それは、最適化の問題とは違って、商品設計の課題ではありません。

そのような課題は、それぞれのラインに任せるとして、商品開発では、商品設計上可能な手段を活用して、契約者利益の最適化を考えることが重要です。

③　報酬の安定性

特に生命保険にいえることですが、募集人への報酬を新規契約獲得に偏重させることが、不適切な募集の誘因となることがあります。この偏重を改め、契約の維持管理に対してより多くの報酬を配分して報酬を長期安定的に支払うようにすれば、募集人がより長期的な顧客のメリットに目を向けるようになります。このことは理屈の上ではわかっていても、多くの生命保険会社は短期的な新規契約増大に有効性の高い戦略を好むため、新規契約獲得に偏重した報酬体系を用いています。

この点は、契約者利益の観点から工夫の必要がありそうです。

第5章

商品開発のフレームワーク

1 商品開発とは

第１章から**第４章**まで、長らく基礎的な検討を行ってきましたが、本章から、いよいよ商品設計の具体論に進みます。ここから気持ちを切り換える意味で、**序章**でご登場いただいたＡさんのご友人の、Ｂさんにお話をうかがってみましょう。

Q　：何か、新商品アイデアを、思い付かれましたか？

Ｂさん：はい。私は、会社のオフィスに閉じこもっていたのでは、良いアイデアは出ないと考えて、北海道を旅行してきました。そこで、独創的な保険を考え付いたのです。

Q　：それは、すばらしいですね。どんな保険でしょうか？

Ｂさん：北海道には、大きな自然があります。町の中心を離れれば、人影はなく、道は広々としています。すると、道路に鹿が飛び出してくることがあるのです。

Q　：ほう、鹿ですか。

Ｂさん：ええ、実に危ないところでした。レンタカーで飛ばしていたら、突然鹿が道を横切ったのです。私はラグビーの名手でしたから、瞬時に相手の動きをよみきり、タックルを躱す要領で、ギリギリのハンドルさばきで避けました。普通の運動神経の人だったら、まちがいなくぶつかっていたでしょう。

Q　：それは良かったですね。それで、何を思い付かれたのですか？

Ｂさん：調べると、北海道では、年間3,500件以上鹿と自動車の衝突事故があります。車両の破損はもとより、傷害を負う人や、二輪車の事故では死亡する人もいます。さらに調べると、北海道だけでなく、他の府県でも鹿との衝突事故はよく起きているのです。そういうわけで、自動車保険に鹿特約が必要だと痛感したのです。

Q　：なるほど、Ｂさんのアイデアとは、鹿特約だったのですね。ところで、鹿特約は、どんな損害を補償するのでしょうか？

Ｂさん：えっ？それは、鹿にぶつかれば、車が壊れますし、他に、傷害とか賠償とか、いろいろ補償が必要でしょう。

Ⓠ：それはそうですが、車の破損は普通の車両保険で支払えますし、ケガは人身傷害や搭乗者傷害で補償されます。鹿を轢いても、野生動物に関しては賠償する相手がないので、普通は、賠償責任は生じませんが、もし生じた場合も、対物賠償保険の対象になります。

Ｂさん：そうなんですか？それでは、鹿特約がなくても、大丈夫ですね……。

Ⓠ：新しい保険のアイデアを考えるときは、何を補償するのかということを明確にすることが必要です。それから、既存の補償を調べて、今までの補償に何が足りないかという視点で考える習慣も、身に付けるとよいでしょう。

Ｂさん：うーん。そこまでは、さすがの私も考えていませんでした。

さて、このＢさんの思い付きを、考えが浅いと笑うことができるでしょうか。批判するのは簡単ですが、実際に新しい保険の補償やサービスの内容を明確にすること、さらに他社を含めた類似の商品の内容を調べることは、簡単なことではありません。

思い付きを得ることと、商品アイデアを作り上げることとの間には、かなりの道のりがあります。以下に述べるさまざまなフレームワークを通して、商品が設計できるまでの道のりを探ってみましょう。

商品開発のような複雑な仕事には、多面的な検討が必要です。そのため、フレームワークは１つでは済みません。プロセスごとに異なった視点と、それぞれの領域における専門性が要求されます。

2　アイデア検討のフレームワーク

アイデアを検討するためには、検討のフレームワーク（枠組み）を持つことが大変有益です。アイデアの検討というのは、本質的につかみどころのないものです。ただ次々に思い付いたことを追っていくと、Bさんのように、「ところで、この保険は、何を補償するんだ？」と聞かれて困ってしまうことになりかねません。

フレームワークを持つことによって、何を検討しているのか、何が足りないのか等を考える観点が明らかになり、アイデアが明確化します。

(1)　アイデア検討のフレームワーク（TBR）

商品・サービスを検討する場合、マーケットのターゲット（Target）を定めること、顧客が受け取る給付（Benefit）[1]を明確にすること、そして、その給付が顧客価値に結び付く理由（Rationale）を特定することが重要です。

Target（ターゲット）＝マーケットのターゲットを定義
Benefit（ベネフィット）＝価値のもととなる給付を定義
Rationale（ラショナル）＝給付が価値に結び付く理由を特定

以下、各項目について、順を追って説明します。

なお、定義するとか特定するといっても、この段階では、狙いを定めるという意味で、本当にそのターゲットやベネフィット等が正しいかどうかはわかりません。アイデア検討のフレームワーク（図表１）は、これらについての「仮説」を明確化するもので、それをあとのプロセスで検証していきます。

1）ベネフィットを直訳すると便益ですが、何を意味するか、語感からわかりにくい概念ですね。保険の場合のベネフィットは、保険金またはサービスと考えて問題ありません。

(2) ターゲット

市場全体の中で、その商品の販売対象となる、特定の顧客層をイメージします。これがターゲットです。その中でさらに、特にその商品に適したコアターゲットを絞っておくと、そのあとの検討がしやすくなります。

図表２の例をみましょう。ここでは、火災保険の中の上級商品を開発することを例とします。

図表１　アイデア検討のフレームワーク（TBR）

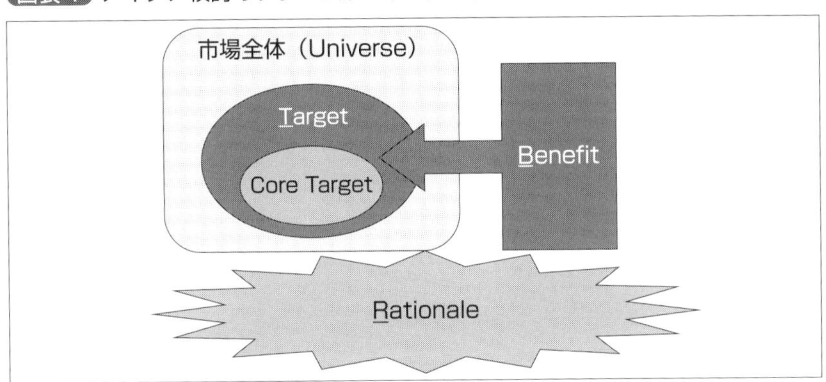

図表２　アイデア検討のフレームワークの具体例

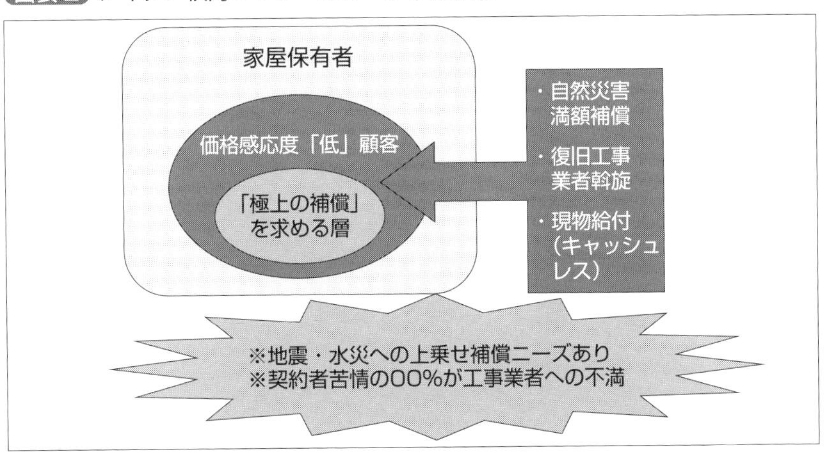

火災保険の顧客層は、家を持っている人と、借家人に分かれ、この両者の購買特性は異なると考えられます。この上級商品は、家屋保有者向けとしましょう。そうすると、ターゲットを定める前の潜在的な市場の全体は、家屋保有者です。家屋を保有している人たちが、この商品を検討する際の世界（Universe）となります。

さて、上級商品ですから、価格感応度の低い顧客層をターゲットと定めましょう。しかし、まだそういっただけでは、ターゲット顧客層に属するのがどんな人か、イメージがわきません。そこで、さらにその中で、コアターゲットのイメージを考えます。ここでは、「極上の補償」を求める層としてみましょう。

そういう層が実際にどれほどいるかは、市場調査をしないとわかりません。アイデア検討の段階では、「仮説」として、そういう客層があることにしておきます。今の段階では根拠薄弱ですが、たとえば、感覚的に２割としてみましょう。

仮説の当否は宿題としておいて、あとのマーケティングのフレームワークで検証します。

(3)　ベネフィット＝保険金やサービス

次は、上記で定義した、「極上の補償」を求める層に、何を提供するかを考えます。極上の補償ですから、保険金の支払が、損害のてん補に不足していてはいけません。そこで、今の保険では全額補償ができていないと思われる自然災害、特に地震保険や水災補償の上乗せを考えました。

そう思ったのですが、こうした補償は、刻々と「進化」していて、たとえば水災を100％補償する商品も現に出ているかもしれません。他社も含めた既存商品の研究は重要で、これをないがしろにすると、鹿特約の二の舞になります。そこで、ここで既存の補償との比較の一覧表を作る必要があります（図表３）。

これだけでは、「極上の補償」に足りないかもしれません。事故のあと、

図表3　既存商品との比較表

保険会社	自　社	A　社		B　社	……
商　品	住宅総合	天下泰平	アワライフ	住まいの安心	……
水災支払基準	床上／45cm	—	床上／45cm	床上／45cm	……
補償割合	70％縮小	—	選択制 50～70％	選択制 70～100％	……
地震補償	—	上乗せ特約あり	—	—	……
……	……	……	……	……	……

家の修理や再築が必要ですが、最近は悪質な修理業者が社会問題となっていますので、優良な修理業者のネットワークを作って斡旋したら、お客様に喜ばれるかもしれませんね。さらに、そのようなネットワークがある場合に、修理代金として保険金を直接そちらに支払ってしまったら、お客様にとってキャッシュレスで修理ができることになり、魅力が増すでしょう。

こうしたベネフィットを提供するためには、もちろんコストがかかります。これまでの章で述べてきたとおり、それを上回る価値が生じなければ、付加価値はありません。そこで、これが顧客にとって、どのくらいの価値があるものかが重要です。

そこで、この段階で、提供するベネフィット（たとえば上乗せ部分の保険金の支払）が、顧客にもたらす価値がどれほどのものかについて、また仮説を立てます。

顧客にとっての価値を、定量的に評価できれば、市場の規模や販売量を推定することができます。定量化とは、たとえば、これによってターゲット顧客の○○％が加入する、あるいは、既存の商品より××％高い価格でも受容されるといったことです。

このベネフィット価値に関する仮説は、商品魅力の評価にほかならず、とても重要です。一方で、これは難しい仕事で、深い思考力と、広い知識経験が必要です。加えて、センスの良さも問われます。難しい課題ですので、時には実態ととんでもなくかけ離れた評価をしてしまうこともあるかもしれません。

商品の失敗の多くは、このベネフィットの価値を過大評価したために生じています。そのような性質のものと理解したうえで、マーケティングのフレームワークの中で、きちんと検証することが重要です。

⑷　ラショナル＝理由、根拠

次に、上記のベネフィット（保険金やサービス）が、本当にお客様にとって価値があるのか、その根拠を考えます。水とダイヤのパラドクスでみたとおり、仮に客観的にみてよいものであっても、顧客が価値を見出してくれるかどうかは別問題です。商品開発者としては、「これは売れる＝顧客からみて価値がある」ことの根拠を、明確に持っておくことが必要です。

今回の例では、地震や水災の上乗せ補償にニーズがあること、修理などを行う工事業者への不満が多いことといった事実があれば、それらが、この商品に価値がある理由となります。

本当に上乗せ補償のニーズがあるのか、あるいは、工事業者の斡旋制度で現状の不満が解消するのかは、顧客によって異なりますから、このことを「論証する」という考えにはあまり意味がありません。ラショナルは、どこまでいっても本質的に「仮説」です。

その当否は、上記の⑵、⑶を市場調査によって検証することで、間接的に明らかになります。

Column10　ターゲットを絞るときのポイント

商品によっては、ターゲットマーケットをあえて絞ることで成功する例があります。特に、マーケットの太宗をあえて捨て、特定の小さな層だけにフォーカスする戦略をニッチ戦略といいます。

以前損害保険業界で、特定の趣味を持つ人にターゲットを絞った、ニッチ商品がたくさん作られました。テニス保険、つり保険、スキー・スケート保険、ゴルファー保険などです。現在は、ゴルファー保険を例外としてほとんどが廃れてしまいました。何がうまくいかなかったのでしょうか。

テニスを例にとりましょう。

テニス保険は、テニスが趣味の人にターゲットを絞った保険です。そこまではよいのですが、その補償の内容は、普通の傷害保険に、携行品動総（動産総合保険）と賠償責任の補償を付けたものについて、その補償の範囲を、テニスに関係するものに限定しただけです。

マーケットのニーズという観点でみると、次頁図表４の横の幅（ターゲット層）を狭めたうえに、縦の幅（補償の内容）も狭めたことになります。大雑把にいって、横幅を１／10にしたら、その分縦幅を10倍にするくらいの考えでないと、あまり良いターゲティングとはなりません。縦も横も１／10にしたら、面積は１／100になってしまいます[2)]。

マニア向けの雑誌を考えてみましょう。つり雑誌は、用具、つり船、テクニックなど、つりに関し幅広く情報を載せています。

保険の例では、自動車保険も海外旅行傷害保険も、それぞれ、自動車と海外旅行に関係した、数多くの幅広い補償とサービスを集めています。ターゲット層を限定した分、補償の幅を広げたものと考えることができます。

実現可能性はいったん脇において、ニッチターゲットの考え方の理解のために、恐竜保険を考えてみましょう（次頁図表５）。

恐竜保険は現実のものではありませんが、この縦横図を参考に、自動車保険の補償が、物保険、傷害保険、賠償保険など多くの補償の集合体であることなどの意味を考えるのは、一定の価値があります。

2）スキー・スケート保険など、ほかのスポーツ系の保険も、同じ問題を抱えています。その中で唯一、一定のニーズをとらえたのがゴルファー保険です。この保険は、ホールインワン費用補償という、他の保険にない補償を持っていることが魅力となっています。ホールインワン費用補償は、他の保険と少し異なる特性があり、ニーズがネガティブという保険の枠を広げる可能性が感じられます。

図表４ 縦も横も縮めたら、なくなっちゃうぞ！

補償の幅	・・・						
	日常の賠責						
	日常のケガ						
	テニス中の傷害、賠責、用品の破損						
	家財の破損						
	・・・						
ターゲット層の幅		・・・	登山愛好家	テニスプレーヤー	フットボール選手	囲碁愛好家	・・・

図表５ ターゲットを絞った分、内容を広げる！

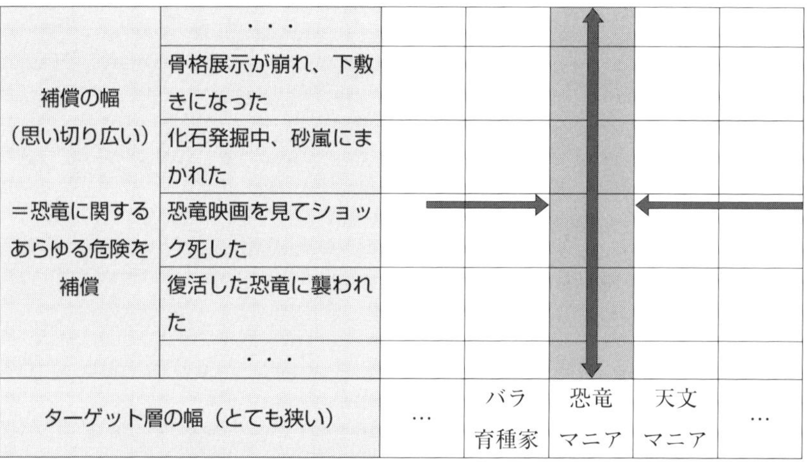

補償の幅（思い切り広い）＝恐竜に関するあらゆる危険を補償	・・・					
	骨格展示が崩れ、下敷きになった					
	化石発掘中、砂嵐にまかれた					
	恐竜映画を見てショック死した					
	復活した恐竜に襲われた					
	・・・					
ターゲット層の幅（とても狭い）		…	バラ育種家	恐竜マニア	天文マニア	…

コンセプト：恐竜に関するあらゆる危険を、すべて限定なく補償する（免責事項などという、下品なものはない）。

(5) フレームワークの確認表

上記の検討ができたら、表に結果をまとめます（図表6）。

図表6 商品コンセプトのフレームワーク（まとめ）

コンセプト：家屋保有者のための極上の火災保険		
論　点	内　容	仮　説
①　ターゲット	・家屋保有者のうち、価格感応度の低い層	既契約者○○件の25%と想定
(Core Target)	極上の火災保険を求める層	上記①の20%と想定
②　ベネフィット	・自然災害全額補償 ・工事事業者斡旋 ・キャッシュレス支払	コアターゲット顧客の15%において、単価30%向上を想定
③　ラショナル	・既存商品の補償不足部分の分析 ・契約者苦情の分析	

Column11 ラショナルを議論するのは無益

D部長と担当者Eさんが、商品の魅力をめぐって激論を交わしています。

D部長：今の時代に必要なのは、無駄を省くことだ。職場の団体契約で、傷害の補償に入っている人が多いから、医療保険から傷害補償を外して、疾病だけにすれば、補償のダブりが避けられる。これは、まちがいなくヒットするぞ。

Eさん：そうでしょうか？私には、ヒットしそうな気がしません。

D部長：何をいうか?!俺は、こういう補償のダブりが何より嫌いだ。そういうのをなくした保険は、すごく魅力的に決まっている。俺なら迷わず入るし、人にも勧める。

Eさん：いや、でも……。ケガのほうが、病気より突然起きて、困ることもありそうです。ケガは両方から出て、病気は医療保険だけという補償の組合わせも、悪いことはないと思います。

D部長：俺のように、自分の問題として考えれば、補償がダブったらもったいないという気持ちがよくわかるはずだ。新商品はね、君、自分なら入るかどうかを考えて設計しなきゃダメだよ。

Ｅさん：私は、自分で入りたいとは思いません。そんなにダブるのが嫌な人は、傷害保険のほうをやめてもいいと思いますし……。

Ｄ部長：実際は、そう簡単にはいかないんだよ。傷害保険のほうは、先輩から勧められていて、やめにくい人もいるかもしれないじゃないか。それにこれがあれば、ケガは心配ないが、病気の補償だけは欲しいっていうニーズにもこたえられる。俺は、そこまで考えていっているんだ。それがわからないとは、どうもＥ君は、販売の経験が足りないようだな。営業部門に転出して、このアイデアの良さがわかるまで、みっちり販売経験を積んでもらうとしようか。

この議論は、全くかみ合っていませんね。問題はどこにあるのでしょうか。

魅力があるかないかは、主観的です。数学などの客観的に答えが定まる問題とは違って、主観的な問題については、どちらが正しいか議論することに意味はありません。

この補償についていえば、少なくとも１人はとても魅力的だと感じ、逆に少なくとも１人は魅力がないと感じています。ここでなすべきことは、Web アンケートなどの市場調査を行って、魅力的だと思う人と、そうでない人の比率を調べることです。

その比率がわかれば、魅力がどの程度のものかを、客観的に定められます。顧客一人一人の評価は主観的ですが、その評価が市場にどのように分布しているかは、客観的事実です。必要なのは、その事実を把握する努力です。

(6)　マーケットサイズの推定

前掲図表６ができたら、マーケットサイズの規模を推定しておきます。当該商品の加入率は、後述する市場調査によって検証しますが、その前に、目論見どおりにいった場合の市場の大きさを考えておくことが必要です。これを怠ると、「想定どおりに販売が進んだにもかかわらず、市場規模が小さく、商品ラインアップの簡素化で廃止になった」という冗談のような話が生じかねません。

マーケットサイズの推定は、商品特性によって異なる方法が必要となることがありますが、基本は以下の手順がよいでしょう。

①Universe × ②ターゲット層の比率 × ③募集のリーチ × ④募集成功率 × ⑤浸透速度

①　Universe

当該商品の販売対象となりうる顧客数の全体です。上述の例では「家屋保有者」です。総務省「平成30年住宅・土地統計調査」によるとわが国の持ち家の総数は約3,280万戸ですので、これがUniverseとなります（ちなみに、総住宅数は6,240万戸）。

②　ターゲット層の比率

上記①のうち、当該商品にニーズがある層の比率を推定します。本例では、以下とします。

火災保険加入率（約60%）×ターゲット層比率（約20%と推定）＝12%

③　募集のリーチ（届く範囲）

当該商品の販売方法に応じ、案内が可能な顧客の割合を規定します。媒体による公告であれば視聴数、販売者による訪問であれば訪問先の数などから推定します。

さまざまな実態がありますので、実際には詳しい検討が必要ですが、ここでは例示のため、ごくシンプルにとどめておきます。自社のシェアが5%の会社で、販売者の50%が顧客の80%に案内するとすれば、以下となります。

5%×50%×80%＝2%

④　募集成功率

案内を受けた顧客が加入する確率を推定します。根拠はあとで検証します。ここでは仮に20%とします。

⑤　浸透速度

既存契約の満期時に案内する場合では、浸透に３～５年かかることがよくあります。この場合の１年当たりの浸透率を仮に１／４とみましょう。これらを乗じていくと以下となりました。

32,800,000 × 12% × 2% × 20% × 0.25 ≒ 4,000（件）

このペースで４年間販売を拡大した場合、４年間で16,000件となります（この販売件数は、一般的には商品開発コスト（特にシステム開発）を賄うことが難しいレベルといえます）。

3 スクリーニングのフレームワーク

商品開発のアイデアが多数あって、スクリーニングが必要なケースがあります。アイデア提供を他部門にお願いした場合などには、たくさんの提案がきます。

商品案のリストが長くなって、絞込が必要になったときの方法を示しておきます。その必要のない方は、この節を飛ばしてください。

(1) スクリーニングとは

多数のアイデアの中から、深く検討するに値するものを選び出すことです。通常はこういうことは必要ないのですが、事例として、従業員数の多い保険会社が、全店の社員にアイデア募集を行ったり、多数の募集人からの要望を受け取ったりすることがあります。その場合に、アイデアを有力なものに絞ってから深く検討することが効率的です。

何らかの理由で、実現できないことがすぐにわかるアイデアを、この段階でより分けておき、可能性のあるものを次の検討に進めることが、スクリーニングの役割です。

(2) 保険としての実現可能性

アイデアが、保険商品として成り立つための、基本的な条件がいくつかあります。

序章の**図表1**で、事業とは、オペレーションとマーケットをつなぐものと説明しました。この両方の観点で、実現可能性のあるものであることが必要です。左側、すなわちオペレーション側の条件は、一言でいえばそのような商品が作れるかという、技術的な条件です。空も飛べ、水中も進めて、非常に速度が速く、安全性も万全だという自動車を考えても、そのようなものを作ることが技術的に不可能であれば、検討する意味がありません。

そこまで極端でなくても、たとえばアンダーライティングにおいて、特定の条件に該当する人を除外している医療保険について、「それを不問にして引き受ける」というアイデアはよく見受けられます。これは、一般的に実用可能性が高くありません。

このようなものは、アイデアの勝負ではなく、そのような引受をしてもよいという統計的な裏付けがない限り実用化できません。マーケット側ではなくオペレーション側からの検討が適していますので、新商品アイデアのリストからは除外し、専門の知見のある部門に任せることがよいでしょう。

⑶　マーケットサイズの意味

２⑹で説明したとおり、うまくいった場合のマーケットの大きさも考慮しておくべきです。その商品がどのくらい魅力があるかは、市場調査等をしないとわかりません。しかし、もし魅力があった場合に、販売量の最大規模がどの程度になるかは、簡単にわかることが多いのです。最大規模を事前に考察し、これが不十分であれば、アイデアから除外します。

全く仮定の話ですが、500万人に１人の割合で生じる難病があったとします。その患者だけを対象にした、特別な症状を保障する医療保険を作ると仮定します。この場合は、加入の可能性のある人は、全国で25人です。

内容にもよりますが、任意の保険であれば、全員が入るわけではないでしょうから、実際の加入者はうまくいっても最大10人程度でしょう。そのような場合には、新商品を開発することは、通常コスト的に無理があります。もし、その難病の人たちの救済のために何かをするなら、専用商品の開発ではなく、その分のコストで直接寄付や支援を行ったほうが社会のメリットは大きくなります。

魅力があるかないかの事前判断は難しいことです。ですが、仮に魅力があっても、マーケットが小さすぎる案は、事前にある程度わかります。これは、スクリーニングで除外しておくのが現実的です。

⑷　スクリーニングのフレームワーク

アイデア一覧に対して、上記の検討ができたら、結果を表にまとめます（図表7）。

通常は、商品の特性はマーケット側から検討することがよいのですが、このスクリーニングに限っては、先に技術的な可否を検討します。これが×のものは、マーケットを検討する必要がないので、効率が良くなります。

図表7　スクリーニングのフレームワークの例

アイデア	①　技術的な実現可否	②　マーケットサイズ
1. 宇宙人に誘拐されたときの保険	× 金融庁認可の見込無	— （検討不要）
2. 糖尿病でも、通常の条件で加入できる医療保険	× 実現の具体的アイデア無	— （検討不要）
3. 糖尿病患者用の合併症保障保険	○	（300万人＋予備軍2,000万人）×10％程度
……	……	……

4　マーケティングのフレームワーク

第４章でご説明した、契約者、販売者、保険会社の「3者構造」の特性から、特に大手の伝統的な保険会社は、セールスおよびその管理部門に非常に大きな経営資源を割いています。このためマーケティングといえば、その販売部隊に働きかけるチャネルマーケティングを意味するケースが多くみられます。

一方、通信販売など、保険会社が直接契約者に対する販売を行う場合には、後述する、商品設計等を含んだより総合的なマーケティングもみられます。

これからは、伝統的な保険会社でも、総合的なマーケティングを取り入れる試みが増えていくと考えられます。

本書で扱うのは、この総合的なマーケティングです。

(1)　4つのＰ

一般に、マーケティングは4つのPからなるといわれます。

4つのPとは、以下のものです。

①　Product = 商品
②　Price = 価格
③　Place = 販売経路（保険の場合は≒チャネル）
④　Promotion = 販売促進策

商品コンセプトの設計の段階で、この4Pを総合的に検討し、マーケットと結び付けることが、商品開発の工道です。

①と②は、前記２「アイデア検討のフレームワーク」で得た商品コンセプトをもとに、これまで検討してきた需要曲線の理論を生かして、価格と補償内容の最適な組合わせを探ることが鍵です。これらは、商品部門単独でも可能です。具体的な方法は、市場調査によりますので、第７章でご説明しま

す。

次に、③の Place（販売経路≒チャネル）と④の Promotion（販売促進策）も、上記と一体にして、商品コンセプトに合わせて設計することが望まれます。ここまで含めて商品開発であるといいたいところですが、この③、④は、わが国の保険業界の場合は、商品開発とは別ラインで行われることも多いのが実情です。

保険の自由化が始まった1996年頃からとすると、ずいぶん長い年月が経っていますので、そろそろ体制を変えていくことも考えてもよいかもしれませんが、少なくとも大手会社では、いわゆる営業推進部門（販売チャネル対応部門）は、商品部門とは別組織となっていることが珍しくありません。

このような体制がとられている場合は、総合的なマーケティングを行うには、商品設計時にマーケティングのコンセプトを明確にすることと、そのコンセプトに沿った販売戦略ができるよう、開発の各段階で関係部署と十分連携することが鍵となります。

なかなか難しいことですが、少なくとも、「できた商品」をチャネル部門に渡してどう売るか考えてもらうということではなく、設計段階から関係部門と連携して開発を行うべきです。

Column12 商品が先かチャネルが先か

鶏と卵ではありませんが、商品開発には、A：商品のコンセプトを固めて、それに適したチャネルに販売してもらうという考え方と、B：保有している販売チャネルを起点に、そこに適した商品コンセプトを考えるという、2通りのアプローチが考えられます。事業の目的は顧客への価値提供であり、チャネル政策はその手段にすぎないと考えれば、Aが王道です。ところが、なかなか単純な理屈ですまないのが世の中の難しいところです。

第4章で述べたとおり、生命保険はもとより、損害保険も「セールス・ヘビー」な産業です。それゆえ、販売チャネルは保険業のさまざまな機能の中で、特別な重みを持っています。組織が大きく、いろいろな経緯を引きずっているので、そう簡単には変化しません。

たとえば、医療保険の良い商品ができたとします。さて、どうやって販売しましょうか。健康診断を受けたときが、保険の勧誘の良いタイミングだという考えが浮かびました。そこで、健康診断を実施している医療機関に、「代理店になってこの保険を売ってください」と持ちかけても、ことは簡単ではありません。医療機関は、医療本業に関連した多くのことに関心があるので、保険を売りたいかどうか、その余力があるかというところですでにつまずきます。しかも、保険には説明責任がいろいろあり、募集については多くのルールがあるので、これを販売するには相当な努力が必要になります。さらに、相手方には営利事業を行うことへの制限があります。普通は、「はい、わかりました」ということにはなりません。

長年の試行錯誤で、生き残ったものが現在の販売チャネルです。販売チャネルのほうを動かすのは簡単ではありません。成功率という観点では、現在保有している販売チャネルを与件として、それに適した保険を開発する、Ｂの方法が、はるかに確率は高くなります。

顧客ニーズを起点にして、保有する販売網にこだわらない、Ａの方法は、追求すべき正しい道であると思います。ただし、それは険しい道で、多くの人が遭難しています。高山に登るときは、その気概を持って、周到な準備をして臨む必要があります。

⑵　４つのＰのフレームワーク

４つのＰが、商品コンセプトに沿ってうまく統合されているかを考えます。上記の検討ができたら、表に結果をまとめます。具体例のイメージを図表８に示しました（なお、この表は全く仮想のもので、現実の商品案ではありません）。各論を検討する中では、もっとずっと細かいレベルの判断が必要になります。それは、次節で検討することとして、大きなコンセプトを一貫させる観点で、このような「大雑把な」表を作っておくことが有効です（もっと補償内容などを細かく検討した、精緻な表のほうがよさそうですが、やってみると意外に大雑把なほうが有用です）。

図表８ ４つのＰのフレームワークの例

コンセプト：糖尿病患者にとって、恐ろしい合併症を補償	
① Product（プロダクト）	・失明や腎臓透析など、深刻な合併症を最大1,000万円補償 ・低価格と簡易なアンダーライティングを実現するため、軽微な症状は支払対象外 ・健康管理サービスをセットする
② Price（プライス）	・月5,000円程度
③ Place（プレイス）	・患者会、クリニック等を経由して募集文書を郵送
④ Promotion（プロモーション）	・専門医からの推奨を得る

(3)　損益に関する全体最適の問題

マーケットではなく、内向きの視点の話になってしまいますが、現実問題として重要な注意点があります。それは、成績評価の問題です。

伝統的保険会社の組織体制は、「セールス・ヘビー」な体質にあると述べましたが、会社経営の観点では、その大きな組織を全体最適に向けて動かすことが肝要です。販売組織の評価は、多くの場合、収入保険料や新契Ｓ（新規に販売した契約の保険金額）などに、種目別の利益率係数をかけるといった、簡便な指標によっています。

全体最適の観点では、この評価指標が、各商品の利益率になるべく連動していることが望まれます。ただし実際には、同じ保険種目でも、特約の有無や払込期間の長短で利益率が違うこともあり、一方あまり細かく複雑な指標を使うことにはさまざまな問題があって、このバランスのとり方は難しい判断です。

実際に保険会社の経営上問題となった事例をみてみると、営業成績の評価指数と、その商品を販売したことによる損益が、大きく乖離していることがあります。具体的には、会社にとって利益が小さくリスクの大きい商品、場合によっては赤字の商品を、一生懸命売ってしまい、そのために問題を生じたケースです。

このような問題が、評価指数を定める技術的な難しさから生じている場合には、問題が表面化したら修正すればよく、比較的小さくとどまります。

そうではなく、損益より売上を拡大したいと考える経営幹部の意向や、または、販売部門から部分最適を求める圧力が生じることによって、これが生じてしまうと、大きな問題につながることもあります。生命保険では、損益悪化が明確になってからも、なかなか貯蓄性の商品の販売を停止できなかった例があるといわれます。

また損害保険では、プロ、ディーラー、金融機関、不動産など、販売する代理店の業種ごとに複雑に分かれたチャネル営業推進部門の思惑などによって、商品戦略にひずみが生じることが起こり得ます。日本だけでなく、海外でも「販売のモメンタム（勢い）を止めるわけにはいかない」という論理がみられることがあります。

この問題は、関係する個人の資質以外に、組織の構造の問題から生じている面があるため、解決は簡単ではありません。大きくいえば、特定部門の「部分最適」が全体最適を歪めるという、よくある問題の一類型ですが、この場合「部分」といっても、営業推進は保険会社内を非常に大きなウェイトを占めるため、経営トップのリーダーシップがない限り、これを逃れることは難しいのだと思われます。商品部門としては、評価指数の決定に関与し、実際の損益と逆方向のドライブを生む評価が生じないよう努めることが望まれます。

通信販売など、直接販売を行う会社の場合は、販売チャネルに関係したプレッシャーが少ないため、このような問題がなく、シンプルに利益を最適化する商品と価格の設計を行うことがやりやすいと考えられます。

5 補償（約款）設計のフレームワーク

(1) 約款とは

補償内容を、具体的に体現するのは、約款という契約書面です。

約款とは、契約の一種ですが、定型取引（保険会社などが不特定多数の者を相手方として行う取引）用に内容を画一的にしたものと考えることができます[3)]。保険契約者が、約款に同意して契約を行うことで、その画一的な内容が保険会社と契約者の双方を拘束します。

新商品の約款を作成する場合、普通は、まっさらな状態から約款を作るということはありません。約款作成のひな型として、類似の既存商品の約款を手本にします。これを横において、当該商品に固有の要素は既存商品から変更し、共通の要素はそのまま残すことで、新旧対比表を作ります。

ただし、下記のとおり、商品内容を定めるときにいきなり約款から作り始めることはお勧めできません。

(2) 最初が肝心――コンセプトの明確化

前掲２(5)図表６の例であれば、「家屋保有者のための極上の火災保険」が、あるいは４(2)図表８の例であれば、「糖尿病患者にとって、恐ろしい合併症を補償」がコンセプトでした（「恐竜に関するあらゆる危険を補償」も、実用性は別としてコンセプトです）。コンセプトを繰り返し深く考えることで、具体的にどのような契約内容が、この商品にふさわしいかがみえてきます。

このプロセスは、何度繰り返しても悪いことはありません。

(3) チラシから作ってみる

契約者が、加入の是非を判断するとき、約款をみることはめったにありま

3）正確な定義は民法第548条の２にあります。

せん。その代わりに、重要事項説明書や、ご契約のしおりという説明文書、内容を記したパンフレットなどが募集に使われます。特に、重要事項説明書は、必ず理解してもらうことが必要なのですが、ここにややあるべき姿と実務の乖離が存在しています。

保険会社としては、読みやすく作っているはずの重要事項説明書は、現実には、契約者にとってわかりやすいとはいいがたいものです。説明文書のわかりやすさの問題は、保険会社としてしっかり対策する必要がありますが、魅力ある商品設計とはまた別のテーマです。

現実に、契約者がその保険に加入するか否かの判断は、A4判表裏１枚の「チラシ」に収まる程度の情報でなされると考えられます。これをみて、加入してもよいかなと思った人に、次のステップで詳しい内容をご説明するのです。インパクトのあるチラシが作れるかどうかで、訴求力のあるコンセプトになっているか否かがわかります。長く説明をしなくても、１枚で「これはよい」と思ってもらえるように、チラシでアイデアを磨きましょう。

⑷　内容を表にする

保険金を支払う場合、免責事由などの主な論点を一覧表にし、事由別に有無責が一目でわかるようにします（図表９）。先に検討した４つのＰで、コンセプトは整理しましたが、今度は具体的にどういう場合に払う、払わないということを詳しく検討します。

商品の性質によって、表の構成は違ってきます。考えている商品によっ

図表９　補償内容の各論検討表（生保・医療系商品の例）

事　由	支払事由該当	免 責 ①	免 責 ②	最終支払	備　考
期中発病	有	—	—	○	本来保障
既往疾患	無	△	—	▲	告知事項該否
発症期不明	無	—	—	×	契約者の立証要
両者競合	期間割	—	—	△	医師判断
……	……	……	……		……

図表10 補償内容の各論検討表（損保・人身傷害補償保険の例）

ケース	補 償	備 考
賠償義務者なし	◎	本来機能
運行性なし	△	◎が望ましい
素因競合	△	【注意】損害部門不同意。要協議
混同	◎	本来機能
過失減額分	◎	本来機能
好意同乗	◎	本来機能
無資力者	◎	本来機能
……	……	……

て、それぞれに合った構成を考えます（図表10）。

(5) 約 款 化

上記の「表」の内容を、なるべくそのまま約款に仕上げます。

今は、約款の作成は商品開発担当者ではなく、その専門の「職人」芸のある人に任せるやり方もあると思います。その場合は、上記の表をそのまま渡せば、必要な情報がわかるようにします（医療保険の有無責や告知義務違反による不払など、支払う条件の場合分けが簡単ではないこともあります。どこまで深く理解しているかによって、簡明な内容にできるか否かが違ってきます。シンプルな表で内容がもれなく記述できるように、既存商品を研究するなどして、技術を磨きたいところです）。

保険金支払額などは、極力言葉で表すことを避け、以下の例のように表または式にできると、保険会社にも契約者にもメリットがあります。

保険金の額＝（○○の額）×（△△の割合）－（××の金額）

(6) 取扱規定

契約の変更などの取扱規定は、約款とは別に、会社規定として定めるものと、約款に記載するものとがあります。古くは、約款にうまく書けないものや、会社の取扱いが変更される可能性のあるものについて、「会社の定めるところにより取り扱う」という規定が多用されていました。このような規定は、内容が契約者にわからず、不利益となることもありうるので、極力減らすようにすべきです。

その場合、技術的な計算方法等よりも、どのように取り扱いたいかという趣旨、いわば「気持ち」を書くことが得策な場合が多くあります。これについても、表で内容を整理します（図表11）。

図表11　取扱規定の各論検討表

事　由	処　理	備　考
特約付加	次回以降保険料を変更	
保障変更	責準差額精算＋次年度以降保険料変更	制限あり
性別誤り	さかのぼって取消し	
……	……	……

Column13 アイデアは誰のところに来る？

保険の新商品アイデアは、歴史上の大発見や大発明とは、かなり異質です。それでも、大発見等がどのように生じたかを考えることは、アイデアを出すヒントになります。

・ニュートンのリンゴ
・エジソンの竹（電球のフィラメント）
・ヴェーゲナーの大陸移動説[4)]
・青色発光ダイオード
・NAND型フラッシュメモリ

いずれも、その問題を考え抜き、あらゆる解決策を試してきた人が、得たアイデアです。上記は一例ですが、大発見の中に、関係のないことをやっていた人が突然思い付いた、素人考えなどありません。ワイワイガヤガヤやって出たものも、ありません。

その問題をひたすら真剣に考え抜いた人のところにしか、アイデアは訪れないのです。

4）大陸移動説を、「素人の思い付きだ」と解説している本を目にしたことがあります。このような誤解があるのは大変残念なことです。実際には、ヴェーゲナーの大陸移動説は、南米東海岸とアフリカ西海岸の地質を比較してその一致を確認したこと、両者に古生物化石が共通することを見出したこと、さらに自分の専門の気候学からの根拠を備えていたことなど、深い研究に基づいた学説でした。

6 コスト算定のフレームワーク

補償内容が決まったら、それに見合う保険料を計算します。本書では、料率算出および検証方法については触れません。新補償に対する料率設定の考え方のみごく簡単に述べます。

すでに実績のある補償については、料率算定の考え方は確立していますが、実績のない、新しいリスクに対する保険料を算定するには、算定に工夫が必要です。

保険料を計算する以上、何らかの統計は必要です。新補償であれば、そのまま使える保険統計はないことが普通ですから、以下のいずれかから「持ってくる」ことを考えます。

・一般統計／各種政府統計（患者調査等）
・類似データからの推測
・海外統計からの推測

保険料の根拠データに不確実性がある場合、安全率を織り込むことが必要です。特に、保険期間が長期の契約についてこのことがいえます。保険期間が１年の損害保険であれば、多少不安定な統計であっても、後日検証して調整するという考えがとられることがあります。もし使用した料率に問題があっても、契約の更改ごとに改定していけば、大きな問題にならないうちに解決できるというわけです。

保険期間が長期の生命保険の場合は、そのようには考えず、あらかじめ十分な安全率を織り込むことが通常です。そのために余剰が生じれば、社員（契約者）配当で返還する仕組みの商品もあります。

損害保険会社にとっての重大なリスクは、自然災害等の集積損害です。もし赤字の保険種類が生じても、集積損害がない場合には、通常は問題が判明してから改定していけば致命傷にはなりません。一方、リスク分散のきかない集積損害は、一時に巨額の損害が生じる可能性があるので、そうはいきません。商品設計の段階から留意が必要です。再保険によるリスク移転も考えられます。可能な場合には、適切な再保険を手配することも重要です。ただし、再保険の市場は年々状況が変動しますので、それだけに頼っているとマーケットがハード化して必要なカバーが入手できないという危険もあります。

生命保険会社にとっての重大リスクは、資産運用とそれと見合いの予定利率リスクです。

長期契約では、予定利率が高すぎる場合、その負担が長年にわたって尾を引きますので、予定利率の設定は特に慎重に行うことが必要です。

また、予定利率は契約者に保証した最低利率で、オプション性を有している点から、仮に保守的に設定した場合にも、さらに注意が必要なことがあります。金利環境が変わり、より高い予定利率の高い商品が出るようになれば、契約者としては旧契約を解約して高予定利率の契約に乗り換えることが、有利になる可能性もあります。

このような乗換えが頻繁に起きる（これを動的解約と呼びます）と、ALM（資産・負債の総合管理）に問題が生じます。ALMでは、金利変動が生じて資産・負債それぞれの価値が増減したとき、それによる損益がなるべく打ち消しあって会社の利益を安定させることが望ましいのです。そのために、両者のデュレーション[5]をマッチさせる方法があります。ところが、旧契約にあわせたデュレーションで資産を運用しているときに、より高い予定利率の契約への乗換えが起きると資産と負債のミスマッチが起きるという問題があります。

金利の変動に耐性を持たせるためにデュレーション・マッチングを行うと、動的解約への耐性が弱くなるというジレンマです。

総合的な検討が必要な課題のひとつです。

5）債券等の平均的な運用期間をいいます。負債（責任準備金）と資産（債券など）のデュレーションを一致させると、金利変動に対しする損益が安定したALMができます。

7　リスク評価のフレームワーク

現代のリスク評価は、多面的に行う必要があります。経営上のリスクの多くは、商品と何らかの接点を持っています。商品にかかわるリスクは、引受リスクのほか、事務リスク、レピュテーションリスク、巨大災害リスクなど多面的です。それぞれが複合的に関係しますので、今日では、リスク管理を総合的に統括する専門部署を設けることが一般的です。

ここでは、数多いリスクから、商品開発の本質にかかわるリスクとして、収支悪化（保険金支払、販売不振）リスクに絞って解説をします。

収益悪化のリスクに対応するには、収支予測が重要です。

ここで、覚えておいて決して損のないキーフレーズがあります。

「予測といえば、アサンプション一覧」

予測には、前提条件が必要です。予測の前提として想定する条件を、アサンプションといいます。収支の予測に必要なアサンプションは、販売量、損害率、運用リターン、将来経費など、複数にわたります。

そのような主要な前提条件を、一覧表にします。

最も妥当と思われる予測をメインシナリオとして、それに用いた前提と、その根拠を網羅します。次に、各前提（収入保険料や損害率など）が変動した場合の、収支の変化を、「感応度」として記載します。

さらに、悲観シナリオとして、メインシナリオに比べてアサンプションの要素が悪化した場合（たとえば、損害率が上昇するあるいは運用リターンが低下するなど）の感応幅（損益の変動幅）も示します。

その結果を、図表12のようにまとめます。この背後に、収支のシミュレーションのさまざまな計算があるわけですが、表には前提と結果のみをまとめます。この手法は、新商品の評価だけでなく、新事業進出や、M＆Aの検討などにも有用です。

図表 12 予測といえば？アサンプション一覧！

項　目	前提／根拠	悲観シナリオ	感応（利益悪化）幅
運用リターン	0.25% ○年国債×年平均－1.5σ	0%	▲○○億円
死亡率	標準生命表 2020	毎年○○‰悪化	……
販売量	初年度X件、以後5年間a％で増加。 1販売員当たり○件ペース（先行A商品と同等）	初年度Y件、以後増率ゼロ	……
……	……	……	……
予測結果	**販売量 Q** **利益 P**	**販売量 Q'** **利益 P'**	

第6章

会社戦略と商品戦略

1　会社ブランドと商品ブランド

⑴　会社ブランドとその効果

①　会社の特徴とブランド

日本の保険会社については、画一性の高さがよく指摘されます。とりわけ大手社に関してはその傾向が強いようで、どこを切っても同じ顔が出てくる伝統的なお菓子の「金太郎飴」のたとえが聞かれます。

大手の保険会社は、当然ながら多くの顧客を持っています。マーケットの小さなセグメントに特化することは、大手の戦略としては難しいことといえます。また大手社は、通常複数の販売チャネルを持っています。特に損害保険業界では、販売チャネルのほとんどを占める代理店に多様な種類があって、保険専業、自動車の販売業や整備業、不動産販売業、旅行業、銀行業、税理士や会計士など、さまざまな特性や利害を有しています。これに対して生命保険業界では、大手社の販売チャネルは長年にわたって主に営業職員であり、均質性がありましたが、近年は銀行や生保専門の「プロ」などの代理店を通した販売や、子会社を設けての通信販売なども目立つようになり、次第に多様化してきました。

販売チャネルが多様であると、何かひとつに特化した戦略が取りにくくなります。大手保険会社の場合、ある分野で優位性のある商品を出そうとしても、それによって影響を受ける販売チャネルの反発が懸念されるために実現できない、というケースがみられます。また、多くのチャネルのニーズを満たすために、商品のバリエーションが増えたり、個別特殊な取扱いが生じ、そのため商品のコンセプトがわかりにくくなることも少なくありません。

さて、本来商品戦略は、ターゲット・マーケットを特定し、販売チャネルもこれに適したものに絞り込んで、選択と集中を行うことが得策です。このことは、商品単位で行うより、会社として得意分野を明確にして行うことが望ましいといえます。アメリカには「スペシャリティ」と呼ばれる特化した保険会社が、高い利益を上げている例があります。日本の大手損保の傘下に入ったPhiladelphia Consolidatedという損害保険会社は、聴覚障害者のコミュニティに特化した販売戦略で成功を収めたことが、経営の基盤となったそうです。アメリカのマーケットは巨大ですので、こうしたニッチ・マーケットに特化したうえで、大きな利益を上げるケースがあります。

会社として、特定の分野に強みを持つことができるのは望ましいことです。さらに、そのことを市場に周知することができれば、経営上の大きなメリットとなります。これを目指すのが、会社ブランド戦略といえます。

わが国の場合も、中小規模の保険会社の一部には、特定の職種の従業者の市場に強みを持つ会社など、特色を持った経営を行っている例があります。中には、地域に特化した会社の例もあります。このようにターゲット・マーケットが一定のセグメントに特化している中小規模の会社の場合は、そこに集中したブランド戦略をとることが自然です。

一方、大手の保険会社の場合は、上述した事情から、特定職種や、特定地域に戦略を集中することは困難であり、必ずしも得策でありません。では、大手の場合のブランドはどのようにあるべきでしょうか。すでに多くの顧客と、多様な販売チャネルを合わせて有している場合に狙うべきは、「誰が購入してもよい」ブランドです。

ただそうはいっても、ブランドの主要な役割は、類似商品との差別化です。誰もが買う商品を目指しつつ、差別化を図ることは、一見両立が難しいようにも思えます。次節２「会社戦略の特定化」でこのことを考察しましょう。

②　ブランド確立の効果

仮に、ターゲット・マーケットにおいて有力なブランドが構築できた場合には、商品利益の観点から２つの効果が期待できます。

ひとつは、その商品が選択されやすくなることによる販売件数の増加効果、もうひとつは、留保価格が引き上げられることによる販売単価の上昇効果です。

iPhoneのような商品の場合、ブランドにより圧倒的なマーケットシェアを保持しています。多くの人が、他の製品ではなく、iPhoneを選択するとすれば、これは件数増加効果です。もう一方で、iPhoneの場合、ブランド力によって価格も高く維持されています。これは、単価上昇効果です。両者が相まって莫大な利益を生んでいます。

保険の場合も、ブランド力による件数増加と、単価上昇との両方の効果があり得ます。この両者のうち、利益に対する貢献は、どちらが大きいのでしょうか。保険について考えたとき、この両者は均等ではなく、後者の単価上昇のほうが重要といえます。これは、どういうことか考えてみましょう。

損害保険の場合、保険料に対する利益率は、おおむね5%程度の商品が多くなっています。生命保険の場合、開示資料からの計算が困難であること、そもそも金利をはじめとした外部環境による変動が大きいことなどから、保険料に対する利益率という概念を定めることが難しくなっています。ただし、総体的に損害保険よりは利益率は高いとしても、保険料の半分以上が一般事業の仕入れ原価に当たる純保険料である商品は珍しくなく、その一方販売に充てる経費は損害保険より大きいことを考えると、利益率が10%を大きく超える商品は限られると思われます。

件数増加効果と単価上昇効果の大小について、大まかな「距離感」をつかむために、乱暴ですが今、仮に、保険の種類を問わず利益が保険料に対して5%の水準にあるとして、簡単な試算を行ってみましょう。

同じ利益率のまま、ブランド力による件数の増加効果で利益を２倍にしたいと考えるなら、販売件数を２倍にしなくてはなりません。ところが、通常保険会社の件数増加率は、保有契約の多い保険種類では年間１～２%程度、急速に拡大している保険種類で10～20%程度です。仮にブランド力があったとしても、２倍の件数を販売することは通常現実的ではありません。

これに対し、価格を引き上げる単価上昇効果で利益を２倍にしたいと考えるなら、価格を5%引き上げれば足ります。強いブランド力があれば、この程度の価格差があっても販売に支障のないケースは、多くのケースでみられます。

このことからみてとれるように、保険の場合もしブランドが獲得できたなら、利益増加のためには、ブランドを生かした単価向上を図ることが有効です。その理由は、件数拡大速度が遅く、粗利益率が低いという保険の商品特性によります。利益を重視するなら、件数拡大より単価向上が近道だということです。ただし、利益より売上すなわち収入保険料の拡大を優先したいと経営が考えるなら、話は異なってきます。

Column14 保険のブランド戦略

今日、世界で企業価値が高いとされる会社の最大の資産は、ブランドです。2020年の調査企業Interbrandのレポートによると、アメリカApple社のブランド価値は、約3,230億ドル（約33兆7,630億円）で、これは同社の株主資本653億ドルのほぼ5倍に達しています。

通常の商品についてブランドの持つ意味は、品質への信頼と、テイストまたはファッション性です。これらが合わさると、購買者に強い愛好が生じます。企業からみれば、顧客を囲い込めることになります。

保険の場合は、この2つの要素のうち、信頼は極めて重要です。一方、テイストやファッション性からの魅力は、全くゼロといってよいほどありません（次頁図表1）。この極端なアンバランスも、「ニーズがネガティブ」という特性から生じます。

保険の面倒くささと、保険に求められる安心感の両面が相まって、加入者からみれば、保険は「自ら精通したくはない（面倒くさい）が、まちがいがあっては困る」という要求を受けます。したがって、ブランド力によって、「詳しいことはわからないが、ここに任せておけば安心」という認知が得られれば、それは販売側にとって大きなメリットです。すなわち、保険マーケティング上、ブランドは極めて重要です。

ブランドは顧客の総合的な認知上に存在するもので、商品だけではブランド戦略にはなりません。保険の企業ブランド構築に最も重要なのは保険金支払サービスですが、それだけでなく、セールス、保全、広報、広告、経営トップメッセージなど、顧客接点のあるあらゆる業務を統合的に組み合わせる必要があります。ブランド確立と強化の取組みは、今後極めて重要となると考えられます。経営の最重要課題はブランド戦略といってよいかもしれません。商品も、その一翼を担う認識をもって、顧客価値向上に取り組む必要があります。

図表1　保険のブランド要素

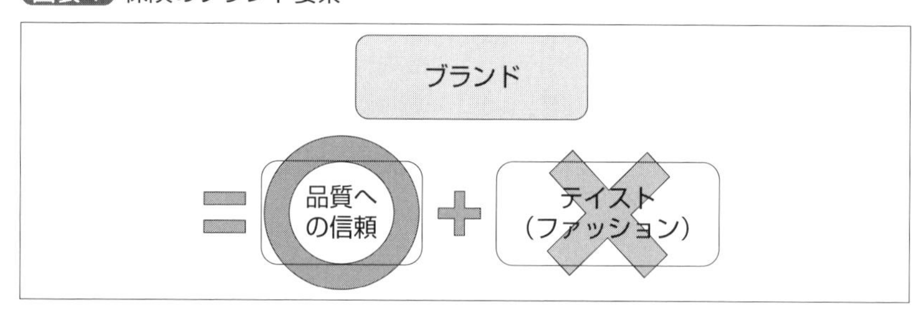

(2)　絶対優位と相対優位

①　絶対優位の困難

他の追随を許さない、真にオリジナリティのある商品があったとします。競合する他社の類似商品は存在しない、全くの独自商品です。

この場合は、相対比較する相手がありません。他社との関係は、この商品に関する限り、絶対優位といえます。この場合の市場は、第2章の需要曲線で研究した、独占下の状況に当たることになります。

さてそのような絶対優位は、保険で実現できるでしょうか。有形の商品の中には、製造に必要な特別な技術やノウハウが必要であり、これが他社には実現できないため、追随を許さないものがあります。そのノウハウがいわゆる企業秘密に当たるケースです。しかし保険の場合は、商品の技術的なノウハウに当たるもののうち、普通保険約款や特約条項などの、契約内容に関する情報はすぐに公知されてしまいます。一方、保険料及び責任準備金の算出方法の内容は、通常秘匿が可能ですから、これを企業秘密として独占できないかということが考えられます。たしかに価格設定に工夫を凝らした場合には、他社はその技術的方法を直接知ることはできません。しかし、結果としての保険料は他社が知りうるところになるので、そこから逆算することが可能です[1)]。一種のリバースエンジニアリング（製品の構造分析から、製造方法や動作原理などを調査すること）です。

保険の場合、契約内容は公開されること、価格はリバースエンジニアリングが可能なことから、企業秘密の管理によって模倣を防ぐことは難しいといえます。また保険商品は、特許や著作権などの知的財産権の保護対象になりませんので、知的財産権の利用によって追随を防ぐことも困難です。

昭和の時代には、監督行政の立場から、特定の会社を保護して、他社に類似商品の認可を与えない例がみられました。今日は、このようなことは生じにくく、保険商品の他社追随は常に可能と考えられます。

ただその一方で、「ビジネスモデル特許」の取得を冠した保険商品があります。これはどういうものでしょうか。特許法において、ビジネスモデル特許というものの特別な規定はありません。ビジネスモデル特許が取得できるということは、通常の発明、すなわち「自然法則を利用した技術的思想の創作のうち高度のもの」の一種と認められることを意味します。ただ、保険そのものは、自然法則を利用した技術的思想に当たりませんので、保険商品の内容に関してこの発明の定義を満たすことは困難です。そこで、特許取得には、コンピュータ・ソフトウエアが利用されることをもって、この定義を満たす構造にもっていきます。すなわち、保険そのものの特許ではなく、その

1）逓減定期保険という商品を設計した際（第10章参照）、保険料の算出方法に、普通には思いつかない、特殊なやり方を取り入れてみました。業界他社の関係者は、当初はどんな仕組みかわからず困惑したようですが、その中に、保険料表（これは機密ではありません）を詳しく分析した方がおられ、日ならずして算出方法の詳細を解明してしまいました。その方にお会いしたとき、「こういう手を使ったでしょう」と指摘され、その場はとぼけましたが、内心「よく見抜きましたね、参りました」と思ったことがあります。

保険に関するビジネスを実施するプロセスにおいて、技術的思想を創作し、その特許を取るということです。

この場合、その商品の実現に必要不可欠な技術について、包括的に特許を得ることができれば、他社はまねをしにくいことになり、オリジナリティを確保できます。一方、ある実施方法について特許を得ても、それが他の方法でも実施できるのであれば、特許に触れずに模倣できてしまうことになります。特許を取ることを目的に、必然性が弱いのに強引に保険とコンピュータ・ソフトウエアの利用を結び付けたようなケースは、そのソフトウエアを使わなくても、他にいろいろな実現方法があるでしょうから、容易に模倣できてしまうことになります。

今のところ、保険に関するビジネスモデル特許の取得はまだ珍しく、また特許を得たケースでも、追随者の工夫次第で模倣が可能なことが多いと考えられます。

ただ、近年保険料の算定に際し、国家資格者のリスク評価（診断）を反映するという、特別なワークフローの特許を得た例も出現しています。このケースは、専門家の診断に基づいて、該当するケースの保険料を低廉化するという、その商品の特徴の本質的な部分が特許の対象になっているので、この特許を回避しつつ同じ仕組みの商品を開発することは困難と思われます。例外的に、模倣が容易でない例といえます。

今後も、これに類した例外の生じてくる可能性はあります。ただし大局的にみると、このような商品アイデアは珍しく、さらに模倣を回避できる形での特許申請は難度が高いので、一般的には、特許により新商品のアイデアを守るのは困難といってよいでしょう。

このように考えていくと、保険の場合は、他の追随を許さない絶対優位の追求は困難といえます。画期的な新商品を開発すれば、多くの場合１年以内に他社に追随されてしまいます。したがって、絶対優位ではなく、類似商品がある中での比較優位すなわち相対優位を目指すことが重要と考えられます。

ブランド戦略の意義も、相対優位を確保するものであるというとらえ方が、保険の場合には適切でしょう。

②　他社ベンチマークの必要

相対優位のための戦略であるとすれば、当然競争相手との比較が問題となります。比較優位を目指す前提条件として、他社情報を知らなくてはなりません。このために、ベンチマーキングが重要です。

ベンチマーク（benchmark）とは、原義は測量において標高の基準となる水準点のことです。ビジネスでは、競合他社との比較を行うという意味に使われます。ベンチマークというときには、単なる商品比較ではなく、優れた経営手法（ベストプラクティス）を持つ企業を対象に、その分析を行い、自社の改善に生かすプロセスを指すことが一般です。たとえば自動車であれば、各セグメントにおいて、完成度の高い価値ある自動車がベンチマークとされ、そのベンチマークに劣らないあるいは上回ることを目標とした開発が行われます。

保険においても、開発競争の激しい医療保険などの分野では、多数の競合対象からベンチマークとなる商品を選び、それに対する優位性を確認しながら開発が進められます。

ブランド戦略において重要なことは、個別事項についての比較上の優劣ではなく、プロセスサイクルとしてのベンチマーキングです。競争環境は変化しますので、それに合わせて、不断にベンチマーク対象を「選定し、比較し、改善する」というサイクルをプロセスとして定着させる必要があります。

その際のベンチマーク選定基準として、どのような価値を重視するかは、ブランドポジションにかかわる問題です。すぐあとに述べるように、ブランド戦略は多様な要素の複合です。そのうち何をどの程度重視すべきかは、自社の目指すポジションによって決まります。ベンチマークに際して、自らが重視する価値において、他社優位性を確保することが重要です。

補償（保障）内容引受規定、保険料などの項目を網羅した商品比較表は、多く作られているところと考えられます。ただし、これだけでは本来のベンチマーキングとはいえません。重要なのは、要素ごとの評価にとどまらず、全体コンセプトにおける優劣や、商品の優位性を実現するためのプロセスを考慮して、ベンチマーク対象を総合的に理解することです。

③　プロセスサイクル

多くの重要業務は、サイクルとして組織に定着させることが肝要です。プロセスサイクルを定着させれば、業務スケジュールを確立し、経営資源の配分を確保することができます。

ブランドの相対優位確保も、そのひとつです。プロセスは３段階で、①競合する相手とのベンチマーキングを行い、②それと対比して自社商品を評価し優劣を判断し、③これに基づき改善を図ります。このことを半年もしくは四半期くらいのサイクルで繰り返します（図表２）。

図表２ ブランドのプロセスサイクル

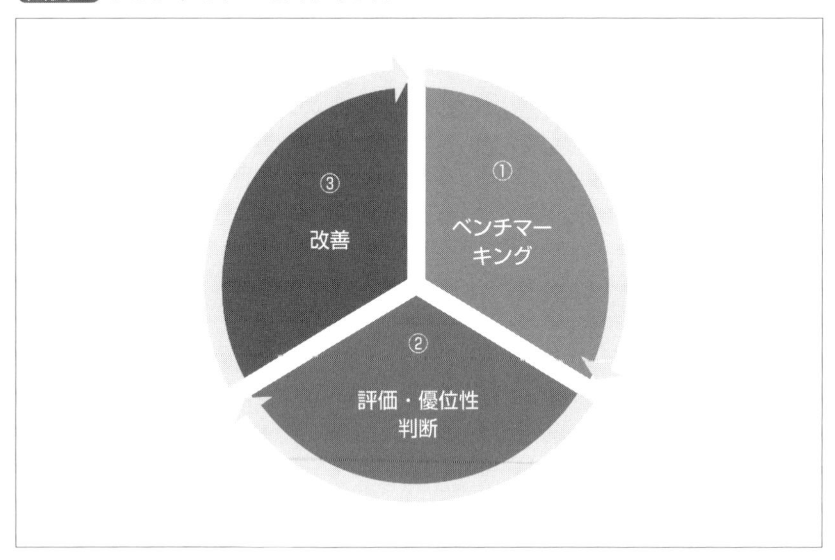

⑶　ブランド構築の要素

①　安心＝信頼のブランド

一般的に顧客に認知されるブランドの要素は、「品質への信頼」と「テイスト」もしくは「ファッション性」であると考えられます。しかし、保険の場合は、顧客の求めるものは、安心感すなわち「品質への信頼」に大きく偏っていて、「テイスト」や「ファッション性」は非常に弱いと考えられます（前掲 Column14 参照）。

保険は、一般にわかりにくいものと考えられています。顧客の求める望ましいブランドとは、たとえ詳しいことがわからなくても「この会社／この人に任せておけばまちがいない」と信じられる信頼感でしょう。これは、万一の場合の補償（保障）を提供するという保険ビジネスの本質にかかわることです。このような信頼感を期待することは、顧客の立場からみると必然性があることですから、保険事業者としては、これに応える戦略をとるべきです。

②　安心感を与えるブランド構築に必要な要素

保険会社のさまざまなオペレーションを考えてみましょう。本書の主題である商品設計の仕事は、補償内容や引受の条件、価格、サービスなどを含みます。その各々の要素において、相対優位が認められる安心感を提供するように、商品を設計するのが商品部門の課題です。しかし、容易にわかるとおり、それはブランド構築のための業務のごく一部にすぎません。

もし、保険金の支払実務を担当する部門に重大な判断ミスがあり、本来払うべき保険金を払わなかった、というような問題が発生したら、ブランドはたちまち崩壊してしまうこともあるでしょう。このほかに、事務的なミスで契約申込手続がなされなかった、保険料の入金処理を誤って契約が失効してしまった、募集の体制に不備があり、保険料詐欺の横行を許してしまったなど、顧客の信頼を失い、ブランドを棄損するリスクは無数にあります。

逆に、このように多様なオペレーションを常に高いレベルで実施し続ければ、長い年月のうちに、少しずつ信頼が市場に広まるでしょう。

他の業種の例をみると、アメリカの市場において、日本の自動車メーカーのブランドが「安かろう悪かろう」程度のものから、高品質さらに高級感を意味するまでに、半世紀の時間を要しています。保険固有の事情を踏まえ、テイストに頼らず安心感によって確固たるブランドを構築するには、これより長い期間が必要であっても不思議はありません。短くても数十年のスパンで一貫したメッセージを貫く必要があります。

安心のブランドを目的に、保険会社のオペレーションに必要なことを列記すると、以下のような要求事項が考えられます。これらを、継続的に満たす一貫した「文化」が、ブランドを構築するために必要でしょう。

(i)　商　　品

・その保険のコンセプトに対して十分な補償内容と保険金支払水準

・顧客が納得しない免責事由や保険金削減規定その他の不利益の検証と排除

・パンフレット、約款集等のツールのわかりやすさと好感度

・価値に見合う価格の総合的な評価検証（顧客調査）

(ii)　支　　払

・一貫した保険金支払のスタンダード確立、解釈のばらつきや混乱の払拭

・業務適性の高い人材による余裕を持った対応（人員体制の整備）

・事故後のコンサルティング機能の強化

・支払のクオリティ向上と迅速化

(iii)　募 集 網

・募集人の地位と生活水準の確保

・投機性・射倖性を抑制した安定的な募集人報酬

・顧客への価値提供能力に応じた選別と評価

・最低スタンダードの確保とモラル水準の確立

(iv)　広報、広告

・基本となる知名度の確立

・社名、商品名、相性等の吟味とイメージ調査

・信頼性を想起するメッセージの継続反復

・広告効果の資産価値評価

(v)　販売推進体制

・顧客信頼への貢献を基軸とした意識付けと評価

・特に短期の販売成績主義の回避

会社戦略の特定化

(1) 均質性

前述のとおり、大手の保険会社の場合には、自社の特徴を明確にすることが難しい要因があります。大手の中の一角にあれば、特に差別化は必要ないという考え方もありますが、このような考えでは優位性が確保できず、長期的にみると企業として衰退していくおそれがあります。

そこで、誰もが買う商品を目指しつつ、安心感の高さで差別化を図るというブランドポジションを考えてみましょう。

誰もが買うが、安心感が高いということは、品質および価格帯で、業界平均よりやや上のポジションを狙うことになるでしょう。ただ、多くの会社がそこを目指す場合、皆が平均より上ということは定義からいって無理です。必然的に優劣が生じるとして、その中で上位の品質を目指すには、何か他社にできない差別化戦略をとる必要があります。

「顧客本位の経営」が、その差別化の鍵だと考える経営者は多くいます。ところが困ったことに、こう考える人が多いため、ホームページなどをみるとほぼすべての大手社が顧客本位やお客様第一などのキーワードを掲げているので、これを唱えるだけでは差別化にはなりません。実践の面で、差を付けることが必要です。

(2) 差別化の条件

顧客本位で差別化を図るための、ひとつの合理的な方法は、マーケットの特定です。一部の中堅会社のように、特定のマーケットにフォーカスするなら、その顧客にあわせてビジネスを設計できます。この場合は、当該マーケットにおける相対優位が、構造的に実現できる余地があります。商品に関していえば、そのマーケット固有のニーズを深く研究し、それにフォーカスした商品を提供すればよいわけです。

一方、多様な顧客をすでに抱える大規模の会社は、このような戦略はとれません。均質性のあるマーケットの中で、顧客にとって有益なことを模索すれば、各社似たような施策になりがちです。したがって差別化は、施策の種類ではなく、程度の競争となるでしょう。皆が顧客本位を掲げる中で、どの会社がどこまで本気でこれを実現するかの競争です。ただ、本気といっても、気持ちだけの問題になってしまっては、競争相手の他社が同じことをいうのは容易でしょう。

顧客本位で差別化を図るため第一のキーポイントは、市場を理解することです。限られた経営資源で多くの顧客にとって望ましい施策を実施するには、**第７章**で述べる定量的な市場調査が不可欠です。人々の持つ価値観は多様です。人間の能力には限りがあります。商品戦略を含め、あらゆる業務についていえることですが、担当者が自分の頭で考えている限りは、自身の価値観にとらわれざるを得ません。これを脱却し、さまざまな価値観の混在した市場での最適戦略を立案するには、市場の客観的な調査をする以外に方法はありません。顧客本位を他社と差別化できるレベルで実現したければ、市場に謙虚に学ぶ姿勢が不可欠です。

第二のキーポイントは、一貫性です。会社は人が経営するものですので、経営者が変われば、戦略も変わります。一方、ブランドは長期間にわたって構築すべきものですので、10 年もしない間に方針が変わるようではブランド構築は実現できません。

長期にわたりブランドの一貫性を保つには、会社の内部で広く共有される理念が必要です。しかしこの理念を明確にすることは容易ではありません。多くの関係者が納得するようなものを作ろうとすれば、項目が多くなり、また内容が他社と類似してきます。かといって、個性的な強烈なメッセージは、カリスマ的な創業者が発するものでない限り、組織に浸透しないでしょうし、した場合にも、その経営者が 10 年を俟たず交代するなら、自然に雲散霧消してブランドにはなりません。

こうした状況から考えられる制約条件を考慮すると、大手にふさわしいブランドとは、以下のように構築されるものと考えます。これを実現するのは、かなり高度な仕事といえます。

①　シンプルな理念 ②　理念に沿って相対優位を実現するためのプロセスサイクル ③　長期間にわたるコミットメントと経営資源の投入

(3)　目指すポジションの明確化

特化戦略をとる場合は、目指すポジションはその特定マーケットにおけるNo.1であるべきです。No.1の定義は、規模に限るべきではありません。満足度や信頼感など、顧客の認知に関するものとすることもよい考えです。このように視点を広げたうえで、最も重要と考える指標で一位を目指すことがよいでしょう。

一方、特化戦略になじみにくい大規模の会社で、多様な顧客を対象とする場合には、業界水準を上回る安心感というあたりが好適と考えられます。これでは抽象的ですので、具体的イメージを明確にするには、ストーリーテリング（物語化）という方法が有効でしょう。数十年前に大流行したFabled Serviceというビジネス書で、アメリカの百貨店ノードストロームが、気に入らない商品は無条件に返品に応じるという方針を徹底した結果、自社で販売したものではない商品の返品要求を快く受け入れ返金したという逸話が紹介されました。これが人気となって、ビジネス研究の世界でノードストローム詣でに沸く関係者が後を絶たなかったと伝えられます。

保険の場合、保険金支払については不正防止の観点から一定の規律性が必要で、正当性のない要求に安易に対応することは慎むべきです。一方、商品の返品に当たる、保険契約の取消しについては、現状ほど厳しくしなくても弊害は大きくないかもしれません。保険業界内では、安易に契約の取消しを認めると保険制度の根底が揺らぐとみて、信念を持ってこれを排除する考えがあります。一方で時代変化とともに、保険に関するさまざまな規範が顧客有利な方向に変化しつつありますので、このような変化を常に先取りすることを、企業ブランド化することも考えられます。

　いずれにせよ、経営トップの判断として、顧客の安心を象徴するようなブランド・ストーリーの事例を示すことは、検討に値するでしょう。

3　会社戦略と商品戦略

(1)　商品ブランドの積み重ね

ブランド戦略のゴールは、会社ブランドですが、これは一朝一夕にはできません。会社ブランド構築のひとつの方法は、まず特徴のある商品によって商品ブランドを構築し、これを繰り返し積み重ねることで、会社ブランドを確立することです。たとえば、アメリカのテクノロジー企業Apple社は、Mac、iPod、iPhone、iPad、Apple Watchなどの強力な商品をラインアップし、商品ブランドを積み重ねた結果、こうした商品群を生む会社としての企業ブランドを確立しています。

これらの商品群は、ひとつひとつに特性を持っていますが、コンセプトやデザインにおいて一貫性を有しており、これによって会社ブランドに貢献しています。

(2)　会社ブランド

保険においても、会社ブランド戦略の一環として商品開発を行う場合は、コンセプトの一貫性が必要です。たとえば、「ワンランク上の○○保険」といったコンセプトです。

あるときは豪華版の高額商品を開発し、次は補償をぎりぎりまで絞った廉価版を開発する、などという一貫性のない戦略をとっていたのでは、仮に個々の商品に革新性があったとしても、会社ブランドにはつながりません。

一貫したコンセプトに基づき、前掲１(3)で挙げた(i)商品、(ii)支払、(iii)募集網、(iv)広報、広告、(v)販売推進体制をそのコンセプトに最適化することを繰り返すことによって、初めて会社ブランドにつなげることができるでしょう。この仕事は経営がその任にあたるべきであり、商品はその一角を担うという分担が好適です。第10章に一例を示すとおり、経営層の意思がない場合に、商品部門がこれを牽引しようとしても意味がありません。どんな画期的な工夫を凝らしても、卵を使わずにオムレツは作れません。同様に、経営のリーダーシップなくして商品戦略をブランド戦略に高めることも不可能です。

(3)「やらない」という選択

コンセプトに一貫性を持たせるためには、「何をやるか」と同等あるいはそれ以上に、「何をやらないか」を明確にすることが重要です。

先述した例でいえば、会社として高い品質を目指すというコンセプトがある場合に、品質を抑えて価格を下げた商品を投入することは、ブランド構築の阻害になります。また別な例では、顧客に不利益な結果を生じうる、内容が複雑な投資商品を販売してよいかといった判断が、ブランド戦略によって制約されることもあるでしょう。複雑で運用リスクが大きい貯蓄商品は、リスクを理解しそれを許容できる顧客にのみ適合するもので、万人向けとはいえません。契約獲得に対して報酬（販売手数料）を受ける募集人を販売の主体とする会社が、このような商品を販売すると、募集人の利益と顧客の利益に相克を生じ、一定頻度で問題を起こす可能性があります。販売網の実態を理解したうえで、こうしたものをあえて取り扱わないと判断することは、立派なブランド戦略となる場合もあるでしょう。

顧客対応を考えてみましょう。ブランド構築には、感動的な素晴らしいサービスを提供することも有効ですが、それ以上に、顧客の不満を招かないことが必要です。正確な知識と、顧客の立場の理解力に加え、冷静でバランスの良い判断を保つ、「プロ」としての応対品質が求められます。誤った事実認識や感情的な反応などの不適切な対応で、顧客の怒りを招くことがあってはなりませんが、こうした問題を生じさせないためには、総合的な経営努力が必要です。顧客対応の問題は、現場の問題と片付けやすいところですが、経営の意思ととらえるほうがより的確です。商品開発をこの視線でみると、商品設計が十分な品質で行われていないと、あちこちでトラブルを誘発してしまい、ブランド構築を阻害します。この観点で、完成度の低い商品はあえて発売しないことも考えられるでしょう。

明確な戦略を持つということは、それに伴ってとるべき選択肢に制約が生じることを意味します。商品戦略には、認可の可否や収益性、リスク管理のほかに、ブランド戦略の観点からも制約条件が存在することを理解する必要があります。

第7章

市場調査

1　商品開発における市場調査の目的

(1)　市場調査の必要性

需要を知る唯一の方法は、市場に聞くことです。本章では、そのやり方を研究します。

市場調査の重要性は、いくら強調してもしすぎることはありません。多くの保険商品について、正しい方法で調査を行えば、事前の販売予測が可能です。市場調査についての問題は、正しい方法で行われなかったことによって生じます。

本章では、実際に行われたものを中心に、いくつかの調査の設計例を示します。ただ、結果については、実施時の所属先との関係で、具体的にはお示ししていません。市場調査は有益なことですので、事例を参考に、読者の方が自ら調査を設計し、実践されることを願っています。

(2)　市場調査の目的

商品開発における調査の目的は、アイデアの検討、商品案の設計、プライシング、販売予測、収支計画です。これらに必要な情報は、いずれもマーケットに聞くことで得られます。その方法は、目的に応じて、定性的調査と定量的調査の２種類に分かれます。

①　定性的調査の目的：アイデアの検討、商品案の設計
②　定量的調査の目的：プライシング、販売予測、収支計画策定

定性的調査と定量的調査は、目的も方法も異なります。

大きな流れとしては、まず、定性的調査を行いながら、商品案を固めていきます。次に、できた商品案について、定量的調査によってその販売量を予測し、最適な価格水準を探ります。このためには、需要曲線の推定が鍵です。定量的市場調査の目的は、需要曲線と価格感応度の測定と、その応用です。

2 定性的調査＝アイデアの検討

(1) 定性的市場調査の目的

定性的市場調査を、商品開発に利用する意義は、商品設計のための市場との対話です。

市場参加者、すなわち潜在的な保険契約者からの意見を聞くことで、商品設計のヒントを得ることを目的とします。

これによって得られるのは、通常はその商品に「加入しない理由」です。うまくすれば、「加入しない理由」の中から、商品改良のヒントが得られるかもしれません。開発担当者は、これを得て、どのように商品案に生かすことができるかを考えるわけです。

(2) フォーカス・グループ・インタビューの概要

定性的調査の方法には、フォーカス・グループ・インタビューを用います。フォーカス・グループ・インタビューでは、通常、6人から10人程度の参加者と、1人の進行役を1部屋に集めて行います。通常は効率性の観点から、市場調査を専門にする調査会社に委託して、メンバーの招集や会場の設営等をしてもらいます。

参加者のメンバーの年齢、性別、職業などの属性は、調査会社に依頼すれば指定に応じて選んでくれます。ターゲットの顧客層を代表するように、適度に分散させて選びます。

インタビューは、進行役から必要な説明を行ったうえで、用意した質問を投げかけることで進行します。参加者間で相反する意見が出た場合、優劣を決めたり、折合いをつけたりということはせず、それぞれの意見をそのまま記録しておきます。

開発担当者は、隣室でマジックミラーの内側から、マイクで音声を拾って観察します。

録音のほか、可能な限りビデオ撮影をしておいて、あとで振り返ることができるようにします。

時間は、おおむね１時間から、最長２時間以内が適正です。１度に質問項目を欲張って、長時間に及んでしまうと、自然ではない意見が出てしまうおそれがあります。

⑶　保険商品開発の利用

保険商品の設計にフォーカス・グループ・インタビューを利用する場合は、まず、参加者に用意したチラシ（A4判１枚以内の商品概要）を見せ、必要に応じて進行役から内容を説明します。ここで説明が意図と食い違うことがないように、進行役との事前打合せが望まれます。

商品概要には、保険料も示します（保険料が年齢その他の属性によって異なる場合には、参加者たちの属性を網羅し、各自が自分に適用される保険料を認識できるようわかりやすい区分でまとめた、概算の保険料表にしておきます）。

次に、その商品案への加入意向の有無を聞きます。「No」の場合には、その理由を聞きます。その理由を、集約することなくそのまま記録して、インタビューの成果物とします。

⑷　インタビュー実施上の留意点

進行役の役割は重要で、インタビューの成果に大きな影響を持ちます。同じ調査会社への委託を繰り返す場合は、能力の高い進行役を選別し、指名できると効果的です。

進行役には、インタビューの目的と、質問項目の一覧を渡しておきます。事前に１時間程度の打合せを行って、調査の概要や意図を共有しておくとよいでしょう。

商品開発者が自ら進行役を行うことは、必ずしも悪いといいきれませんが、一般的にはお勧めできません。もしそのようにする場合は、２つの点に注意が必要です。ひとつは、コミュニケーション能力の問題、もうひとつは、誘導心理の問題です。

初めの問題は、いわば司会者としての技量の問題です。インタビューでは、感じたままの参加者意見を引き出すことが重要ですが、進行役のコミュニケーション技術によっては、これが十分行えないことがあります。中には、意見を引き出すことに優れた開発担当者もいるのですが、人は、自己の能力を過信する傾向がありますので、一般的にはプロの進行役に委ねることが安全です。

もうひとつは、いわゆる誘導バイアスの問題です。発案した当事者には、商品案について高い評価を得たい、と期待する心理が働きがちです。これによって、客観的な対象者の評価を得るという目的から外れた、バイアスがかかってしまうことがあります。

自己の提案の評価を高くしたい、という心理バイアス[1]が作用すると、調査が損なわれ、誤った情報を得てしまうことがあります。これは、市場調査の有効性に関する最大の危険因子です。

⑸　結果の活用

インタビューを行うと、通常の場合、保険会社の内部で考える論理とは異なる視点の評価が得られます。それを、商品デザインの改良案（補償内容やサービスの追加削除など）を考えるヒントとして利用します。

フォーカス・グループ・インタビューの参加者に、改良案の提案は期待できません。得られた「加入しない理由」をもとに、改良策を考えるのは、開発担当者の仕事です。

得られた評価は、あくまでその参加者個人の評価です。たとえ、参加者の

1）進行役をプロに委託する場合にも、自分の案をよくみせたいという心理から、その人に誘導的な進行を促してしまう事例があります。職業的な進行役にも、中には、この心理を汲み取って、自発的に誘導を行ってしまう人も皆無とはいえません。事前にそのようなことを行わないとの指示を、明確に伝えておくことが安全です。

多数が１つの意見に賛同したとしても、それはごく小さい集団の中の多数ということにすぎず、統計的な意味はほとんどありません[2)]。支持する人が多いか少ないか、という量的な評価は、後述する定量的市場調査に任せ、フォーカス・グループ・インタビューは、アイデアを探るためのものと割り切ることが重要です。

⑹　プロセスサイクル

フォーカス・グループ・インタビューに基づいて、商品案を変更した場合、変更した案を再度インタビューにかけることがあります。インタビューを闇雲に何度も行うことは、費用対効果の面でお勧めできませんが、２回ないし最大３回程度繰り返すことには、新たなヒントを得る観点で、有益な場合があります。

Column15　マーケット・インとプロダクト・アウト

商品開発には、マーケット・イン型のアプローチと、プロダクト・アウト型のアプローチがあります（**図表１**）。購買者の側からみると、マーケット・インで開発された商品は、「こういうのが欲しかった」と感じられ、プロダクト・アウトで開発された商品は、「これは、何だ？」と受け止められます。

マーケット・インの商品例としては、電波時計とソーラー時計の機能を合わせた電波ソーラー時計や、スイートスポットの広いゴルフクラブなどがあります。顧客からみて、こういうものがあったらいいとあらかじめ予想されていて、欲しいと思う人にとっては一言聞いただけで購買意欲が喚起されるような商品です。

逆にプロダクト・アウトの例としては、たとえばiPadなどがそれに当たる

２）参加者の中に「性格が強い」人がいると、同調バイアスという心理で、大勢の人がそれに賛同することがあります。これが働くと、単独の意見が、グループの大多数に伝播することがあります。こうした作用のため、グループ内の賛同者の数は、マーケットの加入意向等とは連動しません。

でしょう。多くの人にとって、「何だ、これは。何の役に立つんだ？」と思わせるような商品です。プロダクト・アウト型の新商品は、一般人ではなく新商品設計のプロが考えるものといえます。

ゴルフの用具でいうと、既存の商品より少しグリップが握りやすい等の、改良型の新商品は、ユーザーからの意見で発案されることがあります。そのような商品が、典型的なマーケット・イン型です。一方、そんなものがあるかどうかわかりませんが、たとえば運動力学の理論を極めた結果、ヘッドがSF映画の宇宙船のような形をしたクラブを作るとすれば、これはプロダクト・アウトでないと実現しません。そのようなアイデアを出すのは技術者の仕事です。

保険の例に戻ると、既存商品の改良はマーケット・インが、一方革新的で例のない新商品にはプロダクト・アウトが適しています。

残念なことに、保険においては、プロダクト・アウト型の成功例は多くありません。だからこそ、斬新な新商品を考案した場合には、定性的市場調査を行ってみるのが有益と考えられます。

図表1　マーケット・イン型アプローチとプロダクト・アウト型アプローチ

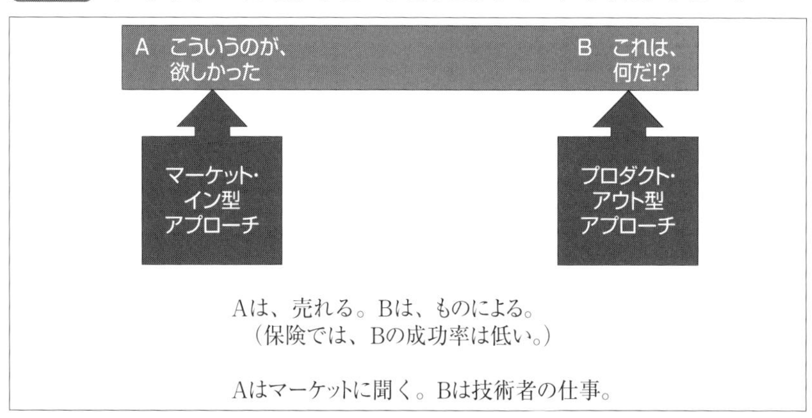

3　定量的調査＝需要曲線を知る

(1)　定量的調査の目的

定量的市場調査は、完成した商品案について、加入意向を定量的に調査するものです。その目的を一言でいえば、需要曲線を知ることです。

需要曲線を知るためには、**第２章**で述べた、留保価格を調べます（図表２）。

なお、この際、市場全体のデータを集めることはできませんから、サンプル集団から得たデータで、市場の分布を推定します。

この調査は、正しく行えば非常に有効であることがわかっています。筆者が開発した商品の中には、販売量が数千億円の単位に達したものがありますが、発売後数年間の収入保険料は予測値と誤差3％程度でほぼ一致しました。このほかに、医療系の商品の新特約なども含めて、この調査に基づく予測が、結果から大きく外れたことはありません（もちろん、正しくデザインされた調査であることが前提です。後記７(1)でそうでない例を取り上げます）。

図表２　市場の需要（再掲）

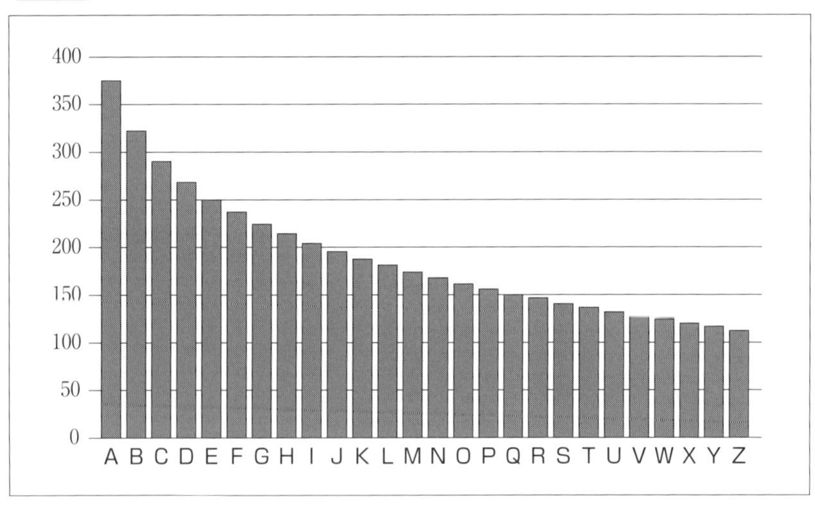

しかし、現時点では、定量的市場調査は十分普及しているとはいえず、これに関するテキストもほとんど見当たらない状況にあります。その大きな理由は、保険以外の商品には同様の手法が有効ではないケースが多く、他の業界で類似のことが実施されていないためだと考えられます。

⑵　保険に関する定量的調査が有効な理由

保険については、第４章３で検討した「ニーズがネガティブ」という特性があるため、購買の判断にかかわる選好が安定しています。この特性があるので、細かな要素、たとえば約款の一部の書きぶりなどに差があっても、購買判断には全くといっていいほど影響がありません。

これに対して、嗜好性のある商品、たとえばビールであれば、味や香りなどのわずかな差が、大きな需要の差につながります。さらに、液体としてのビールの性質が全く同一であっても、缶のデザイン、商品の名称、テレビCMの好感度などの要素で、売上が何倍も違ってきます。こうしたものは、売行きそのものが、多くのことがらの、しかもそのわずかな差の影響を受けやすく、不安定です。

こうしたものの売上について、事前に定量的な調査をしても、信頼できる予測ができません。その原因は、商品の販売量という事象自体が不安定なことによりますので、調査方法をいくら洗練しても解決できません。

これに対して、保険の売上は、商品コンセプト以外の要素の影響を受けにくいため、需要は安定しています。したがって、正しい調査を行えば、正確な予測が可能なのです。

⑶　Web調査

定量的市場調査は、調査票の質問に、多くの参加者に答えてもらう方式で行います。

調査票に回答してもらう方法としては、調査員が対面して記入を依頼する方法、郵送による方法、Web調査による方法など、複数の方式がありますが、調査の容易性、迅速性、集計のしやすさ、経費効率などの面で、調査会社のモニターを利用したWeb調査に圧倒的な優位性があります。

調査会社は、目的に応じたモニターのデータベースを保持しており、希望の属性の対象者をすぐ集めてくれるというメリットがあります。迅速性も高く、調査の実施から集計まで、1週間足らずで実施できることもあります。

ところで保険の実際の募集は、対面で行われることが多いので、購買判断を正確に再現するには、調査も対面のほうが優れているという考え方もありえます。また、Webモニターは、インターネットに慣れている人が多く、一般の契約者層とは異なる集団ではないかという疑問もあります。

これに対して、両者の差を統計的に検定したところ、有意な差はほとんど全くありませんでした。この検定は古いものですが、その後行ったWeb調査は有効性が高いので、現在でもその事情に大きな差はないと考えられます。

4 定量的市場調査の設計

(1) 調査票設計の指針

保険商品案を示し、留保価格を聞くことが、この調査の内容です。その際のキーワードは、「購買判断の再現」です。

同じ商品案であっても、それを日頃個人的によく知っている代理店が勧めにきた場合と、たまたま何かで広告を見た場合とでは、購買の意向に大きな差が生じます。また、商品の説明については、調査会社と契約しているモニターであれば、長文の説明を読んでくれるでしょうが、一般の顧客はそうではありませんので、こうした点にも注意が必要です。

こうしたさまざまな条件を、なるべく実際の購買意思決定の場面に近付けるようにします。商品説明に1枚物のチラシを用いることも、その一環です。保険の説明文書には、厚い冊子になっているパンフレットや、細かな字で詳しく説明が記載されている重要事項説明書があります。ところが、契約者が実際に保険に加入するか否かの判断がこれらの詳細な内容をすべて検討したうえで行われるケースはまれであり、通常はずっとシンプルな概要の理解に基づいて決定されていると考えられます。その購買判断を再現するため、シンプルな文書を使います。代理店による販売を予定している商品であれば、商品概要を実際に代理店が行いそうな程度に説明します。

留保価格を聞く際には、工夫が必要です。いきなり「この商品に最大いくら払いますか？」と聞くような質問では、回答者にとって答えにくいため、回答率および結果の信頼性が低く、利用が困難になってしまいます。これを避ける工夫は後述します。

調査には、調査票という質問のリストを用います。市場調査には、Post Survey Regret（終わってから、「しまった！」となること）が付きものとされます。これは、余計なことを聞いた挙句、肝心なことを聞き損なうという意味です。

Post Survey Regret を避けるため、ありがちな失敗のいくつかをのちほど説明します。考え方としては、最初に、何が知りたいかを突き詰め、ポイントを絞っておくことです。「何かの役に立つかもしれないから、聞いておこう」と思って設けた質問は、決して何の役にも立たないと心得ておきましょう。

(2)　調査票の設計

①　場面設定

対象となる商品案を提示しますが、その前に、購買の場面を設定します。たとえば、「旧知の保険代理店が、火災保険の更改時に電話をしてきて……」、あるいは、「テレビでこんな広告を見て……」等、当該商品の販売方法に合わせて、顧客がその保険に加入するか否かを判断する状況を具体的にイメージしてもらいます。

初めてその種の保険に加入する場合と、自社の類似の保険から切り換える場合、あるいは他社から切り換える場合では、加入判断も、加入を決定する場面も大きく違います。たとえば、広告を見て自ら電話をする場合、長年保険契約を継続している代理店が訪問した場合、未知の募集人が訪ねてきた場合など、場面設定はさまざまです。

第２章５(5)で述べた、独占下の需要を知る場合には、他社比較のない場面設定を、逆に競争下の需要を知るには乗合代理店が切換えを勧めるような場面設定を行います。

②　留保価格の質問

留保価格を調査するにはまず、実際の販売予定価格（保険料）を示し、その価格における購買意向を、「Yes」か「No」で聞きます。このように、顧客の判断の基準となる価格を示すことを、アンカリング[3]といいます。

続いて、その回答が「Yes」か「No」かによって、場合分けをして、以下のように聞きます。

(i)　Yes＝「買う」の場合

➡「保険料がこれより高かった場合、最大いくらまでなら加入しますか？」

(ii)　No＝「買わない」の場合

➡「保険料がこれより安ければ、加入しますか？」

価格によらず加入しないという人が一定数いるため、この質問を設けます。これにYesと答えた人に、次を聞きます。

➡「その場合、いくらまでなら加入しますか？」

このようにして得られた価格を、留保価格とします。

3）アンカリングには、功罪があります。メリットは、回答が得やすくなること、現実性のある回答を促進することです。一方、回答が最初の提示価格の近辺に中心化するバイアスを招くという問題があります。現実には、回答率を確保するため、また、購買判断の再現に必要なため、定量的市場調査にアンカリングを用いることは、不可欠といえます。

5　定量的市場調査の結果分析

(1)　結果の集計と需要曲線

前述のようにして得られた結果を、表計算ソフトなどで留保価格の大きいほうから順番に並べます。

結果の一例を、模式化して、示します（図表３）。

以下のような特徴がみられることがあります。

①　原価水準とかけ離れた低額回答が相当数発生する。
②　グラフは滑らかにならず、階段状になる。
③　購買すると回答した層には、一定の現実感が認められる。

このうち、①は、購買する見込のある層は、多くの新商品でマーケットの小さな部分であることを示しています。マーケットの太宗に受け入れられる

図表３ 留保価格調査結果のイメージ

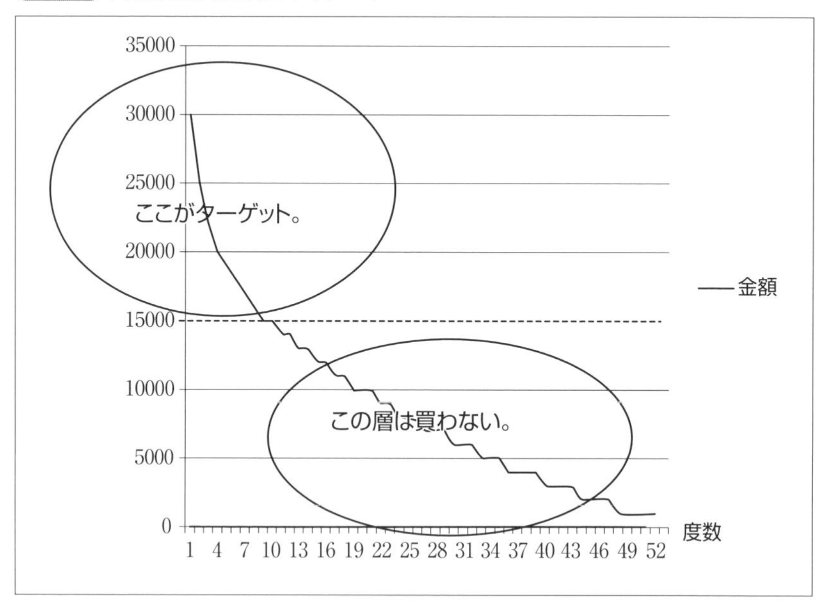

ような保険商品は、往々すでに存在し、普及が進んでいます。「大型新商品」の出現はまれであるということです。

②は、留保価格を尋ねた場合、多くの回答はキリの良い数字となり、端数付きの細かい数字はまれであることから、キリの良い数字のところで段差ができるというわけです。分析の目的によっては、滑らかな曲線が目的に適うことがあります。その場合は、平滑化という操作を行って、滑らかに加工します（図表４）。

平滑化の最も簡単な方法は、前後のデータの平均を取る「移動平均法」で

図表４ 需要曲線の平準化

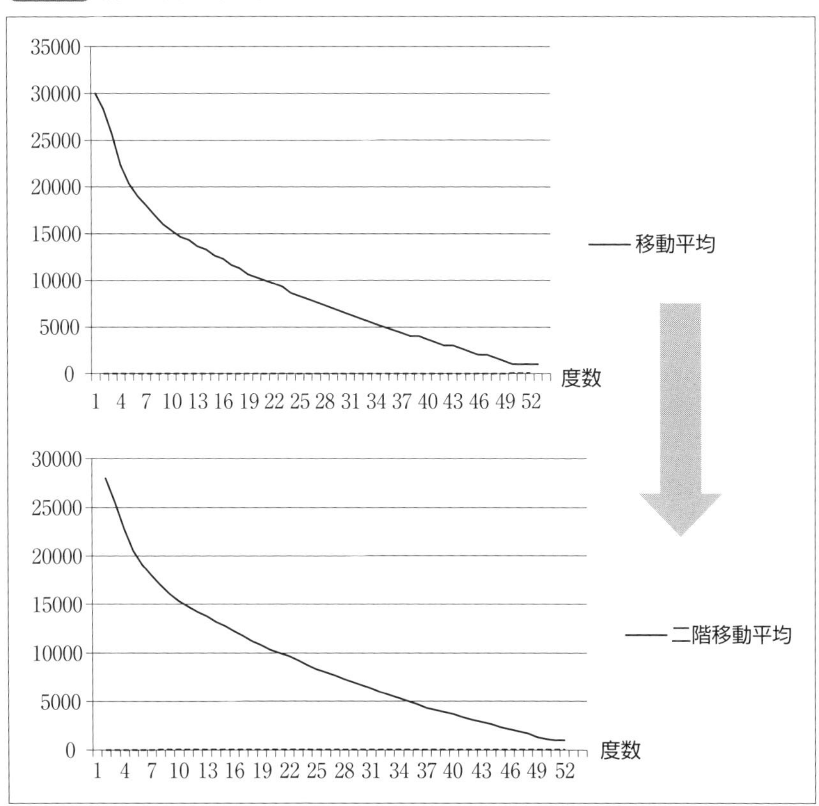

す。表計算のソフトを用いれば簡単に実行できます。1度で平滑化が不十分な場合は、さらに移動平均を繰り返すことで、滑らかな曲線が得られます。

③の回答の現実性は、特に重要なポイントです。多くの物品等の市場調査で、調査結果と実際の購買意向のギャップが生じています。この点保険の場合は、ニーズがネガティブであることから、需要が安定していて流行に左右されないので、市場調査による販売予測がしやすいのです。

⑵　販売量予測

需要曲線の推定ができれば、一定の価格に対して、対象顧客のうち、どれほどの割合が購買するかが読み取れることになります。販売数の予測は、アプローチのできる顧客数に、この割合を乗じることでできます。

アプローチできる顧客数は、利用する販売チャネルによって異なります。たとえば、代理店販売であれば、代理店の顧客訪問件数、テレビ広告であれば視聴件数などによって見積もります。上記で求めた購買割合が、これに対する成約率となります。

競争下の需要を予測する場合は、このアプローチの方法を現実に合わせることが特に重要です。「どちらかを選ぶ」という判断において目の前にある選択肢をとる場合と、一方を選択するには何か「面倒くさい」ことが必要な場合とでは、結果に差があるからです。

⑶　価格戦略の効果

上記と類似の方法によって、既加入の商品についての価格感応度を調べることができます。価格差が保険会社の切換えを推進する効果を、定量分析できれば、他社からの切換えを狙う攻めの戦略にも、逆に防衛を図る守りの戦略にも利用が可能です。

これを行う場合には、それに適した調査設計を行います。まず、モニターに、加入している契約の証券をみるなどして、現に支払っている保険料を調べて回答してもらいます。次に、これがどのくらい引き上げられたら、他社への切換えを検討するかを問います。このときも、先ほどと同様、場面の設定が重要です。値上げされたとき、契約者自ら行動して、より安い保険会社を探すという設定と、既存の契約を取り扱っている代理店が、他の会社への切換えを勧めにくる設定では、大きな違いがあります。

いうまでもなく、既存契約が値上げになった際の切替検討と、既存契約に変わりはないがほかにより安い契約があると知って行う切替検討には、大きな差があります。前者には、損失回避心理が作用するので、価格差への感応度は前者のほうがずっと高くなります。

したがって、これらの場面設定を検討しようとしている課題に合わせて、調査を設計することが重要です。

それぞれ現在支払っている保険料が違いますから、この方法で集めたデータを分析する際には、需要曲線を推定するのではなく、価格の変化率を横軸に取り、それに対応する契約切替率を縦軸にして、感応度のグラフを作成します。

これによって、値上げ・値下げのインパクトや、割引戦略による増収効果が計算できます。

⑷　最適価格

販売量の価格感応度がわかれば、第２章で述べた方法により、新商品の利益を最大化する価格が求められます。

もちろん、保険料は料率原則などさまざまな要素を考慮して定める必要があるので、単純に最適価格を採用することができるわけではありません。そうであっても、最適価格がどの位置にあるかを認識しておくことは、さまざまな意味で有益です。これを頭に入れておけば、補償を拡大してより高い価格帯を狙うべきか、逆に廉価版を出すべきかといった判断に際して、マーケット構造のイメージが持てるからです。

既存商品についても、前掲４⑵②のような調査を行えば、同様に最適価格が計算できます。

6　定量的調査方法の応用

(1)　価格以外の要素の定量化

①　販売者の勧奨

実際の販売においては、販売員が強く推奨するといった行動が、販売量に大きな影響を与えることがあります。こうした行動は定量評価になじまないため、そのままでは、その効果の大きさが評価できません。

さまざまな経営行動（営業職員が強く勧めることも経営行動の一種です）を、定量的に評価する方法は、価格差への換算です。定量的価格調査の応用として、効果の価格差への換算ということが考えられます。

これを行う前提として、上述した契約切換えに関する価格感応度を調査しておきます。

その一方で、調査票に、たとえば下記のような質問[4]を用意します。

取引のある代理店から、以下のこと（セリフ）をいわれた場合に、商品内容や価格が同じであれば、X社に切り換えるかを聞きます。

代理店による勧誘の効果測定の例

「悪いことはいいません。○○保険なら、是非X社にしてください。X社はいざというとき、実に頼りになる。他社とは安心感が全然違う。私も長く保険販売をやっているが、自信を持ってX社を勧めます。」

この回答を集計して、このセリフの効果による切換率が何%であるかを算出します。それと、事前に用意した契約切換えに関する価格感応度（価格差と切換率の関係）を見比べれば、このセリフの効果が、価格に換算すればい

4）この調査は、代理店の勧誘の効果を測ることが目的です。この代理店が強く勧めていること以外の情報が入ると、目的に対しての妨げになります。そのため、上記のセリフは、単に代理店が強く勧めていることのほかには、X社の安心感の根拠となる情報（サービス体制や支払能力など）が、何もないようにしています。目的に合った調査とするためには、この種のさまざまな工夫が必要です。

くらに相当するかがわかります。大変面白いことに、上記のセリフは、初対面の代理店からいわれたという場面設定にした場合でも、小さくない効果があることがわかっています。

Column16　ダンバー数の内側へ

人類は、集団を作り、その集団の中で協力し助け合う強い習性を持っています。ロビン・ダンバーという学者は、150人程度（この数を「ダンバー数」といいます）の集団を作るように進化したという説を唱えています。ダンバーの説はこれに限らず、才気に富んだ面白いものが多いのですが、この説は人間の脳の物理的な大きさを根拠にしているなど、論拠が弱いという批判があります。

いずれにせよ、親密な集団の内側からの勧誘は強いとうことは、経験的にもすぐにわかります。

これを参考に、自分を中心に親しい方から順番に円を書いてみましょう。まず、家族が5人くらいいます。その次に親類や、親しい隣人などが15人くらい。次第に輪を広げていって、「居酒屋で出くわしたらそのまま合流して一緒に飲み始めるくらい親しい仲」の人たち150人が、ダンバー数というわけです（次頁図表5）。

さて、保険の勧誘を考えましょう。この150人の輪の内側に入るくらいに親しい人から勧誘を受けた場合は、あまり他の条件を気にせずに了解するケースが多いと考えられます。ダンバー数の内側からの勧誘は、商品や価格の少々の違いは乗り越えてしまうということです。

営業職員や代理店の活動の多くは、何とかして、顧客の持つこの同心円の内側に入ろうとする努力と理解できます。

さらに、面白いのは、「疑似的に入る」方法もよくとられていることです。保険も含め、多くの物品の広告には、よく知られた俳優やスポーツ選手が起用されます。こうした有名人は、その所作や発言が頻繁に映像と音声で伝えられるので、心理的に「他人ではない」と誤認されているケースがあります。疑似的にダンバー数の内側に入ってしまっているというわけです。いつも（テレビで）見ている有名俳優から勧められると、つい買ってみたくなる心理は、かなり広くみられるようです。

マンガやアニメーションのキャラクターが、広告宣伝に多用されるのも、これらが疑似的にダンバー数の内側に入っている人が多いためかもしれません。

図表５ 親しさの円

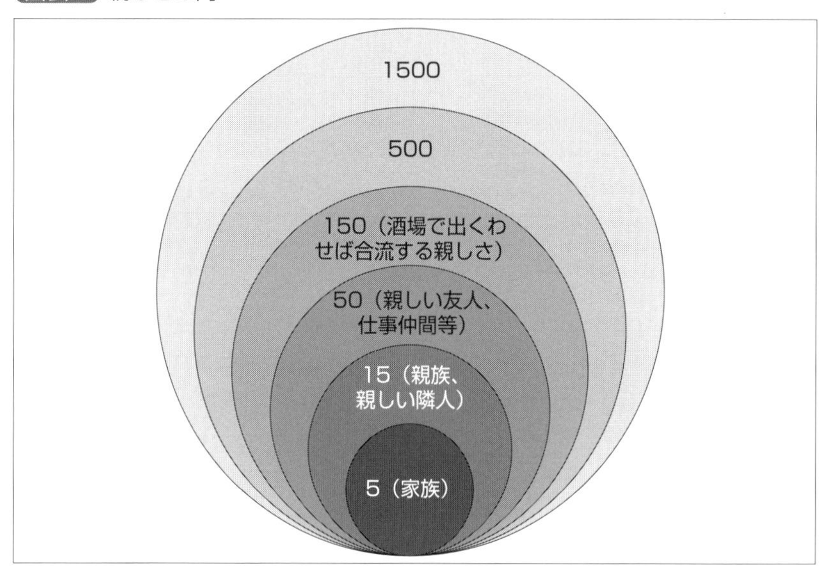

② 新サービスの価値の評価

たとえば、休日出勤の輪番制を敷いて、問合わせや契約異動、事故の受付などを、365日休みなく行うサービスを思い付いたとします。お客様からすれば、土日や祝日でもすぐ対応してもらえるのは、当然良いことですね。

一方、このようなサービスには、コストがかかります。コストは、出勤手当てなどの人件費と、オフィスの光熱費などですから、ある程度計算ができます。

これは、世の中にとって良いことでしょうか。いろいろな見方が可能です。顧客の価値に比べて、コストのほうが大きくなってしまったら、まずいラーメン屋さんのたとえのように、社会全体の付加価値が下がってしまう可能性もあります。

こうした場合にも、価格換算することで、価値を測ることが可能です。保険会社としては、この休日サービスのコストは把握できます。その金額が該当契約の保険料対比で何％に当たるかも容易に計算できます。

一方、価値を計算するには、市場調査を利用します。調査項目の中に、このようなサービスを提供する代わりに、保険料が○○％高い契約があったら、これと既存の契約とどちらを選択するかを聞きます。これを選択すると回答した人の割合を集計すれば、このサービスの良し悪しがわかります。さらに、このサービスに最高いくらまで払うかを聞けば、定量的な需要もわかります。

7　市場調査の留意事項

(1)　目的に沿った調査

市場調査で、最も重要なのは、調査目的の明確化です。目的が明確であれば、サンプル集団の選定や調査票の設計などの調査設計を適切に行うことができます。反対に、目的があいまいであったための失敗例は、枚挙にいとまがありません。

たとえば、ある新商品について、「こういう保険があったらいいと思いますか？」という質問をした調査があります。そのアンケートは、「意識調査」のためのものでしたので、このような質問をして悪い理由は全くありません。

ところが、その結果を、需要を表すものと誤解してしまった事例があります。ある保険に関して、上記の質問に、50％以上の人が、「あったほうがよい」と回答していました。これを見た保険会社の関係者が、そんなにニーズがあるならよく売れるはずだと、実際にその保険を開発したところ、加入した人は対象層の1％程度でした。

ある保険が、「あったらいいか」、「ないほうがいいか」という問いであれば、あって困る人はいません。上記の質問に、加入意向とは関係なく、「あったほうがよい」と回答する人があるのは当然です。もし本当に需要が知りたければ、こういう問いではなく、先述した「購買判断の再現」を行わなくてはなりません。

この例は、目的の全く異なる調査を、需要調査に流用しようとしたことに問題があります。

市場調査は有益ですが、さまざまな難しさがあります。ほかにも注意すべき事項が数多くありますので、以下、その主なものを解説します。

⑵　失敗原因ワースト３

①　質問が多すぎる

回答者の意欲や、報酬とのバランスを考えず、調査者の知りたいと思う質問を多く詰め込みすぎることが、失敗原因の筆頭に挙げられます。

質問が多すぎる場合は、回答率が下がります。これだけでも大きな問題ですが、質問が長くなると、正しく質問意図を理解していない「いい加減な」回答が増えること、さらに回答バイアスがかかる（答えるのは特別な性格の人に偏る）など、数多くの弊害が生じます。

この対策は、第一に設問数を最小限にするよう心がけることです。「迷ったら、聞かない」が原則です。また、同じ類型の質問は、整理し、選択肢などを同じ配列にすることで、説明を最小化しまた回答者の負担を減らすことが有益です。

この観点から、質問票の案の全体的な分量についても、回答を試行し負担感をチェックしておきます。

②　質問のタイプが不適切

複数のサービスの優劣を知るため、10種類の案について、1～10までの順位を付けることを求める質問をみたことがあります。2～3種類であればともかく、10種類もの案のすべてに順番を付けさせるようなことは、回答者の負担が非常に大きくなります。その結果、回答者が混乱し、回答率と回答品質の低下が起きます。

一般的に、回答が回収された時、その内容が一目で頭に入らない程度に複雑な質問は、質問のタイプが不適切な可能性があります。質問のタイプは、単純なYes／Noで答えられるものが望ましいといえます。

留保価格調査で使用した、最大いくらまで買うか、というタイプの質問は、相当に複雑なものです。これ以上難しいことは、聞き方を工夫して単純な質問に還元するか、あきらめてドロップすることを考えるべきです。

③　余計なことを聞く

目的が不明確なことを聞いてしまい、答えの使い道がわからなくなる現象は、Post Survey Regret の常連といっていい項目です。質問票を作る段階では、意図を持って聞いていたつもりなのに、いざ回答を得てみたら、どう使ってよいかわからないという現象が、かなりの頻度で起きます。特に、調査設計に多くの人がかかわる場合に、この問題が生じやすいようです。

このようなことが起きるのは、質問票設計の段階で、答えをどう使うかを深く検討していないことが原因ですので、回答を想定したうえで、どのように利用するかを事前に突き詰めておくことが防止策となります。

④　対　　策

上記いずれの問題に対しても、調査実施前に、回答の試行を行うことが有効です。実施前に、10 人くらいの作成者以外の人（同僚だけでなく、家族や業界外の友人）に実験台になってもらい、試行すると、多くの問題点が洗い出せます。

⑶　バイアスの誘惑

①　アイデアの「売込」

新商品の場合、市場調査で好評価を得ることに対するインセンティブが働いてしまうことがあります。複数のアイデアを競わせる場合などには、「良い」結果に何とか誘導しようとするバイアスがかかりやすいといえます。

このような場合、アイデアの発案者とは別な人が調査設計を担うことで回避することも考えられますが、さまざまな非効率が生じるので、実際には難しいと思います。調査が不正確であった場合、最終的に一番困るのは開発担当者です。このことを強く意識して、誘導バイアスを排除するよう努めましょう。

②　結果の否定

さまざまな業種で、市場調査の結果を無視した意思決定が行われています。もちろん市場調査は絶対のものではなく、設計および実施上の欠点を抱えた調査も少なくありません。ただし経験則は、マーケティングの判断ミスは、市場調査を過信したために生じるよりはるかに多く、これを軽視したために生じると教えています。

調査結果が、期待と異なる場合にも、安易に結果を無視しないよう心がけることが必要です。

Column17　技能の要否

仕事の種類によって、大勢の人数でやることが適する業務と、技能を持った少数の人がやることが適した業務があります。

大きな蕪を引き抜く仕事であれば、老若男女問わず、そればかりか動物たちまで、1人でも多く参加してもらったほうがよいわけです。一方、将棋を指しているときに、弱い人に「代わりに一手指してやろう」などと加勢されても、逆効果になります。

仕事の中で、いわゆるルーティーンの業務には、一定の人数をかけてやるべき仕事がたくさんあります。こういう業務は、どんな優秀な人でも、1人では大勢の人に敵いません。

逆に、保険数理やシステム設計などは、専門性を要求されます。このような分野では、100人の素人より、技能のある1人のほうが高い成果が出せます。このことはよく理解されていると感じます。

では、市場調査の設計はどうでしょうか。事実としては、非常に高度な専門性が要求される仕事ですが、保険数理などと違って、あまりそのように理解されていないと感じることがあります。

調査目的の明確化には、商品戦略のエッセンスが濃縮しています。質問票の設計は、高度な言語能力が問われます。結果の利用には応用力が問われます。

専門性の涵養は、市場調査の必要条件です。

一般的なマーケティング・リサーチには、David Aaker他のMarketing

Research をはじめ、複数のテキストがあります。これらを学ぶことは大変重要です。保険の特性を踏まえた市場調査の理論は、今後の発展が期待される、開拓余地の大きい分野です。その技能を磨く方が増えることが望まれます。

第8章

基礎書類の基礎知識

 免許事業と「商品認可」

本章からは、視点を変えて、保険新商品を世に出すために必要な法律上の手続について解説をします。

保険の場合、会社の経営判断だけで自由に商品を販売することはできず、保険業法に基づく手続を踏まなくてはなりません。このような厳格な制度が定められている理由の根底には、保険業が免許事業であることがあります。まず、このことの意味を考えましょう。

(1)　保険は免許事業

免許事業とは、営むために免許が必要な事業です。

事業に免許が必要とは、どういうことでしょうか。医業は、医師免許を持つ人だけに許される業務であって、免許を持たない一般の人が医業を行うことは禁止されています。別な例では、自動車の運転も、運転免許を持つ人だけに許される業務です（この場合の「業務」は日常用語より幅広い意味で、趣味で運転している場合なども含みます）。

いずれの例でも、免許を要する業とは、原則的に禁止されている行為であって、免許を得た人（自然人または法人）だけに許されるものを意味します。

同様に、保険業が免許事業であるということは、保険業は一般には禁止されており、免許を得た者だけに許されるという意味です。なぜそのようなことになっているのでしょうか。

保険業法の第１条（目的）には、以下の規定があります。

> この法律は、保険業の公共性にかんがみ、保険業を行う者の業務の健全かつ適切な運営及び保険募集の公正を確保することにより、保険契約者等の保護を図り、もって国民生活の安定及び国民経済の健全な発展に資することを目的とする。

この目的に照らせば、保険業は公共性があるので、これを行う者（すなわち保険会社）の業務の健全性・適切性および保険募集の公正[1]の確保が必要であり、このため一般の人が営むことは認められないと理解されます。

Column18 法と令はどう違う？

法令という言葉はよく使われます。これはどういうものか、考えてみましょう。法令とは、法と令、すなわち法律と命令とをまとめて指した総称ですが、以下のとおりこの法と令は別なものです。

法律とは、国会の議決により成立する成文法で、天皇がこれを公布します。たとえば保険業法は、法律のひとつです。立法府である国会のみが、法律を定めることができます。

これに対して、行政機関が制定する成文法を命令といいます。国の行政機関が発する命令には、後述するように、政令と府省令がありますが、いずれも法律の範囲内において定められるものです。法律に根拠のないことについて、勝手に命令を発することはできません。命令のうち、内閣により閣議で決定されるものを政令といいます。

保険業法に関する政令は、保険業法施行令（平成7年政令第425号）です。保険業法の中で、「政令で定める」とされている事項についての定めを行います。保険業法施行令の条数は49条からなりますが、たとえば第1条と名の付くものは、第1条から第1条の2、第1条の3、……第1条の7まであって、それぞれが独立の条文に当たる内容を含みますので、それほど短いものではありません（第○条の2等の類似の構造は、保険業法を含む多くの法令にみられ

1）この文章を読んだ方は、「保険募集の公正も、業務の適切性の一部ではないか？なぜ業務の適切性と別に、これを特記しているのか？」と疑問を持たれるかもしれません。保険募集は、他の業務と比べ秩序が乱れやすく、問題が生じていた歴史があります。このため、1996年まで半世紀にわたって「保険募集の取締に関する法律」という専門の法律があったほど、厳格な監督（取締）が必要と考えられてきました。今の保険業法にもその色彩が残っていて、募集の公正は他の業務の適切性と比較して特に強調されていると考えられます。

ます）。さらに、改定ごとの実施時期や技術的読替規定などを定めた長い附則がついています。

命令には、内閣全体すなわち閣議の決定ではなく、省庁の担当大臣が単独あるいは関係大臣の連名で発するものもあります。これは政令ではなく、府省令といいます。金融庁の場合は、内閣府の外局ですので、その命令は金融庁令ではなく、内閣府令となります。担当大臣は内閣総理大臣です。

保険業法に関する内閣府令は、保険業法施行規則です。保険業法での中で、「内閣府令で定める」とされている事項についての定めを行います。施行規則は、248条からなり、施行令と比べてもかなり長大になっています。

さて、後述する「保険会社向けの総合的な監督指針」は、金融庁が公開している、保険会社の実務に関して極めて重要なものですが、上記の法令のどれにも当たりません。また、保険業法にも、「詳細は監督指針に定める」といった規定はありません。監督指針の位置付けは、「保険会社等の検査・監督を担う職員向けの手引書として、検査・監督に関する基本的考え方、事務処理上の留意点、監督上の評価項目等を体系的に整理したものである。」とされています。いってみれば、金融庁の職員向けの内部マニュアルに当たるものです。

したがって、監督指針には保険会社を拘束する法的な効力はないのですが、現実問題としては、監督指針に反するような経営行動を取れば、金融庁の職員から否定されることになるわけですから、行政と一戦交えようという意図がない限り、監督指針の内容に従った経営を行うのが常識というものでしょう。

⑵　免許の取得およびその内容の変更

①　基礎書類とは

上記のとおり、保険会社が事業を営むためには免許が必要です。このことは、保険業法第３条（免許）に、以下のように定められています。

> 保険業は、内閣総理大臣の免許を受けた者でなければ、行うことができない。

免許を得るための手続は、第４条（免許申請手続）に規定があります。保険事業を行おうとする会社は、すぐあとにご説明する法定の書類を整えて、内閣総理大臣に免許を申請します。

さて上述のとおり、保険業法上免許の申請は内閣総理大臣あてに行うこととなっていますが、実際には上記の書類は総理大臣にではなく、金融庁に提出します。保険業法は、事業の免許をはじめとする多くの権限を内閣総理大臣に与えたうえで、第313条（権限の委任）において、以下のように定められており、実際には金融庁長官が総理大臣の委任を受けて権限を執行するのです。

> 内閣総理大臣は、この法律による権限（政令で定めるものを除く。）を金融庁長官に委任する。

さて、免許の申請には、以下のことを記した免許申請書を提出します（保険業法第４条第１項）。

> 一　商号又は名称
> 二　資本金の額又は基金の総額
> 三　取締役及び監査役の氏名[2)]
> 四　受けようとする免許の種類
> 五　本店又は主たる事務所の所在地

保険商品に関していうと、この申請書本文以上に肝心なのは、申請書に添付が義務付けられている以下の４種類の書類です（保険業法第４条第２項）。この４種の書類をまとめて、「基礎書類」と通称しています。

2）監査等委員会設置会社は取締役のみの、指名委員会等設置会社は取締役および執行役の氏名を記載します。

一　定款
二　事業方法書
三　普通保険約款
四　保険料及び責任準備金の算出方法書

基礎書類のそれぞれに、どのようなことが記載されるかは、このあと順次説明します。基礎書類のうち、最初に掲げられている定款は、個々の保険商品について定めるものではなく、免許を受ける保険会社について、その基本的な規則を定めるものです。一般的に定款の記載事項は、保険の商品によって異なる点はなく、したがって、新商品を販売する場合に定款の変更が必要になることは通常はありません。したがって、商品開発に関して重要なのは、これ以外の３種の基礎書類、すなわち事業方法書、普通保険約款、保険料及び責任準備金の算出方法書について、その内容を変更することであるといえます。

②　基礎書類の変更とその認可

事業方法書、普通保険約款、保険料及び責任準備金の算出方法書は、いずれも個々の保険についての具体的な内容を定めるもので、新商品発売時には、これら３種の書類すべての変更が必要となることが多いといえます。ただし、新商品の内容が、特約の追加または変更である場合には、普通保険約款の変更が必要ないこともあります。また、保険料等の改定を伴わない商品改定もあり、その場合には、保険料及び責任準備金の算出方法書を改定しないこともあります。どの基礎書類に改定が必要となるかは、各基礎書類の内容と、新商品の特性に従って定まります。

基礎書類は、すぐあとにご説明するとおり、商品の具体的な内容を定めています。保険会社は、基礎書類の内容の審査を経て保険業の免許を得ているのですから、基礎書類を勝手に変更することはできません。これらを変更したいなら、その変更について、内閣総理大臣（実際は金融庁）から許可を得なくてはいけません。この許可を、基礎書類の変更認可といいます。保険業法の第123条に、これら定款以外の3種の基礎書類の変更に関する規定があります（なお、定款変更の規定は第126条という別な条文に定められています）。

したがって、新商品を発売したいと考える保険会社は、原則として保険業法の第123条に従って、基礎書類の変更認可を申請することになります。金融庁はこれを審査して、所定の基準を満たすと認めた場合に基礎書類の変更について認可をします。このプロセスが、法的に新商品を発売するために必要となります。

古くは、すべての保険商品の開発や改定に基礎書類の変更認可が必要でしたが、今日では火災保険をはじめとする複数の保険について、認可ではなく届出による基礎書類の変更が認められています。この届出による基礎書類変更の対象となる保険契約は、保険業法施行規則第83条に定められています。生命保険では、いわゆる企業年金保険や財形保険などが、損害保険では火災保険のほか、賠償責任保険や動産総合保険、海上保険や建設工事など、企業分野の多くの保険が、届出による基礎書類変更の対象となっています。

認可と届出では、法的な意味合いが異なります。認可の場合、保険会社が認可申請を行い、金融庁からこれを認める認可書を得て、初めて基礎書類の変更が認められます。届出の場合は、保険会社が届出を行い、所定期間（原則90日）が経過すれば、特に認可書等を得なくても変更が認められます。そうすると、届出というのは一見簡単にみえるかもしれませんが、所定期間の経過する前に、金融庁から届出を認めないとの表明があれば、変更はできませんので、届出さえ出しておけば保険会社の自由にできるというものではありません。

届出に対して、一般的には、期間短縮の通知すなわち90日よりも前に変更を認めるという通知を金融庁から受領します。この短縮通知は、認可書とは法的に異なるものですが、これを受領すれば基礎書類の変更が認められたことになるわけですので、保険会社においては、実務上認可と類似のものとして取り扱っているケースが多いと思われます。以下の記述では、簡略のため、届出のケースについて認可と区別せず記述しているところがありますのでご了承ください。

なお、上記の手続は「保険業法に基づく届出」に関するものです。少しややこしい話ですが、これとは異なるものとして、「基礎書類に基づく届出」というものがあり、保険会社で実際よく用いられています。これは、基礎書類の内容の一部を構成する要素（たとえば利率など）について、その基礎書類の中に、「適用する利率は、金融庁に届出たものとする。」といった形の規定を置いて、この規定に従って届け出るものです。頻繁に改定する要素については、手続を簡素にするため、届出によりこれを行うということを、基礎書類によって定めておきます。一定の事項は認可を要せず届出で足りるということを、その旨を定めた内容の基礎書類の認可を得ることで実現するという構成です。基礎書類に基づく届出も、届出の一種ですが、保険業法に基づく基礎書類の変更の届出とは法的な意味が異なります。

さてこれまで述べた法律上の規定をまとめると、以下のようになります。保険業を始めるときには、内閣総理大臣の免許が必要です。免許を得るためには、基礎書類によって、取り扱う保険商品の具体的な内容を定めることが、必要な条件のひとつになっています。すでに免許を得て保険業を行っている会社が、商品開発を行う場合には、それに応じて基礎書類の内容を変更します。この変更についての内閣総理大臣の許可は、免許ではなく、基礎書類の変更認可といいます。

保険会社の商品開発は、通常、上述の基礎書類の変更認可を取得することを指します。このことを縮めて、「新商品の認可」ということがよくあります。

③　主に企業分野の損害保険に関する例外

企業向けの損害保険商品については、個人向けのものに比べて契約者保護の必要性が小さいため、認可や届出を要せずに契約内容を定められるケースがあります。特約自由商品および料率自由商品と通称されるもので、企業向けの賠償責任保険や費用保険などにそうした例があります。

大雑把にいえば、個人の生活を守るための保険商品は、認可または厳格な届出制の下で規制を受け、企業などの事業の安定を図るための保険商品は、それに比べて保険会社が自由に補償内容や保険料を定めることが認められているといえます。企業分野の損害保険については、2⑵で述べる附合契約性が低いと考えることもできるでしょう。

2 基礎書類各論

(1) 定　　款

基礎書類のうち定款（ていかん）とは、会社の目的・組織・活動・構成員・業務執行などについての基本規則を記した書面です。これに関しては、株式会社と相互会社で、法の規定に差があります。相互会社は保険固有の会社形態であることから、相互会社においては、会社の設立や機関その他にかかわる事項は、会社法ではなく保険業法に規定されています。

相互会社の定款記載事項は、第23条（定款の記載又は記録事項）により、以下のように定められています。

定款には、次に掲げる事項を記載し、又は記録しなければならない。
一　目的
二　名称
三　主たる事務所の所在地
四　基金（基金償却積立金を含む。）の総額
五　基金の拠出者の権利に関する定め
六　基金の償却の方法
七　剰余金の分配の方法
八　公告方法
九　発起人の氏名又は名称及び住所

株式会社の定款記載事項は、会社法で求められる目的、商号、本店所在地、出資財産額および発起人に関すること以外に、特に保険業法に列挙されているものではありませんが、公告方法などいくつかのことは記載が必要と定められています。多くの会社では、以下のようなことが記載されています。

一　名称
二　主たる事務所の所在地

三　業務の種類（損害保険業または生命保険業およびそれらに付随する業務など）
四　取締役会、監査役会等の期間の設置
五　公告方法など

なお、定款記載項目のうち、商号又は名称、相互会社の基金の償却に関する事項や総代の定数及び選出方法に関する事項などの変更については、内閣総理大臣の認可を得なければその効力が生じないものとされています。

⑵　普通保険約款

基礎書類の２番目は事業方法書ですが、説明の都合上、先に普通保険約款についてみておきます。普通保険約款とは、保険契約に用いられる契約の条文を記したものです。

保険契約は、保険者（＝保険会社）と契約者（＝保険の加入者）との間の契約ですから、金融庁や、ましてや内閣総理大臣は、契約の当事者でも関係者でもありません。普通保険約款が基礎書類とされていることの意味は、その内容が事業の免許または基礎書類の変更認可に際して、金融庁の審査を受け、適切性をチェックされるという点にあります。保険約款は、保険会社が契約者と結ぶ契約の内容を表す文書ですが、多くの保険契約においては、個々の取引ごとに契約者と条文を協議することは現実的でありません。このため、保険会社が保険約款の内容を一方的に定めることになります。契約者としては、保険会社の定めた保険約款に従って契約するか、それが嫌なら契約をしないかのいずれかを強いられます。このことを附合契約性といいます。そのような特性があるため、契約者の権利保護のために約款の内容を保険会社の自由に任せず、金融庁が審査し認めたものに限るようにしているわけです。

万一、認可を受けた内容と異なる約款で契約を締結してしまったら、どういうことになるのでしょうか。もしそのようなことが起きてしまった場合、いわゆる「認可違反」の状態になります。契約は当事者間の合意で成り立つものですので、認可違反であれば直ちに契約が無効になるというわけではありませんが、違反の内容によっては全部または一部が無効になることがあります。認可を受けた内容に違反することは、保険会社にとってあってはならないことですから、違反の程度によって、これとは別に保険会社に罰則などのペナルティが生じることもあります。保険会社は認可違反がないよう、特に厳重にコンプライアンス態勢を整える必要があります。

普通保険約款は、通常保険の種類ごとに編または章に分かれています。たとえば、住宅火災保険は１つの編、火災だけでなく水災や風災などを幅広く補償する住宅総合保険はまた別の編、といった具合です。いわゆる新種保険等の種類の多い保険では、１つの種目に数十の編があることが珍しくありません（新種保険とは、賠償責任保険や傷害保険、費用利益保険などを総称したものです。昔からの呼び名なので、新種とはいっても、今日的に新しいとはいえない保険も含んでいます）。

さて普通保険約款に記載が必要な事項は、保険業法施行規則第９条に定められています。

一　保険金の支払事由
二　保険契約の無効原因
三　保険者としての保険契約に基づく義務を免れるべき事由
四　保険者としての義務の範囲を定める方法及び履行の時期
五　保険契約者又は被保険者が保険約款に基づく義務の不履行のために受けるべき不利益
六　保険契約の全部又は一部の解除の原因及び当該解除の場合における当事者の有する権利及び義務
七　契約者配当又は社員に対する剰余金の分配を受ける権利を有する者がいる場合においては、その権利の範囲

実際の普通保険約款には、保険業法施行規則に規定された記載事項の具体的な細目や、それ以外にも多くのことが記載されています。条文の順序は、

通常上記の法定項目の順序とは異なっています。商品開発の観点から、特に重要な項目を実際の約款に沿って挙げれば、おおむね以下のようになっています。

① 用語の意義（定義）
② 支払責任（保険金を支払う場合）
③ 免責事項（支払責任に該当しても保険金を支払わない場合）
④ 保険の対象の範囲など
⑤ 保険金の支払額
⑥ 保険期間の始期および終期
⑦ 告知義務
⑧ 通知義務
⑨ 保険契約の解除

このほか、時効や契約の異動に関する取扱いなど、保険の種類によってさまざまな規定があります。条文の数でいうと、全体で30～50条程度のケースが多いのですが、自動車保険のように多くの補償が組み合わさった保険では、100条を超えるものもあります。

Column19 有責、無責と免責

住宅総合保険や同等の保険（いわゆる住まいの保険等と呼ばれる保険）で、テンプラ油を誤って火にかけっぱなしにして、発火し家が燃えてしまったという事故を考えましょう。これらの保険は、火災や落雷、爆発、建物外からの物体の衝突などさまざまな事故を補償します。今の例は、火災により建物に損害が生じたもので、火災による事故はこの保険の支払事由に当たります。

一方、免責事由をみると、テンプラ油を火にかけっぱなしにしたことを原因とする事故を、支払対象外とする規定はありません。すなわち、免責事由には当たりません。

以上を合わせて、このケースは「有責」、すなわち保険金が支払われることになります。有責とは、保険会社からみて、支払責任があること、すなわち「責

が有る」ことです。

では、火事であっても、地震によってコンロが破壊され、火が広がって家が燃えてしまった場合はどうでしょうか？この場合、火災によって建物が損害を受けたのですから、支払事由には該当します。ところが、免責事由に、地震による火災は支払対象外と規定されているので、これが適用され、保険金は支払われません。

このように、保険金支払事由に該当するが、他の条件によって支払対象外となることを、免責といいます。免責とは、保険会社からみて、支払責任を免れること、すなわち「責を免れる」ことです。

最後に、謎の超能力者が出現し、念力によって家を跡形もなく消し去ってしまった場合を考えましょう。幸いそんなことは起きたことがありませんし、今後もないとは思いますが、仮にあったとしたら、支払事由に「念力による消失」は含まれていませんから、保険金は支払われません。このように、支払事由に当たらないために保険金が支払われないことを、「無責」といいます。これは、初めから支払責任がない、すなわち「責めが無い」ということです。

無責と免責では、何か違いがあるでしょうか？有責か否かを争う場合の立証責任に差が生じます。支払事由への該当については、契約者（保険金を請求する側）にその事実を証明する責任があり、免責事由への該当については、保険者（保険金支払を拒否する側）にその事実を証明する責任があるとされます。

約款の内容のうち、適用を主張するもの（支払事由または免責事由）について、それを主張する側が、立証責任を負うという考え方です（最新の研究では、支払事由から外すか免責事由に加えるかは形式的なものであって、本質ではないのではないか、といった新たな視点の理論が出現しています。注目すべきことですが、本書のレベルを超えますのでここでは解説しません）。

(3)　事業方法書

事業方法書は、各々の保険の商品について、その保険の取扱い方や、保険金額の上限などの各種制限を規定しています。損害保険の場合は、まず火災保険や自動車保険などの大区分（これを保険種目といいます）があり、さらに普通火災保険や住宅総合保険など、保険の種類ごとに編または章に分かれた小区分があります。事業方法書の編と普通保険約款の編は、1対1対応が原則ですが、各保険会社における実態としては、長い歴史でさまざまな改定があった結果、多少これがずれているケースもあるでしょう。

事業方法書の規定の中には、編が異なる他の保険と同様の事項がある場合があります。同じことを繰り返し書いても悪くないはずですが、このような場合には、準用規定を置くと、基礎書類の文字量が削減できるほか、改定時にまとめて変更ができて便利です。たとえば、保険期間の規定は「第1編○○の規定を準用する」といった具合です。ただし、本来は保険の種類ごとに特徴があるのに、規定の作成時点では偶然ほかの編と一致していた、などという事項は準用してはいけません。このようなことをしてしまうと、そのときは手間が省けたように思えても、後日になって、一方を改定したら意図せずしてもう一方も変わってしまった、といったミスを誘発しやすく、チェックが難しくなってしまいます。準用規定を置くときは、それが本質的に同様に取り扱うべきことであるのか、事情によっては異なる取扱いがありうるものがたまたま一致しているのか、ということを熟慮し、本質的に同様のものだけを準用するようにしましょう。

各編や章のほかに、保険の種類を横断した総則が設けられることが一般的です。事業方法書の総則には、各保険に共通の特約や手続などが規定されます。

さて、事業方法書の記載事項は、保険業法施行規則第8条で、以下のように定められており、各編にこの記載事項に対応する規定が置かれます。

一　被保険者又は保険の目的[3]の範囲及び保険の種類（再保険を含む。）の区分
二　保険金額及び保険期間に関する事項
三　被保険者又は保険の目的の選択及び保険契約の締結の手続に関する事

3）保険の対象のことを、法律用語で保険の目的といいます。

項
四　保険料の収受並びに保険金及び払い戻される保険料その他の返戻金の支払に関する事項
五　保険証券、保険契約の申込書及びこれらに添付すべき書類に記載する事項
六　保険契約の特約に関する事項
七　保険約款の規定による貸付けに関する事項
八　保険金額、保険の種類又は保険期間を変更する場合の取扱いに関する事項

これらの項目の規定内容は、商品によって異なっています。したがって、新商品を発売するには、その商品に適合するように、事業方法書を変更することが必要です。

この中の「六　保険契約の特約に関する事項」にある保険契約の特約というのは、本体となる保険契約（主契約といいます。その内容は、上述の普通保険約款によって定められます）をさまざまに修正・変更する契約をいいます。

特約の機能は多様です。たとえば、特約を付帯[4]することで、主契約と異なる種類の補償（保障）を追加するケースがあります。火災保険に個人賠償責任特約を付帯すること、終身保険に医療特約を付帯することなどがその例です。特約によっては、条項がかなり長文となっていて、普通約款に近い内容を有するものもあります。両者の根本的な違いは、普通保険約款は、それ単独で保険契約を構成しうるのに対し、特約は、普通保険約款に付帯するものであって、単独では保険契約を構成できないことがあります。

損害保険の特約の中には、上記と逆に、特定の事由を保険金支払の対象から除外する「不担保特約」というものも多くみられます。さまざまな補償を包含するいわゆる総合保険から、一部の内容を取り除くものです。なお生命

4）生命保険では特約の「付加」と、損害保険では特約の「付帯」と呼ぶことが多いのですが、いずれも同じことですので、本書では区別せず付帯と書いています。

保険では、特約の機能は保障を追加することが原則で、保障を除外する特約はあまりみられません。補償範囲を拡大縮小することのほかに、保険料の払込方法や、保険金の支払先等を指定するための特約もあります。

特約も、普通保険約款と同様に、保険契約者と保険会社の間の契約です。契約者保護等の観点から、これを基礎書類の一部に含め、金融庁の審査を受ける仕組みにしている点も、普通保険約款と類似しています。ただし、特約の条文である特約条項は、基礎書類上は普通保険約款に含まれず、事業方法書「別紙」として事業方法書に含まれます。

新商品が、特約である場合もありますが、そのときは普通保険約款は改定せず、事業方法書の本文と、特約の条文を記載した事業方法書「別紙」とを改定することになります。

事業方法書記載事項のうち、事業の方法として、重要な項目の典型は、保険金額の規定でしょう。保険会社が引き受けることができる金額の上限は、たとえば死亡保険では1人当たり3億円ないし5億円といった形で規定されます。過大な保険金額による引受は、いわゆるモラルリスク（不正な保険利用）などの誘因になりかねず、また、大口の損害保険では保険会社の健全性にリスクをもたらすことにもなりかねませんので、これらの規定は重要性があります。近年では、保険申込の手続や保険料の払込について、契約者の利便性を高めるため、電子的な方法等を認める保険も増えています。こうしたことについても、所要事項を事業方法書に定めます。この目的で、上述のような保険料の払込に関する特約などを置くこともあります。

⑷　保険料及び責任準備金の算出方法書

保険料と責任準備金の計算の方法は、それぞれ基礎書類のうちの保険料及び責任準備金の算出方法書に定められる事項です。保険業法施行規則第10条に、記載事項が以下のように定められています。

> 一　保険料の計算の方法に関する事項

二　責任準備金の計算の方法に関する事項
三　返戻金の額その他の被保険者のために積み立てるべき額を基礎として計算した金額（以下「契約者価額」という。）の計算の方法及びその基礎に関する事項
四　社員配当準備金又は契約者配当準備金及び社員に対する剰余金の分配又は契約者配当の計算の方法に関する事項
五　未収保険料の計上に関する事項
六　保険金額、保険の種類又は保険期間を変更する場合における計算の方法に関する事項
七　純保険料に関する事項
八　その他保険数理に関して必要な事項

生命保険と損害保険で、上記記載事項の適用の有無が異なっています。上記のうち、「七　純保険料に関する事項」は損害保険だけに、また「五　未収保険料の計上に関する事項」は生命保険だけに適用されます。このほかの事項は、両者とも適用されます。

一見しただけでは少しわかりにくいのですが、上記の規定は、いわゆる付加保険料の自由化に対応したものとなっています。2006年以前は、「予定損害率」、「予定事業費率」という項目があり、その意味するところは、保険料のうち、純保険料（損害保険の予定損害率に対応）と、付加保険料（同予定事業費率に対応）をそれぞれ保険料及び責任準備金の算出方法書に定めることを意味していました。現在は、これらの規定はなくなり、損害保険においては純保険料に関する事項のみが規定されています。付加保険料についても記載はするのですが、数値や算式ではなく、合理性、妥当性、不当に差別的でないことなどの考え方を記載します（いわゆる定性的記述といいます）。

生命保険については、上記条文から読み取ることがさらに簡明でありませんが、やはり付加保険料は定性的に定めることが認められています。

責任準備金の算出方法も、この書類に記載します。

3 基礎書類変更の実際

(1) 「保険会社向けの総合的な監督指針」の保険商品審査上の留意点等

保険会社を監督し申請内容を審査する金融庁は、担当官向けの指針として、「保険会社向けの総合的な監督指針」を公開しています。その中において、商品の名称や補償（保障）内容などの具体的な審査のポイントが、保険商品審査上の留意点等として公開されています。これを知らずに保険商品開発にあたってはならない、必読文書のひとつです。

たとえば普通保険約款の変更認可の審査に際しては、「保険会社向けの総合的な監督指針」において「保険契約者等の保護の観点から、明確かつ平易で、簡素なものとなっているか」、という全般的な留意事項が示されています。

保険会社向けの総合的な監督指針における「保険商品審査上の留意点等」の内容については、保険商品開発を志す方は、必ず原典にあたって熟読しなくてはなりませんので、ここには詳しく述べません。商品についてはたとえば、「支払事由に比して極端に高額な保険金が支払われるものや免責事由が極端に少ないもの、あるいは実損額を上回る保険金が支払われるものなどについては、射倖性が高いものとなっていたり、モラルハザードが生じやすいものとなっていないか、検討が十分に行われているか。」といった具体的な留意点が示されています。また保険料、責任準備金についても具体的な留意事項が示されているほか、先に述べた特約自由方式についても、そのことを事業方法書上認めるための留意点が記載されています。

(2) 審査手続

① 概 要 書

新商品開発のための基礎書類変更の認可申請または届出にあたっては、概要書を添付します。概要書の様式は、保険会社向けの総合的な監督指針の別紙様式集に定められています。この様式に則った概要書を添付している場合には、金融庁は迅速かつ効率的な審査を行うこととしていますので、これを付さずに申請または届出をすることは、自ら認可の停滞を望むに等しいといって過言でなく、慎まなければなりません。

概要書は、第一分野（生命保険）、第三分野（医療・介護等のいわゆる人の状態等に関する保険）、第二分野（損害保険）の３種類の様式があります。該当の様式に沿って、商品の特徴や補償（保障）の内容、保険期間、保険料など、重要な事項を簡潔にまとめて記載します。概要書様式上の記載項目のうち、当該商品には関係しない項目があれば、該当事項なしと記載します。

概要書は、当該商品の内容を簡潔に表すことが必要です。可能な限り図表を用いることが有効です。

なにごとであれ、ことがらの内容を深く理解しているほど、簡明に説明することができます。保険ももちろん例外ではありません。概要説明が、簡明で要を得ている度合いと、その内容の検討の深さは完全に連動します。もし、概要が長く何頁にもわたってしまったり、読みにくく理解が困難であったりした場合は、簡明なものとなるまで再検討が必要です。

概要書の簡明性に問題がある場合の原因は、文章表現等にとどまらず、商品コンセプトそのものの検討不足にあるケースがしばしばみられます。これを粗略にせず、内容にさかのぼって十分検討のうえ、簡潔明瞭な概要書を作成できるように努めなくてはなりません。

②　対 比 表

商品開発において、全くゼロから約款その他の基礎書類を作成するケースは、ないといって差し支えありません。新商品が、現行の商品の基礎書類の一部を改定したものであることはよくあります。また、改定でなく新設する場合にも、類似の先行商品が存在することが一般的です。いずれにしても、新商品には、何か検討のベースとして使用できる既存の商品が存在するものです。

そこで、現行の商品を改定する場合は、改定の前後でどこが変わるかがわかるように、現行内容と改定案を並べた「新旧対比表」を作成し、これによって改定内容を説明します。改定の個所には下線を付すなど目立たせたうえで、摘要または備考の欄に、改定の趣旨や検討内容などを記載します。また改定ではなく新設する場合には、先行商品の基礎書類を新旧対比表の「旧」の欄に記載して、その商品と新商品との相違点に下線を付すなどして、どのように異なるかを説明します。

③　保険料算出の基礎などの付属資料

新たな補償（保障）内容を創設する場合の基礎率（事故の発生確率等）については、使用した統計や、算出に用いるフローチャートなどを示して、その算出根拠を説明します。このほか、あらかじめ問題点などが予想される商品については、それに関する説明資料を用意します。論拠の補強のため、学者や弁護士など専門家から意見書を徴しておくケースもあります。

審査手続についても、保険会社向けの総合的な監督指針およびその別紙様式を熟知しておくことが肝要です。昭和の時代から振り返ると、現在の指針の内容は、長い年月を経る間に、保険会社の事業の発展や業務効率性にも配慮された、わかりやすく合理的な内容となっています。商品開発の従事者は、これを踏まえた対応が必要です。

(3)　審査事例集

金融庁は、実際の審査事例の中から、他の案件にも参考になると考えられるものを、ホームページ上に公開しています。過去からかなりの年数が蓄積されています。新しいほうからさかのぼって読み進めるとよいでしょう。

Column20 認可申請のコツ

新商品を発売するためには、保険業法に基づく基礎書類の変更認可が必要[5)]で、そのために金融庁に申請を行います。今日では、金融庁の審査にかかわる手続は、よく整備されていてわかりやすいものになっています。保険会社向けの総合的な監督指針およびその様式集によって、審査の留意事項などが示されていて、他業界の許認可でよく問題になる不文律のようなものは少なくなっています。

新商品の認可申請にあたっては、基礎書類の案のほかに、商品概要を１枚の紙（A4 判横）にまとめた資料を作成することになっています。このやり方は、申請する保険会社と審査する金融庁の双方にとって効率的です。

申請のノウハウは、各保険会社の中のノウハウとして蓄積されていることが多く、大手の会社では苦労は少ないと思います。新設から間もない会社では、ノウハウが不足するケースもあり、業界の業務精通者を採用することでこれをカバーする例がみられます。

申請が順調にいくとよいのですが、書類の作成で、人間はミスをすることがあります。

申請書ミスはヒューマンエラーです。ミスの種類によっては、認可が遅れ、最悪は得られないこともありますので、注意が必要です。

この防止のためには、まず組織的なチェック体制が必要です。どんな書類も最低二重チェックを行う体制を敷き、チェックのプロセスを書面化して、どのチェッカーがどこに責任を負うかがあいまいにならないようにします。

ただし、それでも、一定頻度でミスは起きます。ヒューマンエラーですから、担当する人の特性に大きく影響されます。観察していると、まちがえやすい人、まちがえない人には、それぞれかなり明確な特性があります。チェックの形式を整えるだけでなく、現実にミスの少ない適材をチェックにあてることが、実質的な効果の面で重要です。要は、己のチームを知ることです。事業方法書のチェックに抜かりがなく、この人に任せれば安心ということで、司法書士をも

5）自由度の高い一部の企業向け商品を除きます。

じって「事方書士」というあだ名を奉られた人がいました。このような適材にチェックしてもらう体制が肝要です。

人のエラーには、一定の特性があります。たとえば、同じ数字（3と6）のまちがいでも、「23369」と「23669」はまちがえやすいが、「32693」と「62693」はまちがえにくいといった性質があります。二重チェックの後、さらにまちがいがないか探すときには、こうした、人のまちがいに関する特性を知っておくことも有益なことがあります。

あってはならないことですが、万一金融庁に提出した書類にまちがいがあったことが、あとでわかったらどうしたらよいでしょうか。

この場合、絶対にやってはいけないのは、ごまかそうとすることや、嘘をつくことです。正直は最強の戦略です。「正直の上に○○がつく」ような対応をとって、長い目でみた信頼関係を損なわないようにすることが、被害を最小にする唯一の策です。

認可申請をやっている人から、「もう時間がない」という声を聞くことがあります。

心情はよくわかりますが、実際にはどんな状況でも、「今できる最善を尽くす」時間はあります。あわてないこと、安易に流れないことを心がけましょう。

第9章

第一、第二、第三分野の主要戦略

1　保険の種類概観

(1)　損害保険会社と生命保険会社の業務領域

保険の種類を、保険業法の定義に従って大きく３つに区分すると、第一分野、第二分野、第三分野に分けられます。

第一分野の保険とは、人の生死に対して一定の金額を給付する保険、第二分野の保険とは、偶然な事故による損害をてん補する保険、第三分野の保険とは、傷害や疾病などによる人の状態に関して、一定の金額を給付するかまたはそれによる損害をてん補する保険です。

保険業法上、生命保険会社は第一分野と第三分野の保険を、損害保険会社は第二分野と第三分野の保険を、それぞれ取り扱うことが可能です。

ところで、この分野の区分は、必ずしも網羅的で背反なものにはなっていません。たとえば、財物の損壊に対して一定の金額を支払う契約を考えてみましょう。これは、上記の定義における保険のどの分野にも該当しないので、理論上は保険ではないことになります。しかし、損害額算定の手間を省くため、近似的に損害額に見合いそうな金額をあらかじめ定めておいてそれを支払う契約があったとして、その金額が妥当なものであれば、このようなものも保険と認めてよいという考えもありうるかもしれません。実際、少額の損害に対する保険金の支払額を、定額的に定めている損害保険は、現在もないわけではありません。

また別な例では、人の死亡に関して、葬儀代の実費を払う保険は、第二分野に当たるので、上記の規定から生命保険会社が取り扱ってはならないことになります。しかし、これは単に法律がそうなっているから禁止だ、ということ以外に、社会的意義などからみて積極的な理由があるとは思えません。もし今後このような契約に対する契約者のニーズが強まれば、解禁しても問題はなさそうに思えます。

こうした点から、上記の保険の区分は完璧とはいえないところがありま

図表１ 保険契約の基本的な条件

区　分	生命保険 第一分野	第三分野	損害保険 第二分野
担保リスク	人の生存・死亡	傷害、疾病、 介護等	偶然な事故
保険金の支払方法	定額給付	定額給付・ 損害てん補	損害てん補
業務領域	生命保険会社	生命保険会社・ 損害保険会社	損害保険会社

す。しかし、保険をまとめて定義することは難しいため、現状では実態を考慮した最善のものと考えられています。わが国の保険事業を統制する保険業法も、保険契約の基本的な条件を定める保険法も、ともに上記の考え方に立って保険を分類しています。まとめると図表１のようになります。

(2)　各分野における商品の現状

各分野の既存の主要商品を知ることは、商品開発の必要条件といえます。保険商品は多様で、各保険会社がそれぞれのラインアップを有していますから、主要商品といっても、ひとつの分野だけで数百の種類が存在することがあります。

本来は細かな差異まで頭に入れておきたいところですが、数が多いとなかなか大変です。このため、各分野の骨格となる商品の構造を理解し、あとはそのバリエーションとして理解していくことが現実的です。

以下、各分野別に解説をします。説明の都合で、第一分野、第三分野、第二分野の順としていて、名称と順番が整合していませんが、ご了承ください。

①　第一分野

(i)　概　　要

第一分野の保険とは、人の生死に関して保険金を支払うものです。生死と一言で書きますが、生と死とはもちろん別物です。人の死亡に際して支払われる保険金は、死亡保険金です。死亡保険金の主たる機能は、遺族への保障です。被保険者当人は、死亡保険金が支払われるときには世を去っていますから、これは当人のための保障ではありません。遺族の生活費や教育費などに充てることが、死亡保険金の典型的な使途です。なお、死亡保険金の主な目的は遺族保障ですが、個人事業や小規模企業の経営者向けの保険では、遺族保障だけではなく、事業継続等の目的にも用いられます。

これに対し、人の生存に関して支払われる保険金を、生存保険金といいます。生存保険金は、一定の時期に被保険者が生きている場合に契約者が受け取るものです。典型的には、契約者と被保険者は同一であって、被保険者当人が生きているときに受け取るものですから、その主な機能は、貯蓄であるといえます。

生存保険金は、商品によって、満期保険金もしくは中途祝金等の名称が付いています。その名のとおり、生存を条件に支払うものですから、途中で被保険者が死んでしまった場合には払われることはありません。

被保険者の生存を条件に支払われる終身年金や、そのバリエーションの有期年金も、生存保障であり、この場合の年金も生存保険金の一種です。

なお、年金商品を除き、生存保険が単独で販売されることは通常ありません。必ずそれと同額かもしくはそれ以上の死亡保険と一体として販売されています。この理由はいくつか考えられるのですが、主なものは、死亡前の解約問題です。

純粋な生存保険金だけの保険を考えてみましょう。生存保険金は貯蓄性の高い保障ですので、途中で契約を解約した場合にはかなりの額の解約返戻金があります。さて、被保険者が病に倒れた場合、そのまま死亡してしまうと、生存保険金も解約返戻金も支払われないまま保険契約は終了します。ところが、本人が死期を察して、死亡前に解約すると、解約返戻金が受け取れることになます。これは、商品の性質としてみたとき、死期を察した人が解約に走ることを誘発する仕組みを内包していると考えられ、好ましくありません。解約した人とそのまま死亡した人との間の収支バランスが悪いほか、生存保険金の保険料は途中死亡者には支払わないことを前提に割り引いていますので、死亡前の解約が多発すると保険数理上も問題が生じます。

これを避けるため、生存保険には、通常生存保険金と同額またはそれ以上の死亡保障を組み合わせるのです。同額の組合わせを養老保険といいます。このようになっていれば、死亡前に解約した場合は、契約者が解約返戻金を受け取ったとしても、その額は死亡時に遺族が受け取る死亡保険金より少額ですから、上記の問題は回避できます。

貯蓄性を高めるため、組み合わせる死亡保障を、死亡前解約を回避するのに必要な最低限に抑えた商品もあります。貯蓄保険または積立終身保険と呼ばれる商品で、死亡保障の額を解約返戻金すれすれの、少しだけ上回る程度にしたものです。この場合の死亡保障の額は、保険料の支払に連れて段階的に増額（逓増といいます）していきます。死亡保険金額＝それまでの払込保険料とすることもあります。

現行の死亡保障の商品には、例外なく高度障害の保障も付いています。両眼の失明や終身介護を要するような身体の状態など、重大な後遺障害を被った場合に、死亡保険金と同額の高度障害保険金を支払うものです。高度障害補償は、被保険者の生存中の一定の状態に対して支払うものですから、今日的には第三分野の保障と考えることができます。ただし、この保障は保険法等に第三分野の定義が定められるよりずっと以前から、いわば高度障害を死亡とみなして保険金を先払するように用いられてきており、法的な位置付けとは別に、第一分野商品である死亡保障の一部のように取り扱われています。高度障害保険金を支払った場合は、保険契約は消滅し、解約返戻金もその後の死亡保障もなくなることになっています。

高度障害の保障とは別に、リビングニーズ特約というものもあります。余命が６か月以内と医師に診断されたとき、死亡保険金相当額から利息など一定額を控除したものを、リビングニーズ保険金として支払うものです。アメリカで、余命を知った人に対する保険金の買取りというビジネスが流行したことがあります。余命が限られたとき、亡くなってからの遺族への保障よりも、まず生きているときに保険金を使いたいというニーズもあるということです。リビングニーズ特約は、保険金買取りのようなことをしなくても、保険金を生存中に先払できるようにしたものです。リビングニーズ保険金として、死亡保険金の一部に当たる部分のみを請求することもできます。死亡保険金の全額に相当する部分が支払われた場合には、以後保険契約は消滅します。

第一分野の商品は、保険金の支払事由においては、上記の高度障害保険金やリビングニーズ特約など、多少のバリエーションはあるもの、大きな工夫の余地は限られています。したがってこの分野での商品開発は、支払事由以外に関するものが主要となります。具体的には、ひとつは保険金の金額増減（逓減定期や逓増定期など）によるもの、もうひとつは変額保険、外貨建保険といった資産運用に特徴も持たせるものが多くみられます。

(ii)　基本３商品

第一分野の基本３商品と呼ばれるものは、図表２の定期保険、終身保険、養老保険です。

図表２ 第一分野の基本３商品

定期保険

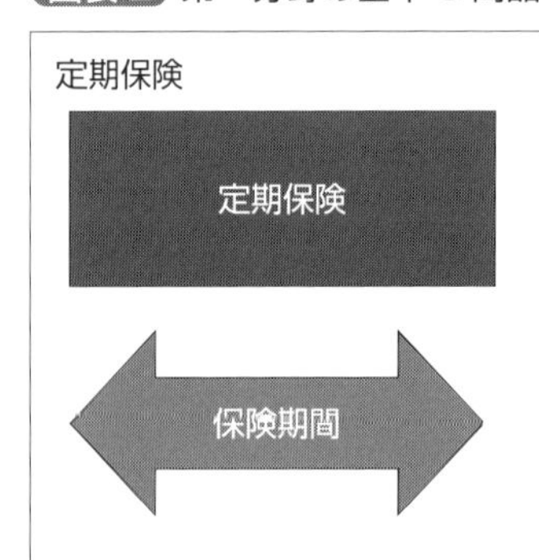

始期　　　　　　　　　満期（例：60歳の応当日など）

・保険期間中の死亡・高度障害に対し、約定の保険金を支払う。

・満期まで事故がなければ終了（保険金支払はない）。

・万一の保障が主眼。

終身保険

始期　（満期なし）死亡まで

・死亡・高度障害に対し、約定の保険金を支払う。

・人は死ぬ→いつか保険金は支払う。タイミングの問題。

・万一の保障が主眼だが、一定の貯蓄性（解約返戻金）も。

養老保険

満期保険金

養老保険

保険期間

始期　満期（例：60歳の応当日など）

・保険期間中の死亡・高度障害に対し、約定の保険金を支払う。

・満期まで事故がなければ、死亡と同額の満期保険金を支払う。

・生きていても死んでも、保険金は支払う。タイミングの問題。

・万一の保障（死亡保険金）と貯蓄（満期保険金）の組合わせ。

ⅲ　保障金額、支払時期のバリエーション

定期保険には、ライフサイクルにあわせ、年齢が進むにつれて保障額が減っていく逓減定期保険というものがあります。遺族保障、特に子の養育を考えた場合、親が若くして亡くなった場合は、その後子が自立するまでに長い年数があるため、必要な補償額は多く、逆に親の年齢が高くなったときには、必要保障額は少なくなるという考え方に立つものです。

親の死亡確率は、年齢が高くなるほど高くなります。この逓減定期保険は、死亡率が上がる高齢時の保障額が小さくなっているので、若年時から高齢時まで均一に保険金を設定する場合に比べ、特に保険料が安くできます。

その代わり、貯蓄性は低く、解約返戻金はゼロか、あっても極めて少額です。貯蓄性を抑えて遺族保障に特化した、目的が明確な保険といえます（図表３）。

これとは逆に、貯蓄性を追求するため、高齢になるほど保険金が増大する逓増定期保険というのもあります。これは、個人の生活保障のニーズには適合しにくい保険で、後述のとおり主に企業または事業主向けの節税商品として用いられています（図表４）。

図表３　逓減定期保険

図表４　逓増定期保険

先に紹介した貯蓄保険や積立終身保険も、保険金額が逓増します。これらの商品は、積立てによる資産形成が目的であり、ニーズが異なります。それぞれ定期保険ではなく、養老保険および終身保険です。逓増定期保険とは用途が異なるためか、名称は逓増養老保険や逓増終身保険とはいわず、それぞれ貯蓄保険、積立終身保険と呼びます。ただし、保険金額の逓増により貯蓄性を高めている点では、逓増型の保険の一種であることには違いありません。

このほか、主に学資に充てるため、生存保険金を期中に複数回払う保険もあります。養老保険の生存保険金は、満期保険金だけですが、この保険は子の進学にあわせ、保険期間の中途で数回の生存保険金を祝金等の名称で支払います。養老保険のバリエーションの一種ですが、学資保険、こども保険等の名称で販売されます。

ⅳ　資産運用方式のバリエーション

貯蓄性のある保険のうち、一部は、資産運用のリスクを契約者に負わせているものがあります。変額保険は、養老保険もしくは終身保険の貯蓄部分を特別の勘定で運用します。契約者は当初の商品選択を行うこと以外に、運用をコントロールすることはできませんが、運用の成果は、良い場合も悪い場合も契約者に帰属します。

このような商品は、投資信託に類似した性質を持っています。したがって、このような商品を開発する際には、販売網の適合性やコスト構造から考えて、類似商品を販売する証券会社等に比べ、保険会社にどのような優位性があるかといった観点の考慮も必要です。

また、外貨建保険の中に、為替および資産価格変動のリスクを契約者に負わせるものがあります。

こうした商品はいずれも、満期保険金や解約返戻金については、契約者からみた保証がなく、元本割れリスクも小さくありませんが、死亡保障については最低保証額を設けるなど一定の保証を設定することが一般的です。

②　第三分野

(i) 概　　要

第三分野の保険とは、傷害や疾病などによる人の状態に関して、一定の金額を給付するか、またはそれによる損害をてん補する保険のことです。前者を定額給付型、後者を損害てん補型といいます（保険業界では、損害てん補のことを「実損てん補」ということもよくあります）。両者はかなり性格が異なりますが、前者の定額給付型の保険、特に入院・通院等の給付金[1)]を１日当たりの金額（日額といいます）×日数などの方式で支払う保険が一般的で、普及率が高くなっています。ただし一部には、治療費など実際の医療費を支払う損害てん補型の保険もあります。

両者の中間的な性格を持つ所得補償保険というものもあります。これは、入院等のための就業不能による、所得喪失の損害をてん補する保険です。実務上は、通常、就業不能期間について、月単位（端日数分は期間に合わせて調整して払うため、金額的には日単位）に、約定した金額を支払うものです。ただし、何らかの理由により実際の所得喪失額が約定金額より少ない場合には、所得喪失額を限度とします。

通常は、所得喪失額が約定額より大きいとみて、支払の上限である約定額を支払います。このような考え方を、保険業界では「実損内定額」払と呼んでいます。この「実損内定額」の保険は、実際の性格としては、定額保険に近い販売がされていますが、それでも所得補償保険は定額給付ではなく損害てん補の保険と位置付けられています。

定額給付の保険では、給付金は、被保険者の被る損害額とは無関係に支払われます。このことは、契約者にとっては使途が自由なお金が受け取れることを意味します。また、損害額や公的保険からの給付との調整などを考慮する必要がないので、簡明でわかりやすいという特徴があります。

1）第三分野商品の入院時等の支払を、生命保険業では一般に給付金といい、損害保険業界では保険金といいます。

これに比べて損害てん補型の第三分野保険は、金額の確定が煩雑でわかりにくいことなどの難しさがあります。ただ、もし治療費が多額になる可能性がある場合には、実際の費用が支払われることのメリットがあります。したがって、金額が高額で公的保険の支払対象にならない治療に有効性が高いと考えられます。典型的には、いわゆる先進医療や、自由診療の利用の可能性が高いガンの治療に備える場合がこれに当たるでしょう。

定額給付、損害てん補いずれの方式についても、原因となる事由は、傷害、疾病のほか、介護状態となることや、出産や不妊治療などさまざまなケースがあり、多様な種類の商品が存在しています。

日本の医療は、国民皆保険制度による公的健康保険の上に支えられているといえます。保険会社の提供する民間保険は、公的保険を個人が自助努力で補完するための商品といえます。

第三分野の保険は、現在保険会社、特に生命保険会社の利益の主要な源泉になっていますが、新商品の開発余地が大きく、今後も重要性が高まり続けるものと見込まれます。

(ii)　基本商品

現在の主要な商品は、以下のようなカテゴリーに分けられます。

図表５の、原因事由の列は網羅的ではなく、たとえば表の整理上は考えられる「疾病のみ」という区分などは、現実的な重要性がないため含めていません。また、このほか新たなカテゴリーも考えられるところです。当面は

図表５　第三分野の基本商品

原因事由	定額給付	損害てん補
1. 疾病・傷害	医療保険	医療費用保険
2. 傷害のみ	傷害保険	—
3. 特定の疾病・状態等	がん保険 特定疾病保険 不妊治療保険　等	所得補償保険 がん治療費用保険 先進医療特約　等
4. 要介護状態	介護保険	介護費用保険

図表５の「3. 特定の疾病・状態等」としたところに、開発の余地が大きいと考えられます。

出産に対して祝金を払う保険や、就業不能に対する補償、高額の医療費に対する備えなど、社会課題に対応する多様なニーズが考えられることから、生命保険業界および損害保険両業界とも、この分野の商品開発に注力する時期が続くのではないかと思われます。

この中で、現在ウエイトが大きいのは、先述の傷害・疾病による入院の日数に対して、一定の入院給付金日額を支払う、定額型の医療保険です。通常、入院のほかに、手術を受けた場合の保障があり、手術の種類によって、入院給付金日額の10倍から40倍程度の手術給付金が支払われます。入院保険金を支払う日数限度は、短いもので30日、長いもので120～180日といったところが標準的です。1回の入院についての限度だけでなく、数十年に及ぶ保険期間を通じた通算限度を設けていることが多く、これを使い切ってしまうと、入院給付金はなくなり、手術保障だけが残る仕組みです。

第３章Column5で触れたとおり、商品特性を考えると、この医療保険は万が一のリスク回避には、あまり効果が大きいとはいえません。商品以前に、あらかじめ市場のニーズが顕在化している場合は、経済的な効果の大小は、販売上の重要問題にならないことを示す例と考えられます。医療保障についていうと、約9割の人が、ケガや病気により健康を害することについて、「非常に不安を感じる」、「不安を感じる」、または「少し不安を感じる」と考えており[2)]、入院時の医療費等への備えとして、1日につき平均1万1,000円の入院給付金が必要と考えている[3)]という調査があります。

この調査の意味を理解するうえで重要なことは、医療保障に対するニーズは、それを提供する保険商品から発生するのではなく、商品投入以前に契約者の心理に内在しているということです。実際の加入行動においては、もち

2）生命保険文化センター「令和元年度 生活保障に関する調査」によります。

3）生命保険文化センター・前掲注2)。

ろん商品性も決定要因になりうるのですが、商品がよければ潜在ニーズが弱くても売れるというものではありません。

なお、日本では多くの人が、医療保険に必要以上に加入し自ら利益を損なっていると考えて、このことの啓発を図る方も見受けられます[4)]。一面の真理はあるのですが、世の中にどう受け止められるでしょうか。

ⅲ　バリエーション

給付金の支払額に応じて保険料が返還される保険、生活習慣に連動して、割引や割り戻しがある保険など、保障（補償）内容以外を工夫したさまざまな保険があります。

③　第二分野

第二分野の保険とは、偶然な事故による損害をてん補する保険です。偶然な事故は多種多様ですから、非常に多くの保険種類があります。

ⅰ　概　　要

第二分野の保険の本質は、「被保険利益」を対象とするものであるということです。被保険利益とは、事故により失われるべき利益です。その態様は簡単ではありません。建物や家財など、財物に付ける保険では、保険の対象となる財物の価値であると考えられます。ただ、第二分野の保険は財物を対象にするものばかりではなく、他人に損害を与えたことによる賠償責任を対象とする賠償責任保険や、事故に伴う仮住まいや弁護士に支払う報酬等の各種の費用を対象とする費用保険、契約の履行によって生じる支出を対象とする約定履行保険などがあります。財物の価値としての被保険利益は事故発生前からあらかじめ定まっていることと比べると、これらの無形の保険の対象における被保険利益は異質であり、やや複雑な概念といえます。

被保険利益の存在は、観念として損害保険の成立の必要条件である（被保

4）大江英樹「『生命保険も医療保険も不要』そう断言するお金のプロが入っている３つの保険」PRESIDENT Online（2021/01/09）など。

険利益絶対説）という考え方と、保険による弊害を防ぐため、利得を認めない観点から実用上要求されるものである（被保険利益相対説）という考えかたが、歴史上古くから対立しており、その中間的な考え方も複数存在します。今日は相対説が主流と思われますが、明快に決着したともいいきれません。被保険利益とは何であるかは、損害保険の根本にかかわる問題ですが、意外に簡明ではないといえます。以下、少し高度な議論になりますが、最新の学説をご紹介します。損害保険の本質に関心のある方は、是非ご覧ください。

伝統的な学説は、被保険利益を「保険契約の目的」、そして被保険利益を経済的に評価したものを「保険価額」と理解して、被保険利益を中核において、そこから損害てん補と各種の法規律・制度を説明してきました。しかし、そうした説明では、いろいろと実情にあわない面が出てきました。こうした中、近年の学説として、被保険利益から損害てん補の内容を考えるのではなく、損害てん補という給付方式そのものを損害保険の本質・特徴と位置付けて、そこから被保険利益を必要な要件としてとらえる考えが提唱されています[5)]。利益と損害の関係について、損害からとらえることになるので、その損害は、経済的な実態に基づいて柔軟にとらえてよいという考え方が導かれ、それゆえ、保険契約においては、いかなる損害をてん補するか、いかなる基準で損害を評価するかという合意が重要となり、それをスタートとして、そこからそのような損害を被る利害関係があるかどうかをみていくことになります。そのような損害を被る可能性を被保険利益とみることになります。利害関係がない場合は、保険は無効となります。この学説は、被保険利益を中心において長く論争が繰り広げられてきた絶対説・相対説・修正絶対説という論争に終止符を打ち、全く新たなアプローチから損害保険の本質をとらえるもので、損害保険商品の概念をより柔軟にして、革命的なブレークスルーとなる可能性を秘めています。

５）中出哲『損害てん補の本質』（成文堂、2016）。

この考え方を推し進めていきますと、損害てん補を、経済的に必要であれば、公序に反しない範囲で柔軟にとらえることも可能となってきます。そうすると、求められる利害関係は、理論的には、さまざまな損失に対処する保険に求められ、賭博との峻別やモラルハザードの関係から必要な存在となります。するとこうした利益関係（被保険利益）の要件は、損害保険のみに適用されるべき特有のものではなく、保険が賭博等と区別されて「保険」として認められるために必要な要件であって、給付の態様から出てくる要件ではないということになります。そうすると、利益関係（被保険利益）の必要性は、第二分野だけでなく、定額保険にも共通して求められるものと位置付けられ、保険制度を横断するものとの理解につながっていきます。その点では、保険を一元的にとらえる方向性と考えられます。

この新しい学説は、これまで被保険利益からの説明が難しかった新価保険などについてもきれいに整理ができることはいうまでもありませんが、インデックス型保険と他の金融デリバティブを区別するうえでも有益であると思われます。

さて、学問的な意義を別にしても、実務においては、第二分野の保険商品設計上損害てん補の中身に焦点を当て、検討する新商品の本質について、「どのような損害をてん補するものであるか」、「その損害をどのように評価するか」についての考察を深めたうえで、それを保険約款の中で的確に表現していくことが極めて重要であると思います。

この観点で、第二分野の保険は次頁図表６のような区分が可能です。

販売される商品としての保険種類と、上記のてん補される損害の種類とは、必ずしも一対一に対応しません。火災保険（個人の住宅を対象とするものは、住まいの保険等と称されることが一般です）は、その「本体」部分は財物補償と考えられますが、保険商品としては、財物の損害に対する保険のほかに、臨時費用保険、残存物取り片付費用保険、失火見舞費用保険など、複数の費用保険が組み合わせられています。「住まいの安全」ということをテーマに、各種の保険を組み合わせたパッケージであるということです。

図表６ 第二分野の保険商品設計上の区分

保険の種類	てん補される損害	保険商品の例
財物の保険	財物の損壊	火災保険、車両保険
賠償責任の保険	法律上の賠償責任を負うことによる損害	施設・業務賠償責任保険、日常生活賠償責任保険
費用の保険	費用の支出による損害	臨時費用保険、弁護士費用保険
利益の保険	事故がなければ得べかりし利益	利益保険
その他の損害の保険	多様（債務の履行または不履行により、当事者または第三者に生じる損害等）	保証保険、信用保険、約定履行保険

自動車保険では、さらにさまざまな補償のパッケージという色彩が強くなっています。またゴルファー保険の場合は、賠償責任保険、ゴルフ用品に対する財産保険、ホールインワン費用保険の組合わせです。さらに、第三分野の商品である、定額給付の傷害保険もセットされています。

このように、第二分野の多くの保険商品は、「住まいの安全」に関するさまざまな補償、あるいは「自動車の安全」に関するさまざまな補償、さらには「ゴルフプレーの安心」に関するさまざまな補償などのように、ひとつのコンセプトに対して、関連する複数の種類の異なる保険をセットした商品となっています。

なお、第１０章４でセット割引の商品を紹介します。これは、「住まいの安心」と「ケガの補償」などコンセプトの異なる商品を、複数同時販売しようとするものですから、上記のようにひとつのコンセプトに沿って異なる補償をセットした商品とは、考え方や狙いとするところが違います。契約者ニーズに寄り添った発想との観点から、この両者の違いは一考に値する問題です。

(ii)　基本商品

第８章で説明したとおり、保険の種類は、保険種目という大きな単位で区分されます。保険種目の単位でみて、主要な保険は以下のようになっています（収入保険料の多い順に並べています）。

自動車、火災、自賠責、傷害、賠償責任、費用・利益、積立傷害、労災補償、動産総合、積荷、船舶、運送、建設工事、機械、航空、盗難、保証

このほかにも、ガラス保険、動物保険、ペット保険など、種目は複数あります。また、種目は大きな括りですので、同じ種目の中にも、個別の保険種類がたくさん含まれます。たとえば、傷害保険の中には、一般の傷害保険のほか、家族傷害保険、交通事故傷害保険、国内旅行傷害保険、海外旅行傷害保険などがあるほか、個別の団体専用の「○○協会傷害保険」といったものもあります。こうしたものは、種目の下の編や章によって区分されます。

同じ種目の保険でも、個人の生活を守るためのものと、企業などの事業を守るためのものでは用途が違いますので、補償の内容や保険料、取扱方法などにかなり大きな差異があります。このため、保険の種類を、個人分野と企業分野の２つに実質的に区分けすることが多く、保険会社の商品開発・管理体制も、この区分によって組織を分けている（個人商品部と企業商品部など）例がよくみられます。

個人分野と企業分野の違いの一例として、火災保険の種目の中の商品を考えましょう。個人向けの火災保険は「住まいの保険」が一般的ですが、企業向けでは、企業火災保険は工場物件、倉庫物件、一般物件（事務所など）に区分けされ、それぞれ特定の引受方法に従います。また企業向けには、多数の特約と割増引制度などがあります。

自動車保険の場合も、個人分野と企業分野には特性の違いがあります。まず、自動車の管理者や販売者向けの保険など、企業分野専用の商品があります。また、対人・対物賠償や人身傷害補償、車両保険などからなる、一般的な自動車保険についても、両者には制度の違いがあります。

1契約者当たりの自動車の台数が10台以下の場合は「ノンフリート等級制度」という、主に個人向けの制度の対象になります。ノンフリート等級制度では、過去の事故（保険金請求）の有無に基づいて、等級が定められます。無事故が続けば等級が高くなり、保険料が割り引かれます。逆に事故があると等級が下がって、保険料は割増しになります。一番安い20等級から、一番高い1等級までの区分が一般的です。保険会社間で等級情報を交換する制度があり、事故があったときに割増しを避けるため、ほかの保険会社に契約を切り替えて等級が下がらないようにする、といったことができない仕組みになっています。

これに対し、10台以上の自動車をまとめて契約すると、「フリート」契約という取扱いになり、等級制度は適用されません。フリート契約では、過去の保険収支に合わせて料率審査を行い、当該契約者に対する個別の料率を適用します。このフリート制度は、契約する車の台数によって適用されるものですので、個人の契約でも車が10台以上ならフリート契約になるのですが、例外的にそのようなケースはあったとしても、基本的には事業者向けの保険制度といえます。

さて、損害保険の範疇ということを考えてみると、偶然な事故なら、何でも損害保険の対象になり得ますので、保険の種類に上限はありません。時代とともに次々新しい保険が出現します。サイバーセキュリティ関係の保険や、孤独死対策のための保険など、さまざまな保険が考えられており、今後も新商品が続くと思われます。ただし、販売規模からいえば、昔ながらの火災、自動車、傷害、賠償責任が9割近くを占めています（図表７）。

さて、繰り返し述べてきたとおり、商品開発は、マーケットから考えることが重要です。ただそうはいっても、マーケットをとらえるための必要条件として、商品特性の理解も当然欠かすことのできない要素です。そこで次節からは、しばらくマーケットをとらえるための基礎として、主要な商品の特性を考察しましょう。これは、メーカーにたとえれば、製品の機能として技術的にどのような可能性があるかを考えることに当たります。製品としての

図表７ 元受保険料

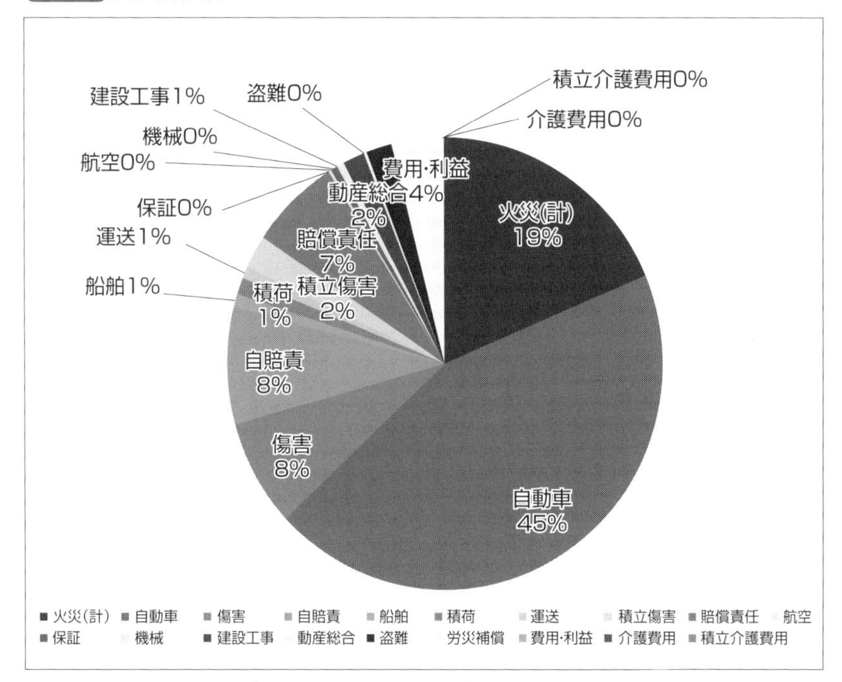

※四捨五入により、0.5％未満のウエイトは0％と表記。

可能性を知ったうえで、マーケットニーズを考え、商品として売り出すという一連の手順の、前段の部分の仕事に当たります。

2　第一分野商品開発の方向性

第一分野の保険において、万一の場合の保障ニーズに応える給付は、死亡保険金と高度障害保険金です（高度障害保障は理論上第一分野ではありませんが、マーケット側から考えるときは、死亡保障に付随的なものとみるのがよいでしょう）。

もうひとつの機能は、貯蓄ニーズに応える生存保障です。第一分野の基本パーツは、これだけです。

保障、貯蓄いずれの面でも、基本的な商品はすでに存在していますから、新商品としてどのような可能性があるかは、上述した基本３商品のどこをどのように変化させられるかにかかります。

(1)　保障の工夫

①　金額のバリエーション

万一の保障に関しては、まず金額を変化させることが考えられます。保険期間を通じて一律の金額とするのではなく、何かの要素に連動させて保障額すなわち死亡および高度障害保険金額を増減させるものです。

すでに販売されている商品では、年齢とともに保険金額が増減するものがあります。定期保険の保障額を、死亡後に遺族である子の養育に必要となる年数に合わせて、毎年逓減させれば、逓減定期保険になります。これと類似のもので、一定の年限を定め、被保険者が死亡した場合は、死亡時からその年限までの期間、保険金を年金として毎年払う保険もあります。被保険者が早く亡くなるほど、年金の支払期間が長くなり、逆に亡くなるタイミングが遅ければ支払期間が短くなるので、支払総額もこれによって異なってきます。子の養育年数に合わせた保障といえます。これを収入保障保険といいます。

逓減定期保険も収入保障保険も、貯蓄性がほとんどなく、保険料が割安にできることは１⑵①(iii)で前述したとおりです。

逆に定期保険の保険金額を、年齢とともに増加させれば、貯蓄性が増します。これは逓増定期保険です。貯蓄性に主眼をおいた保険ですので、下記の⑵「貯蓄性の工夫」で説明します。

これらのほかに、保険金額の工夫の余地はあるでしょうか。いくつかのことが考えられます。過去に存在したアイデアでは、保険金額の共有といって、入院や介護保障の給付金の支払に応じて保険金が漸減する仕組みの保険もありました。入院・介護などの給付金をたくさん受け取った人は、家計を支える役割が小さくなっている可能性が高いので、それに応じて保障が減っても問題が少ないという考えです。

この保険は現在は販売されていないようです。理論が先行して構想されていたため、マーケティングが想定していたより難しかったのかもしれません。ただし、長期の入院や要介護などの一定の状況になった人にとって、死亡保障の必要性は低下し生存保障の必要性が高まることは事実ですので、保険金額の共有というアイデア自体は、やり方次第で生かす方法があるかもしれません。

②　支払事由のバリエーション

保障に関して、保険金の支払事由の変化も考えられます。人の生死以外の事由は、本来的な第一分野保険には当たりませんが、高度障害保障と同様に特に重大な事態を死亡に準じて取り扱う商品は、第一分野商品のバリエーションとしてマーケティングを行うことが考えられます。余命の診断や、特定の重大な疾病の罹患などがすでに存在します。さらに古くからは、ケガによる死亡や後遺障害には保険金を増額して払う商品もあります。

連生保険という、夫婦のどちらかが死亡したときに保険金を支払う保険もあります。保険金の支払は合わせて１回限りなので、夫婦それぞれが契約し計２件の保険に加入するより割安だというわけです。メリットとデメリットがありますが、共働きの夫婦が増えている中、一定の合理性はありそうです。連生保険の数理は、100年くらい前から確立していますが、実用化された例は多くありません。ただ、現在もいくつかの商品はあります。

人の生死には、出産も含まれると考えられます。子供が生まれたときの祝金を支払う保険商品はもちろんあり得ます。現在、妊娠に関する医療関係の第三分野商品が多くなっています。通常は、妊娠に関連した疾病や身体の異常の治療などを対象にするものが多いですが、出生そのものにまとまった金額を支払うものは見当たらないようです。今後検討する余地があるでしょう。

設計は簡単ではありませんが、結婚時に加入し、将来、想像以上に子宝に恵まれた場合、1,000万円くらいのまとまった金額が受け取れるという保険があれば、少子化対策にも有益かもしれません。

第一分野商品の保障は、人の生死を対象とするものであるゆえに、第二分野や第三分野と事情が異なり、新しいアイデアの自由度は大きくありません。主な保障はすでにほぼ出尽くしているという見方もあろうかと思いますが、時代変化をキーに、何らかの新機軸ができないとも限りません。保障の拡充は、常に目を配っておくべきところと考えられます。

⑵　貯蓄性の工夫

①　生存保険金の種類と時期

貯蓄性を最も直接的に担うのが、満期保険金または中途祝い金、年金商品における年金など、各種の生存保険金です。そのひとつとして第10章５で「幻の労後安泰年金」を考察します。このときは不発に終わったものですが、アイデアとしては100年以上前から存在するもので、分類としては生存保険金のバリエーションといえます。

生存給付金を、人生のしかるべきイベントにあわせて支払うことは容易に考えられます。こども保険で、子の進学にあわせて支払うことはそのひとつです。

②　資産運用部分

日本以外のアジア諸国に目を向けると、主力の第一分野商品は、ILPという、資産運用の指標にリンクした、一種の変額保険です。日本でも、資産運用の成果に連動した変額保険があります。日本の場合、変額保険の販売が不適切であったとして、いわゆる変額訴訟問題という社会問題が生じたこともあり、今日も保険の主流とまではいいがたいところがありますが、一部の生命保険会社では積極的に販売されています。株式市場の高騰などの事情が生じれば、将来さらに拡大する可能性があります。

この商品は、本質的に投資ファンドと類似したところがあり、証券会社や信託銀行などの金融他業界の資産運用商品と競合する性格のものです。ただし、金融商品として考えた場合、保険商品は純粋な資産運用の商品とは異なります。死亡保障のための純保険料と付加保険料が必要ですので、競合商品となる投資信託の手数料に比べ、利回りの面で不利な要素があります。現行の商品はこれらの水準が高いため[6)]、貯蓄商品としての優位性に疑問があると批判する意見もあります。この商品を普及させるには、この点の改定が考えられますが、これは単純な話ではなく、保険商品販売のコストを引き下げられるかという問題につながります。販売体質にもかかわってくることですので、商品設計にとどまらない、かなり大きな経営課題といえます。

③　税効果の利用

やや邪道と考える人もいますが、法人や事業主向けの保険で、税効果を利用して実質的な貯蓄性を高めることを狙う商品があります。定期保険の保険期間を100歳くらいに長くすると、実質は終身保険に近いものになり、ある

6）変数保険の契約者負担コストは2016年以降開示が進み、ある程度の比較が可能となっています。保険関係費と称される、純保険料と付加保険料は、年率2～3%程度となっているケースが多く見られます。このほかに投資信託と同様の資産運用関係費がかかる仕組みです。

程度の貯蓄性が生じます。さらに、先述した逓増定期保険は、通常の定期保険よりさらに貯蓄性が高くなります。長期の定期保険や逓増定期保険は、特殊な商品特性から、主な利用法が法人や事業主向けの節税効果であるとの見方があります。

定期保険や、逓増定期保険には、満期保険金があるわけではありません。これらの貯蓄性とは、途中で解約した場合の解約返戻金のことを指します。解約返戻金ですから、解約による控除がありますし、死亡保障のために必要なコストもかかるので、解約返戻金は多くの場合払込保険料を下回り、もし上回る場合もその額はわずかです。これでは、貯蓄のメリットがあるか疑問ですが、保険料の一定部分を法人税上の損金とすることで、支払った年度の税額を圧縮することができるので、この効果を含めれば利回りが高くなるという触れ込みです。この種の保険はひと頃販売量が大きくなり、税金の圧縮効果を求めて、保険金額急増型の保険や、長期の傷害死亡保険などを含む、さまざまな特殊商品が投入されました。

一方、保険会社が税の圧縮を強調して販売することに対し、保険本来の販売法ではないのではないかとして、国税当局が問題視することがあり、この種の保険の取扱いについてたびたび国税庁通達の改正が行われています。そのたびに、特定の商品の損金算入割合が引き下げられています。特に、2019年の改正では、解約返戻金の支払保険料に対する割合の最大値によって、損金算入の上限が定められることになり、これによりいわゆる節税商法にブレーキがかかったとの報道があります。これにあわせて、長期の定期保険や逓増定期保険の多くが販売停止になっています。

このような節税商法は、場合によっては保険本来の役割に外れるといったリスクもあります。さらに、Column21で解説するとおり、税制メリットの基本的な点について、契約者の誤認がないかという疑問が呈されることもあります。保険会社としてどの程度注力するかは、判断が分かれるところといってよいでしょう。

保険会社の実務をみていると、こうした商品に注力するか否かは、経営トップ次第であると強く感じられます。保険会社の商品開発関係者の中には、こうした商品への販売偏重に危惧を抱いた人もあります。中には、販売すべきでないという考えもあったようですが、販売量に大きな影響があるため、商品部門の判断で販売の是非を決めることは難しいものがあります。これに深入りしないためには、たとえ販売量の競争で他社に不利になっても、自社のフィロソフィーにあわない戦略はとらない、といった次元の判断が必要です。こうしたことは、経営トップ以外にできません。

④　自在性

伝統的な生命保険の貯蓄機能は、金額と支払時期の決まっている生存保険金に向けて、決まったペースで貯蓄保険料を積み立てるものです。これに対して、自在性を追求したアメリカのユニバーサル保険は、貯蓄部分と補償部分を分離し、保険料の額も可変にしています。保険料のうちその期の保障に必要な部分は取り分けたうえで、残額は貯蓄しておく方式です。払込保険料が可変となっているということは、その額によって、将来の保障または満期保険金に過不足が出る仕組みということです。不足の場合は、将来、保険料を多く支払うか、保障額を引き下げることなどが必要になります。

この方法での商品開発は一時期盛んに行われ、複数の保険会社でアカウント型保険というものが主流となりましたが、今は下火になり、多くの場合販売停止になっています。契約者の期待に反して、貯蓄部分の残高がほとんど貯まらなかった、さらには途中で失効のリスクが生じたといった問題の存在した可能性が指摘されています。保険料を自在にするといっても、足りない分はあとで払わなくてはならないという意味の自由度は、あまり価値が認められなかったようです。

Column21　節税プランの効果

法人税は、税務上の収入すなわち益金から、税務上の支出すなわち損金を差し引いたものに、税率をかけて計算します。法人が支払ったお金のすべてが損金になるわけではなく、損金に算入できる金額の算定にはいろいろなルールがあります。一般にあらゆる法人の費用について、同じ額を支払うなら、損金に算入できたほうが税務上有利といえます。保険に関しても同様で、法人が保険料を支払うときに、その一部が税務上の損金になれば、その期の法人税は少なくなります。

さて、損金算入の考え方を大雑把にいえば、法人が支払うお金のうち、その期に費消する経費の性格が強いものは損金になり、将来の経費の前払の性格が強いものは資産になります。保険料の場合、両方の性格が混じっているものがあるので、商品の性格によって、一部の割合が損金になり、残余は資産となるケースがあります。ここで貯蓄性があるにもかかわらず、損金算入割合が高い保険があったとすると、これに加入すれば、保険料を支払った際の法人税が低くなるので、加入する法人に節税効果があります。保険会社としてはそのような商品を意図的に設計し、節税保険と称して販売します。

さて、この節税効果とはどのようなものでしょうか。上述の特殊な定期保険等では、貯蓄性を実現するために、将来保険を解約して解約返戻金を受け取ることを前提にしています。解約の時点で、受け取る解約返戻金から、それまでに損金算入できなかった（資産計上していた）保険料を差し引いたものが課税対象になります。保険料の一部を過去に損金算入をしていた場合、その部分は、解約返戻金受取時に差し引くことができないので、過去に課税所得が減少していた分、解約時の課税所得が増えることになるわけです。これを指して、いわゆる節税保険に節税の効果はなく、「税の繰延べ」にすぎないと指摘する税理士[7]がいます。正しい見方といえるでしょう。

仮に、現在は利益が生じているが、将来のある時期に確実に損失が見込まれ

7）たとえば、名古屋税理士会所属の櫻井会計事務所という税理士法人ホームページでは、次のように説明しています。「確かに支払い時の損金算入額は、その事業年度の課税所得を減らす効果がありますが、受取時には、その解約返戻金との資産計上額との差額が益金となり、課税所得になります。つまり、税金が減るのではなく、課税のタイミングがずれているだけというのが、節税保険の本質です。」
https://sakuraikaikei.com/overview.html（2023 年 5 月 5 日閲覧）。

るというように、収支が見通せているなら、利益が見込まれる時期から損失が見込まれる時期に課税所得を繰り延べることで、法人税上のメリットが生じます。ただ実際は、将来の利益見通しを正確に持つことは容易ではありません。一方、保険の解約返戻金は毎年変化しますので、いつ解約してもよいというわけにはいきません。返戻率（解約返戻金の支払保険料に対する割合）は通常一定の時期にピークを迎え、その後漸減して最終的にはゼロになります。

したがって、将来ちょうどよく損失が出ているときに解約しないと、この保険は節税効果がないばかりか、返戻率が１を下回る分だけ利益を損なうことになります。

このように、節税保険でメリットを得ることは簡単ではありません。一方、そのような難しいプランであるにしては、この節税商品の販売量は大きい時期がありました。このため、上記のことを誤解して加入する経営者があるのではないか、と心配する声が聞かれることもありました。昨今は、法人税通達の改正によりこれらの販売は下火もしくは中止になったケースが多いので、結果的にこのような心配は過去のものになりつつあります。

3　第三分野商品開発の方向性

第三分野は、高齢化に伴う医療費の増大や、少子化対策の進展、医療技術の発達など、さまざまな社会の変化に伴って、多くの可能性が予見される分野です。保険の商品開発の観点からみて、第三分野は、生命保険会社と損害保険会社のいずれにおいても、今後の中心的なフィールドであると考えられます。

(1)　給付事由、保障内容

社会課題に対応し、さまざまな新機軸が考えられます。

ここで考慮すべきは、保険の基本的性格です。多くの人が保険料を拠出し、事故にあった少数の人に保険金を払うという保険の原理から、一般論でいえば、「めったにないが、あると大変困る」という事故が、保険に適合します。さらにいえば、ここでいうめったにないことについて、「実際の発現はまれだが、可能性は特定の人に限らず万人にある」という性質があれば、市場が大きくなります。第一分野では死亡保険、第二分野では火災保険や自動車保険など、こうした領域はすでに大きな市場が存在します。第三分野についても、この原理にあったリスクを特定し、それを保障することが、現下の最重要課題です。

たとえば、既存の先進医療保障は、発生頻度は少なく、発生時の医療費は高額になりうるという、保険による効用が大きい特性があります。今後、医療の技術が進めば、医療費が高額となる自由診療分野での治療が増えると考えられます。先進医療は、公的健康保険の分野と自由診療分野のいわば中間に位置するものです。これまでのわが国の医療は、公的健康保険の領域が大きかったのですが、今後自由診療の領域が拡大する可能性があります。自由診療を対象とした損害てん補型の保険については、市場拡大の可能性があります[8)]。

新生児や小児に対する保障も考えられます。ニーズ喚起が難しいリスクですが、先天的もしくは幼いときに発生した事由により、長期間のケアを要するケースなどは、手厚い保障が適合する分野と考えられます。

多くの人が保険料を拠出し、事故にあった少数の人に保険金を払うという保険の原理からいえば、認知症のように多くの人に生じる状態は、保障が難しいといえます。認知症の中でも、特に「実際に生じることはめったにないが、可能性は万人にあり、もしあると大変困る」というような症状の部分を取り出して保険化することが、よいアイデアにつながるかもしれません。

第三分野の商品開発は、極めて重要です。この分野で優位性を得るには、保険数理や約款などに関する専門性はもちろん必要ですが、それ以上に、医療現場の実態や最新の技術革新を含む、対象とするリスクについての専門性が必要です。医療機関や研究所、製薬会社など、こうした専門性を有する機関との提携や、保険会社内における専門性向上が求められます。今後の社会的課題としての重要性から、経営資源の戦略的な投下に値するミッションであると考えられます。

⑵　加入条件

医療分野では、加入条件を緩和した保険の開発が盛んです。せっかく募集した契約が、被保険者の体況などによる選択の結果、成約に至らないことは、募集関係者にとって痛手ですので、体況や既往症に基づく加入診査の緩和はしばしば検討対象になります。

この問題の根本は、現に行われている診査の効果検証にあります。現場では、告知や医的診査など、さまざまな選択が行われています。ただし、その

8）業界の市場規模からみれば小さなウエイトですが、一部の会社では、がん治療についてすでにこのような商品を販売しています。ただし、こうした保険にはさまざまなノウハウが要求されますので、対象とする事象について十分な研究が必要です。追随は簡単ではないかもしれません。

有効性を統計的に検証することは通常なく、診査医の意見や海外の事例などを参考にした診査基準によって判断されています。

この問題の難しさは、引き受けた契約だけではなく、引き受けなかった（謝絶した）契約の保険成績を調べて比較しなければ、本当の効果検証にならない点にあります。引き受けた契約の追跡は可能ですが、引き受けなかった契約を調べるというのは、被保険者とすることを謝絶した人について、その後の入院や手術の有無を調査することを意味します。容易に想像できるように、このことは困難です。

生命保険業界は遠く以前に、死亡保障について、標準下体調査というこの種の調査を行っていますが、大変古いことであり、また医療保障についてのものではありません。

このような中で、がんの罹患者については、近時はがんの再発等の統計が整備されていることもあってか、がんに罹患したことのある被保険者の加入条件を緩和するがん保険が複数出ています。世にがんから回復した人が多数います。しばらく以前は、過去がんに罹患したことのある被保険者に対しては、一律がん保険を謝絶していたことを考えると、このような引受緩和型の保険の開発は好ましいことと考えられます。

(3)　サービスとの組合わせ

第三分野の保険は、各種のサービスとの適合性が高いものがあります。特に、健康増進に関するサービスと、医療系の商品は相性が良いため、たとえば傾向増進サービスに関しての一定の条件の下で保険料を割り引くなどの商品が多数考えられます。

アイデアが多数考ぇられるので、その取捨選択が重要な判断になります。特定のサービスと商品の組合わせにどの程度の魅力を感じるかは、個人にとっては主観性の問題ですが、同時に、それらの人がどのように分布しているかは客観的な市場構造でもあります。第７章に述べた方法によって、サービスと商品の適合性の市場調査を行うことが有益です。

4 第二分野商品開発の方向性

第二分野は「偶然な事故」を幅広く対象にするものですので、新商品の可能性は無数にあります。非常に広い自由度の中からアイデアを追うことは、とても面白いことです。

一方それだけに、時代的トレンドなどを考えて、多様なアイデアを大きな流れの中で整理することが必要です。

(1) 生活補償から事業補償へ

この意味で第二分野のキーワードは、生活の補償から事業の補償への重心変化です。

わが国で戦後の損害保険業界発展のバックボーンとなったのは、自動車保険の拡大でした。自動車保険は、戦後一貫して拡大を続けた結果、今日は収入保険料の過半を占めています。しかし、社会変化により、長く続いたこのトレンドは転換点を迎えています。終戦直後市場の4分の3を占めていた火災保険は、火事の減少と、他種目特に自動車保険の拡大によりウエイトが低下し、現在では20％程度に落ち着きました。今後は自動車保険について、保有台数の減少、免許保有者の頭打ち、そして何より自動ブレーキをはじめとする安全技術の発展によって、自動車事故の減少が起こります。これらの要因は不可逆的なものですので、長期的にみると、自動車保険は市場の縮小が不可避です。それに代わって拡大するのは、新種保険です。

さて、損害保険市場において、自動車保険から新種保険に重心が移る過程でどのような変化が生じるかを考えましょう。自動車保険は、企業向けのフリート市場もあるとはいえ、太宗が個人分野の保険です。一方新種保険は、個人向けの日常生活賠償保険などもあるとはいえ、大部分は、施設賠償保険や労働者災害保険、団体傷害保険など企業分野の保険です。したがって、自動車保険から新種保険への商品遷移は、個人から企業へのマーケット遷移を意味します。

個人分野の保険が、生活の安全を守るものであるのに対し、企業分野の保険は、ビジネスを安定させるもので、両者はその本質が異なっています。第二分野の今後のキーワードは、生活の安全からビジネスの安定へと移り変わっていくでしょう。

(2) 中小企業マーケットの拡大

企業分野のマーケットにおける、将来の重要な変化は、中小企業顧客の存在が拡大してくることです。わが国の大企業のほとんどは、加入すべき保険は加入したうえで、さらにARTという保険以外のリスク管理手段を組み合わせたり、場合によっては自ら専用の保険会社を設置するなど、保険についてはすでに長年研究し最適化を図っています。大企業のマーケットは今後の重要ですが、市場の構造としてはさまざまな保険の「代替品」が存在する中での競争となります。保険会社がこぞって市場の成長を享受する構造にはなりにくいといえます。

一方、中小企業に目を向けると、保険加入は相対的に進んでいなかったという調査結果がみられます。中小企業は、事業の拡大に注力する一方、リスク管理や事業の安定にはさほど経営資源を割く余裕がないことが一般的でした。パナソニックやホンダのような今日の巨大企業も、創業期のケースなどを読むと、同様の状況にあったことがみてとれますので、規模の小さい企業で、大企業に比べ保険加入が進んでいないのは、自然なことといえます。

さて、将来を考えると、中小企業の保険加入は拡大すると見込まれます。保険の中小企業市場拡大のキーワードは、グローバル化とサプライチェーン統合です。グローバル化の進展により、中小企業も、仕入れと販売の両面で、海外の取引が増大しており、さらに拡大の可能性があります。地方銀行の多くが、顧客中小企業向けの海外進出支援プログラムを用意していることは、その象徴のひとつです。このような国際取引の増大に伴い、中小企業にかかわる事業リスクは多様化し拡大しています。これに伴い、保険市場の継続的な拡大が見込まれます。

もうひとつの変化として、サプライチェーンの統合により、取引先である大企業の統合的リスク管理の一環として、中小企業のリスク管理が求められるケースが増えています。たとえば事業継続計画（BCP）について、中小企業自体がその必要性を感じるか否か以前に、取引先からの要求によって整備が必要となるケースがあります。サプライチェーンの統合に伴う、取引先の大企業もしくは官公庁からの要請の強化によって、事業リスクのほか、労務管理リスク、財務リスクなど、さまざまなリスク管理が求められるようになる可能性が高まっています。これに伴い、リスクマネジメントの手段として、保険の重要性はますますクローズアップされることになるでしょう。

(3)　中小企業向けのシンプルな損害保険

さて、商品開発のスタンスの観点から、「ビジネスの安定」のための保険の特性を考察します。個人の生活に関連するリスクは、どの個人にとってもかなり共通なものといえます。したがって、自動車保険、住まいの保険などは、汎用性の高い商品を用意して、少品種大量販売を図るのが得策です。これに対して、事業を取り巻くリスクは、業種や規模、ビジネスモデル等によって千差万別です。このことに伴い、個々のニーズにきめ細かに対応する必要があり、多数の特約を用意して着脱するなど、個別性が必要となります。このため、大企業向けには多品種少量の商品ラインアップが不可欠となっています。

しかし、今後拡大が見込まれる中小企業マーケットは、少し事情が違うかもしれません。中小企業向けは、個人分野に類似した商品のシンプル化が必要になります。客先企業の体制を考えれば明らかなことですが、大企業には多くの場合保険専門の部署や、場合によっては子会社としての保険代理店があり、そのことに専念する人材がいます。このような体制があれば、自社に最適な保険設計を個別に求めることは自然の成り行きと考えられます。

これに対し、中小企業では、多くの場合そのような体制はなく、保険についての専門知識と、それ以前に保険検討に割くことのできる経営資源に限りがあります。

したがって、今後市場が拡大する中小企業向けの第二分野商品は、事業を安定させるために、相手企業の事業にあわせるための個別性と、シンプルでわかりやすいものとするための汎用性のバランスを取ることが求められます。こうした背反する要請に応えるためには、商品を開発する側に専門性が必要です。

中小企業ビジネスモデルはさまざまです。商品の設計者は、対象業種ごとに、その事業の本質が何かを理解し、客先となる企業を一定のカテゴリーに分類したうえで、各カテゴリーにシンプルで包括的は保険を用意するといったことが求められます。

このことを行うには、商品の担当者が、ターゲットとする業種を定めて、そのひとつひとつについて、事業を深く学ぶことが必要です。

Column22 問題は専門性の過剰が不足か

なにごとも長く担当していると、経験則というものが身に付きます。

商品開発の経験則中で、絶対にまちがいがないといえるものは、「専門性が不足している人が設計した商品は、例外なく複雑でわかりにくいものになる」という法則です。

ある保険会社で、商品がわかりにくいことに業を煮やした経営者の方が、「専門家にやらせるから、複雑で難解なものができるのだ。商品知識のない素人を集めて設計させたら、シンプルでわかりやすいものができる。」と考え、実際にそのような部隊を設置したことがあります。

しかし、世の中そう単純ではありません。おそらく真の問題はその逆で、わかりにくいものができる理由は、その専門家と称する人たちの専門性が不足していることが原因と考えられます。保険の場合、アイデアを実際に販売可能な商品とするためには、この場合に保険金は払うのか、あの場合の異動処理はどうする、といった具体的な仕様を決めていかねばなりません。結構複雑な仕事で、専門的な技能が不足している人がこれを行うと、あちこちで矛盾や他商品との不整合を生じたり、顧客に説明がつかない事象を生じたりしてしまいます。

さて残念ながら、上述の素人チームは成果を上げることができず、何度か人事異動を繰り返して、メンバーのほぼ全員が商品部門のベテランたちに入れ替わっていきました。

現実には、なにごとであれ、シンプルでわかりやすいものを作るには高度で複雑な仕事か伴います。家電や自動車などの製品を考えれば明らかなように、専門性が高く、内容が十分にわかっている人だけが、顧客にわかりやすい商品を作ることができるのです。専門性の高さは、わかりやすい商品を作る十分条件とはいえませんが、必要条件であることは、一度でもやってみた人には直ちにわかることです。

第10章

事例研究

1　上位商品の開発（自動車保険の例）

本章では、コンセプトから商品案を作るまでの事例を追ってみます。何がしかの教訓が得られると考えます。実際の事例を寄せ集めたものですので、本章の記述は精粗のバラツキがあります。ご了承をお願いします。

(1)　総合自動車保険（上位商品）の発案

自動車保険に、人身傷害補償という補償があります。この補償の開発事例を振り返ってみます。

人身傷害補償は、総合自動車保険という自動車保険の上位商品の、主要部分として開発したものです。自動車保険の上位商品というアイデアは、需要曲線の左側の層を思い浮かべることで得られたものです。

保険の対象である、自動車という商品のマーケットを考えると、500万円以上もする高級車や、さらに高額な輸入車などがある一方、200万円以下の大衆車や、さらに廉価な軽自動車などもあって、多様な商品が販売されています。大手メーカーのラインアップをみると、乗用車だけでも50種類以上が掲載されています。商品もその価格帯も多様になっているのは、異なる特性を持った購買者が市場に分布しているからです。

これに対して、自動車保険は、車両保険ありとなしの別以外には、実質的な商品差がほとんどありませんでした。細かい点をみれば、車両にエコノミー版があること、対物補償の限度額や車両の免責金額に選択肢があることなどによる、いくつかのバリエーションがありましたが、乗用車が同じ車種の中にもさまざまなバリエーションを持っていることに比べると、画一性の強さが目立ちます。

そこで、最初に得た着想は、保険についても市場のニーズには幅があるのではないか、という仮説でした。

(2)「上位商品ニーズ層」へのターゲティング

自動車保険の加入率はほぼ100%に近くなっています。需要曲線の図において、このことの意味を考えてみましょう（図表1）。現行の商品は画一的で、マーケットのどのセグメントにも同じ商品が提供されます。この商品に対し、価格がネックになって加入しない層がほとんどないということは、この商品は右側の層に適合的なものであることを意味します。そうでなければ「価格が高いから保険に入らない」という人たちが生じるはずです。

したがって、もし契約者のニーズに幅があるとした場合、上位商品が適する左側の層にとっては、そのニーズに焦点を合わせた保険がなかったことになります。もちろん、契約者にニーズに幅がなければ、商品ラインアップに幅がなくても、すべての契約者に対応できていることになります。

この「上位商品ニーズ層」の検討を行ったのはかなり以前で、現在のように手軽にWebで市場調査ができる時代ではありませんでした。当時は、上位商品のニーズを直接調査することはできず、従来の商品の加入実績などから推論を働かせ、マーケットの2割程度に、そのようなニーズがあると推測しました。これが正しいアプローチであったかどうかは、読者にご判断いただきたいと思います。当時の時代背景の中での考え方であり、今日であれ

図表1　上位商品のターゲティング

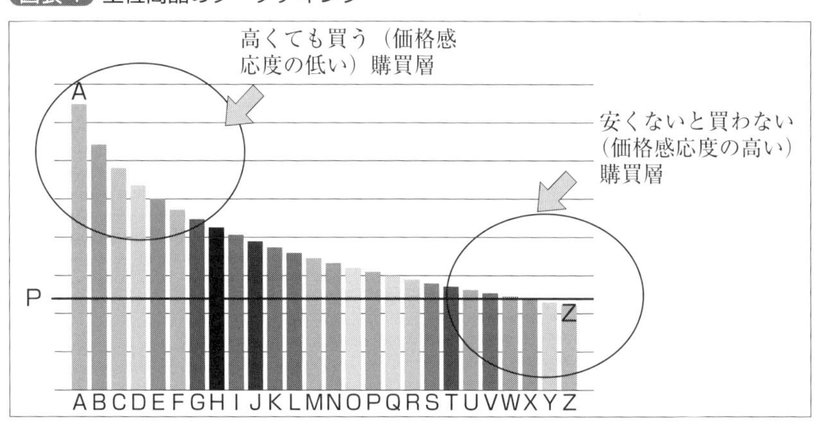

図表2 自動車事故の損害賠償

	自己の過失	相手の過失
人の傷害	×⇒ ファースト・パーティ型傷害補償 （新設）	○ 自賠責保険＋対人賠償補償
車の損壊	○ 車両補償	○ 対物賠償補償

ば、Web 調査を行っていたであろうと思います。

上位商品にふさわしい大型の補償を伴った新保険のアイデアを探る中で、開発チームの若手担当者が、ファースト・パーティ型傷害補償を提案しました。なおこの担当者は大変優秀な方で、今はある保険会社の社長に就かれています。

ファースト・パーティ型傷害補償のイメージは図表2のとおりです。

この2×2の図表2で見て、左上の「自己の過失」による「人の傷害」以外の損害に対しては、従来から補償が存在していました。たとえば、車両の損害については、自己の過失により生じたものでも車両保険で補償されます。これに対して、より深刻な人の傷害について、その損害を補償する保険がない[1] ことは、大きな空白であると考えられます。この空白を埋めるのが人身傷害補償です。

この商品の補償内容の検討の一部は、第5章5(4)図表10に示しました[2]。

1）この問題は、古くから認識されており、搭乗者傷害保険および自損事故補償保険により部分的に補われていました。ただし、これらは、損害の実費を補償する他の区分の保険と異なり、定額的な傷害保険でしたので、治療費や精神的損害などの損害額に対して、保険金の額が不足することがありました。

2）さらにご興味のある方は損害保険研究61巻1号（1999年）をご参照ください。

⑶　人身傷害補償の発案とその問題点

ファースト・パーティ保険のアイデアは、自然なもので、法律などの理論面ではさほど問題がありません。ただし、新補償のため、たとえば、過去に対人賠償の示談を保険会社が代行する際に問題になった非弁行為（弁護士でない者が、業として交渉当事者に交渉を代わって交渉を行うことはできない）との関係の整理などを念のために行っています（本件の場合、保険会社は当事者であって代理人ではないので、論理的に問題はありません）。

人身傷害補償の主な検討課題は、実務上の論点でした。対人賠償においては、相手方すなわち被害者に対して、保険金の支払額の交渉が生じます。その中で、通院に対する支払の打切りや、後遺障害の認定など、さまざまな項目で被害者と保険会社の認識が一致せず、対立が起きることがあります。

損害てん補型の傷害保険を作れば、この対立が起きた場合の被害者は、契約者自身です。お客様である契約者と保険会社との間で、対立が起き、ご不満を招くのではないかという懸念が指摘されました。

検討が進むと、この商品のキーポイントは、この問題をはじめとした損害査定の実務であることが明確になりました。そこで、損害業務部門に依頼し、経験豊富なメンバー数人に、本業の合間を縫って商品設計に参画してもらいました。

この間、損害実務を担う第一線から、上記の懸念とは逆に、顧客本位の観点から自社契約者に対する補償を開発すべきだとして、全く同じ商品アイデアが提案されました。これは、懸念の払拭につながる重要な意見でした。発案したのは、「アイデアマン」として社内で有名な課長の方でした。

損害業務部門の参画を経て、支払額査定スキームの成案を得ましたが、これによって第一線の業務量が大幅に増加することが想定されました。このため100人単位で、損害第一線要員を増員するという計画が立てられました。これに関して、商品部門に見解を求められたわけではありませんでしたが、進んで本増員は必要不可欠であるとの意見具申を行いました。

(4)　ブランド・ポジショニング

自動車保険の中の上位商品というアイデアを得たときに、真っ先に意識したのは、「普通の人が買う上質品」でした。特定の人が買う贅沢品というポジションは、保険には縁がないと思われます。目指すのは、時計でいえば、ローレックスではなくセイコー、自動車でいえばマセラッティではなくトヨタのイメージです。

普通の人が普通に買える商品であって、品質の面では十分信頼がある。贅沢ではないが、低価格を売り物とした商品とは、ブランド上明確に一線を画している。そのような商品認知を目指しました。当時の構想は、そのようなポジションの商品を各補償分野の種目でラインアップしていき、商品ブランドから始めて、ゆくゆくは会社ブランドに育てていくというものでした。

いうまでもなく、ブランド戦略は経営トップが行うものです。商品を起点に、会社のブランド戦略を動かす発想は、ことわざにいう、荷車の後ろに馬を付けるのと同様の無理があったようで、この構想は雲散霧消しました。

(5)　理念倒れの反省点

当時自動車保険の内容は全社画一でした。このためすこし手をかければ、「あらゆる面で他社商品を上回る」ことが可能でした。そこで、「最高の商品」を目指し、全面的に既存商品を凌駕することを設計指針にしました。

この産物が、無保険車傷害補償との比較でした。反省材料として、少し詳しく述べてみます。無保険車傷害補償とは、加害者の逃亡や無保険などで加害者側の賠償責任保険が機能せず、被害者の被った傷害に対して賠償金が得られないときに備えた、非常時の救済手段です。発動されることはまれで、被害者救済のレベルも高くありませんから、人身傷害補償保険を開発した以上は、廃止することが自然です。

ところが、事細かに給付事由を調べていくと、特殊なケースでは、無保険車傷害の保険金が人身傷害を上回ることがないといいきれません。そうなると、「あらゆる面で他社商品を上回る」ことに例外ができてしまいます。これを回避したいがため、わざわざ無保険車傷害条項を特約化して商品に残したうえで、この金額が人身傷害の保険金を上回る場合には、いずれか多いほうを支払うという規定を置きました。

ごく特殊なケースの、わずかな逆転の回避のために、いたずらに商品を複雑化した、愚昧な判断といえます。

どんな場合にも既存商品を上回ろうとしたまちがいの本質は、持続可能な商品設計思想を忘れたことです。商品がいったん多様化すれば、どんな場合にも他社商品を上回るなどという考えは、現実にとり得ません。商品開発は、長短ある中で、バランス上相対的に優れた商品を目指すという、「最適化」の思想で行うことが王道です。

(6)　評　価

現在振り返れば、短時間で開発したことを割り引いても、かなり粗雑な設計がされています。マーケット定義とニーズ測定が未熟な方法によっていたほか、容易にわかったはずの上述のような反省点もあります。また、約款も悪文の見本に使えそうなくらい読みにくい構成でした。

それでも、一応の成功を収めたのは、前掲図表２の左上のマスで示される、かなり大きな補償の空白を埋めるというコンセプトに、一定の価値があったためと考えられます。保険の場合、先述したように、約款の書きぶりの巧拙などは、契約者の購買判断にほとんど影響しません。影響するのは、「何を補償するのか？」というコンセプトです。

一方、上位商品のニーズをとらえるという発想は、その後人身傷害補償がほぼすべての自動車保険に組み込まれ、標準化したため、いつの間にか消失しました。「ニーズがネガティブ」である損害保険に、上位商品のニーズがどの程度存在したのか、あるいはしないのかは、今も曖昧です。

2　価格競争のターゲティング

価格競争を仕掛ける戦略、すなわち低価格によって販売を拡大する戦略を考えます。

生命保険と損害保険では、この戦略の幅に違いがあります。まず、それを概観します。

(1)　生命保険と損害保険

①　生損保相互参入

1996年の保険業法の改正以降、従来兼営が禁止されていた生命保険と損害保険は、子会社方式による相互参入が可能となりました。この直後から、生命保険と損害保険の主要な会社は、それぞれ子会社を設立して、損害保険と生命保険に進出しました。

数十年経った現在、生命保険会社の作った損害保険の子会社は、契約の移転あるいは大手損害保険会社と合併するなどにより、当初目指したものと異なった姿となっているところが多くなっています。一方、損害保険会社の作った生命保険子会社は、その後持株会社の設置で兄弟会社に格上げされ、持株会社グループの中で、生損保を両輪として注力する体制をとっているところが多くあります。

一言でいうと、今日、生命保険から損害保険への参入は生保業界で大きな成功とは認められず重要視されていない一方、損害保険から生命保険への参入は、損保業界にとって主要な経営戦略のひとつと位置付けられています。

このことは、業界として共通にみられる現象ですから、何か構造的な理由があるはずです。

②　付加保険料構造の差

その理由とは、両業界において商品に織り込まれている利益率の差にあるかもしれません。

生命保険のほうが、損害保険に比べると、募集により多くの努力が必要であるといわれます。自動車保険や火災保険のように、自動車の購入や住宅の建築などの節目にほぼ必然的に保険契約のニーズが顕在化する商品と違い、生命保険や医療保険は、加入すべきタイミングがそれほど明確でありません。就職や結婚、出産などの節目はありますが、必ずしもこれらと関係のない時期に契約がなされることも多いのです。

募集する側からみれば、生命保険の契約獲得には、ニーズ喚起というプロセスが必要です。また、契約者にとって、必然の加入時期となる節目がないため、**第４章**で考察した面倒くささを克服することにも、損害保険以上の努力が必要と考えられます。

こうした募集努力を賄うため、生命保険のほうが、純保険料に対比して付加保険料の比率が高くなる傾向があると考えられます。

付加保険料の幅が大きいことは、一般の業界でいえば粗利益が大きいことを意味します。生命保険の経営は難しいとはいえ、粗利益が高い構造があると、経営の努力によっては、より高い利益率が望めることになります。

一方、販売体制として、損害保険は伝統的に、自動車ディーラーや不動産事業者など、複数の保険会社の委託を受ける「乗合代理店」が多く存在しました。こうした乗合代理店は、価格優位性のある商品を選別するため、顧客以上に価格に敏感であることがよくあります。

その結果、損害保険においては、一社専属の販売が原則である生命保険に比べ、マーケットの価格感応度が高まっていて、その結果利益幅が小さくなっていた可能性があります[3)]。

生命保険のほうが、損害保険より相対的に利益幅の厚いビジネスであると

3）今日では、生命保険業界でも乗合代理店の存在が大きくなっています。乗合代理店の隆昌によって、生命保険業界でも価格競争が強まっており、特に医療保険などの分野ではこれが顕著です。

すれば、損害保険から生命保険への参入のほうが、その逆に比べて容易であった可能性があります。

③　保険料の引下余地

純保険料は、保険金支払の原資ですので、これを引き下げるには、第3章でみたとおり、リスク細分により対象マーケットを狭めるなどの戦略が必要です。純保険料を引き下げる方法は、一般的に難しく、限定的といえます（その例を次節に述べます）。

一方、付加保険料のほうも、比較優位性または効率改善等の余地が大きくないと、引下げは困難といえます。これも第3章でみたとおり、付加保険料の幅が大きくない場合には、引下余地は限定され、市場からみて意味のある低価格戦略は難しいことになります。ただし、付加保険料の率が高い商品であれば、これを引き下げて販売量の拡大を図る余地があります。

この観点からみると、低価格による拡大戦略は、一般的には困難ですが、もしうまくいくとすれば、相対的に付加保険料の割合の高い生命保険商品のほうが、粗利の薄い損害保険商品に比べ、可能性が高いことになります。

低価格戦略を実施するには、付加保険料率が相当高い商品を探し出すことが必要です。

もうひとつ、すでにその商品を自社が販売している場合は、低価格化すればもともと得られていた利益を削減することになります。販売拡大効果が、既存商品の利益低下を上回るためには、相当大きな拡大が見込めなくてはなりません。

(2)　価格競争商品

上記の条件を満たすことは、容易でないのですが、これを実行した事例があります。それは、逓減定期保険という生命保険商品です。

子供が小さいうちに、万一親が亡くなった場合は、その先の長い期間にわたって、養育や教育などの費用がかかりますので、死亡保障は高額にすべきです。年数が経てば、必要な保障額は少なくなります。このことにあわせて、年数とともに保険金額が減少していく保険が、逓減定期保険です。

逓減定期保険は、保障と貯蓄のバランスでいうと、貯蓄性がほとんどない、保障に特化した保険といえます。保障が次第に減少しますので、当然その保険料は、普通の定期保険より割安になります。

この保険を販売する有力な手法は、すでに（保障が定額の）定期付終身保険などに加入している人に、この保険の合理性を説明し、切換えを勧めるというものでした。対象の顧客層は、遺族のための保障を必要としている働き盛りの人たちです。貯蓄より保障のニーズを強く感じている人たちですから、通常は価格感応度が高いとはいえませんが、主流である定期付終身保険の保険料にかなり大きな金額を払っているケースが多く、その負担感があります。それから切り換える場合には、価格差が重要なポイントとなります。

単に逓減定期保険に切り換えるだけでも、従来の定期保険より保険料は安くなりますが、この商品について、価格競争力を狙ってさらに保険料を引き下げたわけです。

これを開発したのは、新興保険会社であったため、価格引下前の商品の契約実績が少なく、いわば失うものがない状況にありました。また、元の商品の付加保険料の幅が大きく、市場から認知される程度（数十％）の割引を行っても、なお利益率が確保できると考えられました。こうした条件がそろっていたため、このような価格戦略をとったのです。

単純な価格引下げで、ある程度の成果を収めた、数少ない事例です。

このやり方は、自社のプレゼンスが大きくなった場合には通用しません。市場にこれまでにない価値を提供することが、王者の戦略であるなら、単純値引きは貧者の戦法といってもよいかもしれません。

Column23 値引きはマーケティングの敗北

他の業界で一般的なマーケティングの理論では、「値引きはマーケティングの敗北である」という認識が多くみられます。

価格が安いことを武器にしていたのでは、マーケティング戦略とはいえない、商品とサービスを差別化して、価格以外の要素で競争力を持たなければならないという考えです。

その理由は多数あります。一例を挙げてみましょう。

①　価格で呼び寄せた顧客は、価格で逃げていく。値引きで「売上」は作れても、「顧客」を作ることはできない。

②　持続的競争優位性につながらない。値引きが有効な場合は相手からも反撃され、体力勝負になる。

③　安かろう、悪かろうというように、品質についての認識を引き下げる。

④　消費者の価格感応度を高め、安売りの常態化を招く。

この中でも、特に重要なのは①です。価値、価格、原価の三本川を思い描きましょう。顧客の感じる魅力が、「価値」であれば、それによって顧客をつなぎとめることができます。価値は、その商品に固有のものだからです。商品の独自性、サービス品質、ブランドさらに販売者との人間関係などが価値の源泉になります。逆に「価格」を魅力にしていたのでは、誰でも簡単にまねができることですから、顧客をつなぎとめることはできません。

価格の引下げは、価値の増大も、原価の減少ももたらしません。値引きがマーケティングの敗北であるというのは、このことをいいます。これと逆に、今までにない新たな価値をもたらす商品を開発して、マーケティングの勝利を目指したいものです。

3　価格引下げのための新機構の導入

(1)　新たな仕組みによる価格優位の試み

生命保険商品の粗利益が相対的に大きいといっても、単純な値下げは利益率の低下に直結しますので、これが奏功するケースはめったにありません。そこで、価格優位性を追求したい新興会社としては、純保険料を引き下げるために、従来にない新機構の導入を図りました。これは、新商品開発の姿勢としては一理ある戦略と考えられます。

これには、配当財源の絞込による「低料低配」化や、「保険金額の共有」などいくつか例がありますが、以下では、その中で一時重要視された、低解約返戻金型の終身保険を取り上げます。

(2)　低解約返戻金型の終身保険

①　割安な保険料

低解約返戻金型の商品は、解約時の返戻金を通常の商品より低額に設定し、その分保険料を割り引いた商品です。

この仕組みによって、保険料が低額になるのは当然ですが、これには単純な価格競争以外にも複数の意味があります。

②　解約損益の安定

従来の終身保険は、契約初期には保険会社にとって赤字商品であり、期間が経過するに従って次第に利益を生む構造にありました。早期解約が起きれば会社にとって損失になり、長期に継続して初めて利益が生じるわけです。このため、会社損益は、解約発生率が低いほど利益が上がり、逆に高ければ損失が生じます。

解約返戻金を低額に設定し、予定解約率によって保険料を割り引いた商品の「解約損益」は、これと逆の方向に作用します。解約返戻金が貯蓄保険料の残高より少ないため、解約発生率が高いほど、解約差益が大きくなるのです。するとこの効果と、もともとの特性である、解約発生率が低いほど利益が高くなる効果が、逆方向に作用し、結果として解約率変動による損益の増減が安定するというわけです。

③　ALM

もうひとつの特に重要な意味は、予定利率固定によるオプション提供のリスクの回避です。第5章6で触れたとおり、長期に予定利率を補償する商品は、期中で金利環境が変動した場合に、より利率の高い商品への契約乗換えが発生するリスクがあります。このためにALMが困難になっています。

生命保険会社の経営リスクの中でも、ALMのミスマッチリスクは特に大きいものであるため、保険会社はこれを制御するためのさまざまな工夫を凝らしています。そのうえで、どうしてもコントロールできないものが、この予定利率オプションのリスクです。予定利率という、契約者への利率の最低保証は、保険会社が負う義務であり、保険を金融商品としてみた場合には、契約者にオプション価値を提供していることになります。終身保険のような長期の契約では、この負担のリスクが大きすぎて、普通の手法ではヘッジができないのです。

これに対して、解約返戻金を低額に設定し、解約発生により差益が生じる仕組みとすることで、このリスクをかなり緩和できます[4]。

④　顧客の納得感

終身保険に関する顧客苦情の中には、解約時の返戻金が少ないことに対する不満が多くみられます。一見逆説的ですが、低解約返戻金型にすることで、この苦情がほとんどみられなくなりました。

4）緩和はできても、ゼロにはできません。この観点から、低解約返戻金であっても、予定利率を保証した終身保険は望ましくないとして、取扱いを停止する判断もあります。

顧客の不満は、期待と現実のギャップから生じます。終身保険については、よく補償と貯蓄の機能を兼ね備えた商品だという説明がなされるため、貯蓄性が高い商品だと認識されることがあります。説明文書には、早期解約の返戻金は少ないか、ゼロになることもあるという注意書きがあることがほとんどですが、契約者に正しく認識されず、保険料の大部分が返戻されると誤認して苦情になるわけです。

低解約返戻金型の商品は、商品特性として、「解約返戻金が少ない」ことを強調します。募集文書にも、このことが目立つように記載されますので、上記の誤解が生じにくく、かえって苦情が少なくなるのです。

4　セット割引の歴史

(1)　複数契約のセット割引

種類を問わず、割引制度一般について、成功の条件は厳しいものであることを、第2章6で述べました。保険の場合には、ターゲット・ゾーンが狭いこと、割引の原資となる利益幅が小さく値引幅が小幅となって、購買者への訴求が弱いことが、難しさの要因と指摘しました。

一方、割引を求める声は保険会社の内外に数多く、多種多様な割引が実施されています。その中でも、特に要望が多いのは、複数種目のセット割引と、長期継続の割引です。

複数種目のセット割引は、これによって複数契約の販売が促進できるなら、単なる値引きと異なる効果があるかもしれません。

以下、このセット割引の事例を検討しましょう。

(2)　パッケージ割引

古く1980年代に、複数の損害保険をセットすることで、保険料を3%割り引く、パッケージ割引という商品を開発した会社があります。

複数の火新種目（火災保険、傷害保険、賠償責任保険などをいいます。火新とは、火災・新種の略です）の保険を、1枚の専用申込書で申し込んだ場合に適用される割引です。申込書や証券が1枚で済むので、コストが削減できるという建前で割引を適用していましたが、実際には、証券を1枚にするためにシステム上追加の対応が必要であり、本当にコストが節減できたのかは疑問です。

この商品は、大きな販売努力を傾注したものの販売は振るいませんでした。原因は、今日からみれば、この程度の価格差で、需要が拡大するほど、市場の価格感応度が高くなかったためと思われます。ただし、関係者は、別なことが問題とみていました。

(3) 積立セット商品

しばらくして、積立保険が隆盛期を迎えたとき、「積立型追加特約」という特約が、多くの保険種目で新設されました。この特約は、さまざまな火新種目を、積立傷害保険にセットし、それによって、やはり数%の保険料割引を行うものです（積立保険料は割引の対象外です）。上記のパッケージ保険の不振の理由は、商品が積立型ではなかったことにあるとみて、積立保険に同様の仕組みを投入したわけです。これも販売量はさほど広がらず、後日販売停止になりました。

(4) 自動車セット商品

さらに年数を経て、今度は自動車保険に同種の仕組みが導入されました。火新種目に比べて単価の大きい、自動車保険が対象に入っていなかったことが問題であったと考え、それを実現したわけです。

(5) 究極のセット商品

最後に、生命保険と損害保険を両方取り込んで、あらゆる補償が組み合わさった「スーパー・インシュアランス」というべき保険に発展しました。ここに至って、割引以外にも、リスク細分や自然災害補償など、他の商品には認められない特徴を複数盛り込み、この保険は、既存契約のかなりの部分を切り換えて取り込むことに成功しました。

さらに、この保険の発想は海を越え、韓国の保険業界に非常に大きなインパクトを与えているといわれています。

この商品は非常に多面的な要素を持ちます。その評価は、専門的になりすぎて本書の範囲を超えますが、粋を凝らし、各種の保険技術の凝縮した商品といえます。読者の皆さんに、ご研究いただけることを期待します。

(6) セットの効果

複数のものをセットすることで、価値が増すことを、俗に「1＋1が3になる」ということがあります。

たとえば、おろし大根が数十グラム、小皿に1盛分で、100円の価格で売られていたとします。大根の値段は、さほど高いものではないので、これが単独であれば、割高と思われるでしょう。もちろん、そもそもおろし大根を単独で欲しい人がいるかという問題もあります。いずれにしても、買う人はまずいないでしょう。

これに対して、850円のとんかつ定食に、おろし大根が付いて950円になる場合はどうでしょうか。実際にそのような商品があって、一定の頻度で売れています。この例は、とんかつ定食にセットすることで、おろし大根の価値が上がったものと理解できます。同じように、梅干し1個が100円では高い、と思う人も、450円の焼酎お湯割りが、梅干付で＋100円になるなら、買うことがあるでしょう。セットすることで価値が高まる例はほかにも考えられます。

では、損害保険はどうでしょうか。契約者の行動として考えると、家を建てて火災保険に入ることと、自転車を買って自転車保険に入ること、ゴルフを始めてゴルファー保険に入ることなど、それぞれの保険に加入することの間には、おろし大根ととんかつほどの親和性はないかもしれません。

セットすることで、付加価値が高まる保険が見出せれば、それがセット販売を保険の主流にするアイデアです。先述したように、自動車にかかわる各種の補償を組み合わせた自動車保険は、そのような性格を備えています。他にもそのような新アイデアがないか、皆さんのお考えはどうでしょうか。

5 幻の老後安泰年金

(1) ニーズ

ある程度の資産を持っている、退職した世代の方々には、昔ながらの課題があります。

すでに退職し年金以外に収入はないので、レジャーなど生活を豊かにする活動には、蓄えた資産を取り崩して使いたい、と考えます。いつまで生きるか、あらかじめわかっていれば、それに応じて毎年いくら使ってよいか計算できます。しかし、人は何歳まで生きるかわかりません。ひょっとして予想以上に長生きしたとき、入居した介護施設の費用が払えず追い出されては大変、といったことを懸念し始めると、せっかく一定の資金はあるのに、使うに使えなくなってしまいます。

そこで、保険料一時払の終身年金に加入してもらいます。終身年金ですから、生きている限り年金を払います。結果的に1年分のこともあれば、30年分のこともありますが、いずれにしても生きている間は年金があるので、安心してお金が使えるというわけです。

この案は、社内のアイデア会議で好評でしたので、開発に着手しました。終身年金の数理は難しいものではありませんので、技術的には簡単な商品です。

(2) 留保価格

ところが、市場調査を行ったところ、実際の年金現価に対して、契約者が払ってもよいと考える留保価格が非現実的に低いことが判明しました。ほとんどの回答者が、必要な年金現価の半分程度しか払う意向がなく、まともな商品に見合うだけの保険料を払ってもよいと考える人は、無視できる程度にわずかでした。

この商品は直ちに開発中止にしましたが、もし作っていたら、発売後日ならずして販売停止になっていたでしょう。

この商品がうまくいかない原理は、すでにおわかりのとおり、第3章3でお話しした「月払効果」が逆方向に作用したためです。

(3)　今後の可能性

昨今では、マスコミ報道などを通じて、老後を安泰に暮らすための必要資金は、かなり高額になるという認識が広まってきています。このため、月換算で5～6万円の給付を得るには、2,000万円くらいの原資が必要と考える人が増えてくる可能性はあります。

環境変化によって、加入者の認知が変化すれば、この幻の老後安泰年金が復活する日が来ないともいえません。市場調査は、一度限りにせず、時代をみて継続的に行えるとよいと考えます。

もし、今日この商品の販売を推進する場合には、注意すべきポイントがあります。

生命保険業界で現在主流の年金商品は、確定年金という、生存保障性のないいわば現金を定期的に引き出すような商品です。リスク回避の要素がない貯蓄商品ですので、第3章3(2)に述べた原理により、確定年金の付加保険料は生命保険としてはとても薄い水準になっています。もし、生存を保障する年金商品を販売するなら、これは長生きという不確実性から生活を保障する、確定年金とは全く異なる性格の商品となります。販売に要する努力やリスク回避の効果などを考慮して、それに見合う付加保険料を設定し、これを販売する代理店や営業職員に努力に見合った報酬を支払うことが、成功の必要条件となるでしょう。

第11章

大数の法則と保険数理

1　大数の法則と保険料算出

数学の定理のひとつに、大数の法則というものがあります。

この大数の法則の、保険における役割は重要なものです。広く用いられるテキストには、「保険が科学的制度として成り立つための前提条件である」[1)]あるいは「大数の法則が適用できるような危険集団がなければ保険を合理的に考えることは難しい」[2)] と説明されており、科学的・合理的な保険の成立原理と位置付けられています。

ただし、これらのテキストにも折々言及があるように、現実には大数の法則が必ずしも適合しないような種類の保険もあります。そのような保険も、実際に販売され、その保険料もちろん算定されています。では、それらの保険は合理的ではないのでしょうか。その評価は人によると思います。ただし、これを是とするか非とするかは別にして、大数の法則が当てはまらない保険は、これがよく当てはまる保険とは性質に大きな違いがあります。保険商品の開発者としては、この両者の違いをよくわきまえておくことが必要です。

以下、保険に関して大数の法則の意味するところと、この法則が成立するための条件を考察してみようと思います。数学を用いないとはいっても、取り扱う本質が数理的な事項ですので、他の章に比べて少しとっつきが悪いかもしれません。「文系ではあるが、数学が嫌いというわけではない」という方を想定して記述します。「いや、私は大嫌いだ」という方は、本章を飛ばしてください。

1）大谷孝一編著『保険論〔第 3 版〕』（成文堂、2012）23 頁。

2）日本アクチュアリー会テキスト部会「損保」（2023）2－1 頁。

⑴　純保険料についての収支相等原則と大数の法則

①　純保険料の決定

保険料は、純保険料と付加保険料からなります。純保険料は保険金の支払を賄うため必要な保険料です。付加保険料とは、純保険料以外の保険料で、一般的に保険会社の事業の経費と、利潤（保険株式会社の場合）を賄うためのものとされています。

さて、保険商品の保険料を決定するには、その要素である純保険料を算定することが必要です。このとき、純保険料は、保険金を賄うものですから、各契約者から収受する純保険料の総額は、保険金の支払総額と等しいものとして定めるべきでしょう。このことを、収支相等の原則といいます。

収支相等の原則は、純保険料の総額と保険金支払総額が保険契約者の集団全体でみたときに等しいといういわばマクロの視点の原則といえます。一方、これと同様の考えを、契約単位のミクロの視点からみると、個々の契約者から収受する純保険料は、その契約について支払う保険金の期待値と等しくすべきであるという原則になります。このことを、給付反対給付均等の原則といいます。この給付反対給付均等の原則が、純保険料の決定原理です。

なお、給付反対給付均等の原則は、収支相等の原則と表裏一体の関係をなすものですが、両者は必ずしも同一とはいえません。収支相等原則は集団全体に対して適用されるのに対し、給付反対給付均等原則は、個々の契約単位に適用されるものだからです。その違いを示す例として、「年齢群団別保険料」があります。これは、年齢別にリスクの異なる契約者の集団に対し、一人ひとり年齢別の保険料を適用する代わりに、10歳刻み程度の「年齢群団」のグループにまとめたうえで、グループごとに一律の保険料を適用するものです。この場合には、ひとつの年齢群団全体に対して収支相等の原則を成り立たせることが可能ですが、ある契約には、当該年齢の保険金期待値より高い保険料が、別な契約には当該年齢の保険金期待値より安い保険料が適用されるので、個々の契約でみれば、給付すなわち保険金の期待値と反対給付すなわち保険料が均等ではないことになります。給付反対給付均等の原則が成り立っていれば、収支相等の原則は成り立つのですが、その逆は必ずしも真ではありません。

ただ、この年齢群団別保険料のように一部の例外は存在していても、各契約の純保険料を、保険金の平均的な支払額すなわち保険金の期待値と等しくなるように定めること、すなわち給付反対給付均等の原則は、純保険料計算の基本原理として広く採用されています。

②　期待値の原理的計算の困難

給付反対給付均等の原則によって、純保険料＝保険金の期待値という等式から純保険料を計算するには、当然ですが「保険金の期待値が定まる」ことが前提となります。では、保険金の期待値の算定はどのようにして計算できるでしょうか。

サイコロを振って、出る目の期待値を計算せよ、というような問題であれば、原理から期待値を計算できます。サイコロの場合は、1～6の目が、均等の確率で出ます。1が出る確率が1／6、2が出る確率が1／6、……、6が出る確率が1／6ですから、これを平均すれば期待値は3.5になります[3)]。

しかし、実際の保険事故の確率は、こんなに単純なものではありません。たとえば火災の発生確率を、原理から計算しようとすれば、火のついたタバコを消し忘れる確率×そのタバコが消える前に、灰皿からこぼれて畳に落ちる確率×窓が開いて風が吹き込む確率×タバコの火が風にあおられて炎を上げ、畳に燃え移る確率……といったことを積み上げるのですが、いずれも時と場合による複雑な条件付確率ですので、いくら努力したところで、これらが精緻に計算できるとは全く考えられません。タバコだけでも十分すぎるほど難解ですが、火事の原因に関係する確率はこのほかにも、てんぷら油を加

3）1～6の数が均等に出るので、その真ん中をとれば、$(1+6)/2 = 3.5$です。もう少し丁寧に期待値の定義に従って計算するなら、$\sum_{n=1}^{6} n/6 = 3.5$となります。もちろん結果は同じです。

熱しすぎて発火する確率、電気回線がショートして火花を散らす確率など多数ありますから、火事の確率の原理的計算は絶望的に困難です。

これに限らず、一般に保険事故の確率については、原理的な計算は複雑すぎて不可能といえます。そこで、保険料の計算に関しては、原理から保険金の期待値を計算するのではなく、過去の統計から推定するというアプローチが取られます。ここで、大数の法則が威力を発揮するのです。

③　大数の法則が成立つ場合の保険金期待値

すぐあとに述べるように、大数の法則が成り立つなら、過去の統計から「真の保険金期待値」が算定可能になります。大数の法則さえ使えれば、事故発生の原理などわからなくても、真の期待値が計算できるというのですから、とてもありがたい強力な定理です。

大数の法則が成立する場合は、過去の保険事故の平均から、将来の保険金の期待値を正確に予測でき、しかも、将来の保険金の平均値がその予測と乖離する確率も十分小さくできます。このことから、本章の冒頭に述べたとおり、大数の法則が科学的・合理的な保険の成立原理であるといわれるのです。

(2)　大数の法則

それでは、大数の法則とは何かをみていきましょう。

ここでは、一般的に大数の法則といわれる法則の「直感的」な表現を説明します。大数の法則とは、以下の内容の定理です。大数の法則をもう少し厳密に説明するには、確率変数に関する収束概念の理解が必要です。収束の仕方の種類によって、大数の弱法則と呼ばれるものと、大数の強法則と呼ばれるものがあります。興味のある方は Column24 （281 頁）を参照ください。

【定理（大数の弱法則）】

同一分布に従う n 個の**独立**な確率変数 X_i の実現値 x_i の**平均**は、n を極大化したとき、分布の平均 μ に収束する。すなわち、

$$\sum_{i=1}^{n} \frac{x_i}{n} \Rightarrow \mu \quad (n \Rightarrow \infty)$$

である。

これが保険とどう関係があるのでしょうか。よくみられる説明は以下のとおりです。まず、単純化のため、対象としている n 件の保険契約が、全部同じ内容だとします。このことは、定理の前提である「同一分布に従う」という条件に呼応します。実際の保険契約は、保険金額の大きさや支払事由などの条件に差があったり、物件の所在地や構造の違いによるリスクの差があったりしますから、現実にこの条件は成り立ってはいませんが、そのことの考察は、4「同一分布性」まで後回しにして、まずこの単純化したケースで話を進めましょう。もうひとつの、極めて重要な「独立な」という条件についても、その意味することはあとで深く考えることにして、とりあえず定理の流れを追ってみます。

今、保険契約は全部同一の内容と仮定しましたから、各保険契約の支払う保険金の期待値も全部同一です。この期待値を μ とします。これら n 件の同一内容の契約のひとつひとつを、X_1, X_2, ……, X_i, ……X_n という記号で代表するものと考え、さらに各契約で実際に支払われた保険金の金額を x_1, x_2, ……, x_i, ……x_n で表すものとします。これが、定理にいう実現値 x_i です。実際の保険では、保険金が払われるケースは少ないので、実現値 x_i の大多数はゼロで、時々（特定の i について）実現値 x_i = 1,000 万円、といった結果になります。実現値 x_i の平均とは、これら n 個の支払保険金の金額をすべて足して、n で割ることにより平均したものです。これを算式では、以下のように書きます。

$$\sum_{i=1}^{n} \frac{x_i}{n}$$

さて定理の結論は、実現値 x_i の平均 $= \sum_{i=1}^{n} \frac{x_i}{n}$ は、n が大きくなるにつれて、保険金の期待値 μ にいくらでも近づくというもの、もっと大雑把にいえば、実現値の平均≒期待値になるというものです。

このように、大数の法則が適合する場合には、実現値すなわち統計上の保険金を平均することで、保険金の期待値が求められることがわかります。過去の保険金を全部足して件数 n で割れば、それが契約 1 件当たりの保険金の期待値（正確にいえばその推定値）になるということです。

Column24 大数の法則のより正確な表現（強法則および弱法則）

大数の法則という言葉はよく聞かれますが、多くの保険のテキストにおいて、定理は正確には示されていません。少し難解かもしれませんが、興味のある方のために、弱法則と強法則の数学的な表現を示しておきます。

定理が成立するための条件は、弱法則も強法則も同じで、以下のとおりです。

【前提条件】

確率変数 X_i（$i = 1,\cdots,n$）がいずれも以下を満たすこと

① 平均が μ である同一の分布に従う

② 互いに独立である

【大数の弱法則】

任意の正数 ε に対し以下が成立する

$$\lim_{n\to\infty} P(|\textstyle\sum_{i=1}^{n} X_i / n - \mu| > \varepsilon) = 0$$

この算式の意味は、平均値が分布の（真の）期待値を一定の値 ε 以上外れる確率は、ε がいかに小さくても、n の増加につれてゼロに近づくということです。このように、一定値（ε）以上の誤差が生じる確率がゼロに近づくことを、確率収束といいます。これは、下記の概収束に比べて弱い概念（概収束すれば確率収束するといえるが、逆は真でない）であるため、弱法則といわれます。

【大数の強法則】

$$P(\lim_{n\to\infty} \textstyle\sum_{i=1}^{n} X_i / n = \mu) = 1$$

この算式の意味は、平均値が分布の期待値と一致する確率は、n の増加につれて 1 に収束するというもので、上記弱法則より強い結果といえます。この収

束は概収束もしくはa.s.（almost surely＝ほとんど確実な）収束といわれるもので、きちんと定義するには測度論の知識が必要です（概収束とは、平均値が期待値と一致しないような事象の測度がゼロであるということを表します）。

(3)　大数の法則の2つの機能

大数の法則が成立する場合には、その保険は、収支の面で安定した運営が可能です。なぜなら、大数の法則が、保険制度運営に2つの機能を発揮してくれるからです。これはどういうことか、**図表1**をご覧ください。

大数の法則が成り立つと、過去の統計から計算した保険金実績データの平均値が、保険金の期待値を近似することが保証されます。すなわち、過去の実績から、保険金の期待値が推定でき、これに従って純保険料を定めることが可能です（**図表1**の矢印①）。

一方、将来の保険の引受に際しては、引き受ける契約の保険金の平均値

図表1 大数の法則の2つの機能

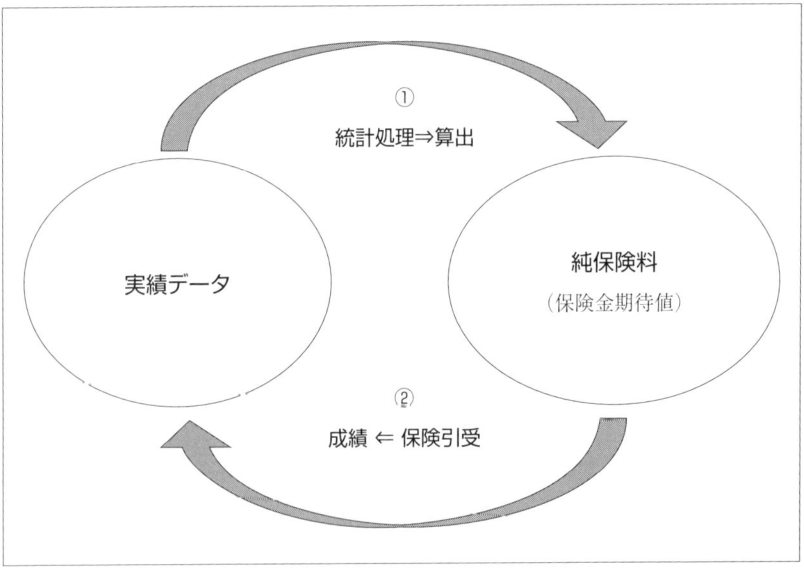

が、保険金の期待値に収束することも、大数の法則により保証されます（図表１の矢印②）。

これが、大数の法則が保険制度の安定に果たしてくれる２つの役割です。すなわち、大数の法則が成り立てば、過去の実績から正しい期待値が推定できることが保証され、さらに、将来の結果がその期待値に近づくことも保証されるのです。この２つを合わせれば、「過去の統計から将来を予測する」ことができることになります。

大数の法則が成り立てば、保険金の「真の期待値」がわかり、将来発生する保険金支払は、その真の期待値から大きく外れることはないことが保証されます。したがって、この場合には保険経営にリスクはほとんどないことになります。ただし、前記⑵で先送りにした、すべての契約が同一内容である（同一分布性）ことと、互いに独立である（独立性）という２つの前提条件については、これが本当に成り立つのか、検証が必要です。この問題を考える手立てのために、大数の法則を包含するさらに強力な定理である中心極限定理に登場してもらいます。

2　中心極限定理の優越性

(1)　大数の法則と中心極限定理

大数の法則は、前述のとおり平均値に関する定理です。この定理は、結果の平均が真の平均に収束することを保証してくれます。ただし、それ以外の平均の分布に関するさまざまな重要事項、たとえば収束の速度（データ件数の増加による誤差縮小の程度）等については、何も教えてくれません。

これに対して、大数の法則と同じ前提（同一分布性と独立性）の下に成立する、中心極限定理というものがあります。これは、平均値の値ではなく、平均値がどんな確率で分布するかという確率分布に関する定理です。確率分布がわかるということは、その確率の全体像がわかるということで、単に平均値がわかることよりずっと強力な結果をもたらす定理といえます。

【中心極限定理】

同一分布に従うn個の独立な確率変数X_iの平均$\sum_{i=1}^{n}\frac{x_i}{n}$の確率変数としての分布は、nを極大化したとき正規分布で近似できる。すなわち、

$$\sum_{i=1}^{n}\frac{x_i}{n} \sim N(\mu, \sigma^2/n) \quad (n \Rightarrow \infty)$$

である（μは母分布の平均（期待値）、σは母分布の標準偏差）。

この正規分布（記号で$N(\mu, \sigma^2/n)$と書きます）というのは、左右対称のきれいな釣り鐘型をした分布で、多くの望ましい性質を持っています。中心極限定理は、データの平均が、データ件数nに応じた広がりを持つ正規分布$N(\mu, \sigma^2/n)$に従うことを主張します。nが有限のときは（現実には当然そうなります）、データの平均はμの近辺にあるバラつきを持って分布します。中心極限定理によれば、仮にnが無限に大きくなっていったとすれば、バラつきはなくなり、平均は期待値μに一致しますので、大数の法則も成立することになります。すなわち、得られる結果に関し、中心極限定理は大数の法則を包含しています。このように、中心極限定理は、大数の法則の結果

を含みますが、それだけでなく、収束の速度等の重要な結果も与えます。
　すなわち、中心極限定理は、大数の法則と同じ前提から、より豊富な結果をもたらす、大数の法則に優越した定理なのです。

(2) 有用性の比較

①　大数の法則と中心極限定理の対比

　大数の法則と中心極限定理の対比を一覧にすると、**図表2**のとおりです。

②　検討の立場

　前述のとおり、この両定理の成立条件は同等で、得られる結果は中心極限定理が大数の法則を包含しています。さらに、中心極限定理の性質については、その成立条件の緩和を含む豊富な研究が存在します。したがって、ここからしばらくは、中心極限定理の適用の可否を研究することにしましょう。
　さて、先に述べたとおり、保険契約にはさまざまな条件の相違があることから、中心極限定理の適用に必要な同一分布性の前提は、現実の保険契約においては満たされていません。これは大きな問題といえます。大数の法則もしくは中心極限定理がいかに強力な定理であっても、前提条件が満たされていなければ、どちらも役に立ちません。

図表2　大数の法則と中心極限定理の対比

	①　大数の法則	評　価	②　中心極限定理
成立条件	同一分布性 独立性 大数性	同等	同一分布性 独立性 大数性
得られる結果	平均値の真の平均への収束	中心極限定理が優る	平均値の従う分布の決定
平均値の収束速度の評価	なし	中心極限定理が優る	可能

しかし、もし中心極限定理の改良版があって、この同一分布性の条件が緩和できるなら、現実の適用には問題がないかもしれません。そこで、中心極限定理の成立条件の緩和、特に同一分布性が成り立たない場合に、より緩やかな前提で定理が成立するかという問題を検討します。この検討は、数学の問題として歴史のあるものです。

(3)　中心極限定理の保険契約への適用

前提条件の緩和を検討するにあたって、定理を再掲して、もう一度よくみてみましょう。

【中心極限定理】

同一分布に従う n 個の独立な確率変数 X_i の平均 $\sum_{i=1}^{n}\frac{x_i}{\mathrm{n}}$ の確率変数としての分布は、n を極大化したとき正規分布で近似できる。すなわち、

$$\sum_{i=1}^{n}\frac{x_i}{\mathrm{n}} \sim \mathrm{N}(\mu,\ \sigma^2/\mathrm{n}) \quad (\mathrm{n}\Rightarrow\infty)$$

である（μ は母分布の平均（期待値）、σ は母分布の標準偏差）。

これを、同一分布でない場合（たとえば保険金額の異なる契約の場合）に適用しようとすることが課題です。同一分布ではない、すなわち各保険契約が同一のものではないと考えるときに、まず生じるのは、「異なる契約の保険金を足して、n で割ることに意味があるか？」という疑問です。保険金額 10 億円の契約と 100 万円の契約の 2 件があった場合、両者の保険金を足して 2 で割っても、それが何を意味するのかはよくわかりません。この計算にはあまり意味がなさそうです。

このことをはじめとして、中心極限定理を保険に当てはめるためには、前提条件を適合させるために検討すべき複数の論点があります。

次節で、これらの成立条件をひとつずつ検討していきましょう。

3 中心極限定理の成立条件

(1) 数学的な成立条件

中心極限定理が成り立つための数学的条件は、以下の２点です。

① 同一分布性 ② 独立性

このほか、定理が現実に有効であるためには、加えて以下の③の条件も必要です。

③ データ量の十分性（大数性）

大数性は、なぜ必要でしょうか。この定理の主張は、nを十分大きくしたときに平均値が正規分布に従うというものです。数学的に中心極限定理が成り立つ場合でも、nが小さければ、定理は何が起きるか教えてくれず、実用上の意味がないことになります。

さて、数学的な成立条件である①と②が成り立つ典型例は、「試行」と呼ばれる、同じ条件での確率的な事象の反復です。サイコロを繰り返し振ることが、試行の典型です。サイコロを繰り返し振ることは、以下の条件に合致しています。

① 同じ条件の下での繰り返し（同一分布性） ② 前回の結果に影響されない（独立性）[4]

4）賭博師といわれる人たちの中には、「ここまで６の目が３回続いたから、次は６は絶対ないな」といった独特の論理を信じる人があると聞きます。もしそれが本当なら、過去の結果に将来の目が影響されることになり、独立性が成り立たないことになりますが、サイコロに関してそのような事実はなく、何度前に６が出ていようと、次に６が出る確率は１／６です。

このため、たとえばサイコロを 100 回振って出た目の平均が 3.65 以上になる確率はいくらか、といった問題は、中心極限定理によって正確に計算することができます[5]。

さて、保険契約についても、このようにうまくいくでしょうか。

(2)　定理の適用上の課題

ここからしばらくは、やや数学的な思考が必要なことがらを解説します。前提条件である同一分布性、独立性、大数性それぞれについて、これが成り立たない場合に定理の適用にどのような問題が生じるかを検討します。もし難解と感じる方は、間を飛ばしてしまって、本章の 7 (2)「まとめ」だけをお読みください。

上述のとおり、実際の保険契約について、中心極限定理適用の条件が満たされているかというと、そうとはいえません。以下の問題が生じています。

【数学的前提の充足の問題】

A.　同一分布性の問題

保険契約は同一でない（保険金額、担保内容に差）。

B.　独立性の問題

保険種類によっては、損害が独立でない（集積損害がある）ものがある。

【大数性の充足の問題】

C.　めったにない損害を補償する保険や、世に 2 つとない特別なものを対象にする保険では、データ数の件数が少なく、大数（大きな数）にならない。

【その他の問題（「平均」の定義の問題）】

D.　同一分布性が成り立たない場合、異質な契約のデータを単純平均することは意味がない（実務における定理の適用対象は、損害率 = 保険金合計額／保険料合計額）。

次節以下では、これらの問題を検討します。

5）計算すると約 19% となります。

エクセルを使う場合の算式は、1- NORM.DIST(3.65,3.50,(35/1200)^0.5,TRUE) です。

4 同一分布性

(1) 同一分布とは

数学的な同一分布性の意味は、各回の試行における確率変数が、同じ確率分布に従うことです。これを保険契約に当てはめる場合、各契約の事故の損害額の分布が、同一の分布に従うことを意味します。

したがって、この条件を満たすには、以下のことが必要です。

① 各保険契約の均質性 ② 事故の斉一性（時間的不変性）

このうち、まず契約の均質性を考えましょう。実際の保険契約の条件はさまざまで、保険金額の多寡と支払条件の差異があります。

このような差があれば、契約の均質性は満たされませんが、その場合にも、中心極限定理が適用できるかどうかが問題です。これは、数学的には中心極限定理の同一分布性条件の緩和問題（前記３(2)A）になるのですが、保険金額の異なる契約に対する定理の適用を考えるには、条件緩和の前に、そもそも何をもって平均とするかの問題（前記３(2)D）を確定しておかなければなりません。

先に述べたとおり、保険金額10億円の保険と100万円の保険のように、支払の期待値が異なる契約について、その違いを考慮せず支払額を足して2で割ることには意味がありません。この問題に対しては、各契約の保険金を合計して件数で割る $\sum_{i=1}^{n} \frac{x_i}{\mathrm{n}}$ ではなく、各契約の「期待値からの乖離度合いの平均」を考察することがその答になります。期待値からの乖離度合いの平均（D_n とします）は、それぞれの契約の期待値を μ_i として、以下のように定義します。

$$D_n = \frac{\sum_{i=1}^{n}(X_i - \mu_i)}{n}$$

(2) 同一分布性条件の緩和

同一分布の前提をある程度弱めても、中心極限定理は（したがって大数の法則も）成立することが知られています。保険への応用に、上記のD_nに対して、この拡張された（前提を弱めた）中心極限定理を適用してみましょう。

同一分布性の前提を弱める場合の代表的条件は、リンデベルグ条件と呼ばれるものです。少しややこしい算式ですので、以下の算式は読み飛ばし、文意の流れだけ追っていただいても結構です。

リンデベルグ条件の直感的な理解は、各試行の平均からの乖離の二乗の累計が、各試行の分散の合計値に比べて増加速度が遅いことです。この条件が成り立てば、分散の合計に対する個々の確率変数の寄与が小さいことか確保されます。すなわち、分布が同一ではないまでも、ある程度の均質性を有することを要求する条件といえます。

各試行の分散が同一でなくても、一定の範囲に収まっていれば、リンデベルグ条件は満たされます。保険金額に関していえば、各契約の保険金額が同一でなくても、一定の範囲内にあればOKです。また、補償内容など契約条件に多少の違いがあっても問題ありません。

確率変数列X_iが互いに独立、それぞれの平均値がμ_i、標準偏差がσ_i、$B_n^2 = \sum_{i=1}^{n} \sigma_i^2$、$\tau$は任意の定数とします。リンデベルグ条件とは、以下の算式が満たされることをいいます。

$$\lim_{n \to \infty} \frac{1}{B_n^2} \sum_{i=1}^{n} \sum_{|x_i - \mu_i| \geq \tau B_n}^{n} (x_i - \mu_i)^2 f_i(x_i) = 0$$

この条件の下で、前提を緩和した中心極限定理は、

$$\frac{\sum_{i=1}^{n} (X_i - \mu_i)}{B_n} \sim N(0,\ 1)$$

であることを主張します。X_iを各保険契約の支払保険金としたとき、X_iからその契約の保険金の期待値（μ_i）を差し引いた「誤差」の合計を、各契約の

分散和の平方根で除したものが、標準正規分布に従うということです。

特に、分散が有界（最大値をσ_{max}^2とします）であれば、リンデベルグ条件は成立します。保険の場合にはこの前提は常に成り立つと考えて差し支えありませんので、この定理によって契約の均質性の問題は解決できることになります。

ここで、各保険金X_iの期待値μ_iからの誤差の平均を考えましょう。先に定義したn件目までの契約の誤差の平均をD_nに対して、

$$D_n = \frac{\sum_{i=1}^{n}(X_i - \mu_i)}{n} = \frac{\sum_{i=1}^{n}(X_i - \mu_i)}{B_n \cdot (n/B_n)}$$ が成り立ちます。

定理から $\frac{\sum_{i=1}^{n}(X_i - \mu_i)}{B_n} \sim N(0, 1)$ より、

$D_n \sim N(0, B_n^2/n^2)$ となり、

$B_n^2 < n \cdot \sigma_{max}^2$ より、$B_n^2/n^2 < \sigma_{max}^2/n \rightarrow 0 \quad (n \rightarrow \infty)$

となって、誤差＝$D_n \rightarrow 0$ がいえます。

直感的には、大数の法則が拡張された形で成り立つことがわかります。

(3)　保険契約への適用の評価

①　均質性の評価

すでに述べたとおり、リンデベルグ条件による拡張によって、保険金額に多少のばらつきがある場合、少額の支払に関する補償内容に差異がある場合等にも、中心極限定理の適用は可能です。したがって、契約の均質性の問題は乗り越えることができます。

②　斉一性の評価

時間とともにリスクが変化する場合は、リンデベルグ条件が成り立つ保証はありません。特に、時間とともにバラつき（標準偏差）が拡大していく場合は、定理の適用は困難です。

具体的には、D＆O保険やサイバーリスクなどの社会性の高いリスク、

パンデミックなど時間変動の激しいリスク等については、この前提は満たすことができないため、問題が大きいと考えられます。

このことの意味は、時間につれてリスクが変化する場合には、過去の統計をもとにしたのでは真の期待値はわからないということ、さらに、仮に真の期待値が仮にわかっても、やってみた結果がそれに近づく保証がないということです。これは、直感的にも理解できる結論でしょう。

5 独 立 性

(1) 独立性とは

各事象が互いに無関係であること、具体的には、ある事象と他の事象の同時発生の確率が、両者の発生確率の積であることを独立性といいます。

独立性が成り立つ場合には、各事象の確率分布から、事象の組合わせの分布が決定します。たとえば、合計値の分布、最大値の分布等が決定可能です。独立性がない場合には、これらを決定することは難しいことです。

(2) 独立性緩和の困難

独立性は、中心極限定理の核心にかかわる、本質的な条件です。独立性は、確率分布の和の分布の特性関数[6]が、それぞれの確率分布の特性関数の積になることを意味しています。このことが中心極限定理成立の鍵ですので、独立性がないと、中心極限定理の根底が崩れます。

なお、一定の前提（マルチンゲール差分性といわれる性質を持つこと）の下では、中心極限定理を独立性がない確率変数にも拡張することは不可能ではないのですが、その場合も独立性緩和の自由度は大きくありません。なお、保険でいう集積損害に対しては、マルチンゲール差分性の前提も成り立ちませんので、このように拡張しても依然として中心極限定理は適用不能です。

(3) 保険契約における独立性

保険の場合の独立性とは、ある契約の支払保険金がどのように支払われようと、あるいは支払われまいと、他の契約の支払保険金に影響しないことを指します。

6）特性関数とは、各事象の起こりやすさを表す確率密度関数を、フーリエ変換という操作で変換した関数です。元の分布の特性をすべて保持しており、確率分布のさまざまな性質を調べるのに有益な関数です。

具体例として、次のことが挙げられます。

・個人の自動車保険の賠償責任補償は、ほぼ互いに独立と考えられる。
（自分が事故の賠償責任を負うことと、隣人が負うことは、ほぼ無関係）
➡中心極限定理が成立
・風水災など集積損害が起こりうる保険契約は、独立はでない。
（自分の家が台風で被害を受けている場合は、そうでない場合に比べて隣家が被害を受けている確率は高い）
➡中心極限定理が不成立

6 大数性（データ量の十分性）

(1) データ数の意味

中心極限定理は、件数を増加させていった場合に、平均値の分布が正規分布に近似するという内容の定理です。件数が小さい場合には、近似しないことになりますから、有用性がありません。

(2) データの必要数

同分布かつ独立の場合には、中心極限定理によって、実績平均と期待値との乖離度合いを確率的に推定することが可能です。たとえば、求める誤差の精度に応じて必要なデータ数を定めることがでます（このためには、母分布の平均と標準偏差が必要ですが、これらもデータから一定の幅で推定できます）。

(3) 独立性との関係

事故が互いに独立でない場合には、中心極限定理が成立しないため、データが多数あっても、実績平均が期待値に収束する保証がなく、誤差の評価も不能となります。

事故が独立である場合には、中心極限定理によって、契約の件数を多くすることで損害率を安定させることができることが示されます。独立でない場合には、契約件数を増やすと、損害率は必ずしも安定せず、いたずらに巨大損害のリスクが増えるだけになるおそれがあります。

7 まとめ

(1) 大数の法則および中心極限定理が適用できない場合の問題点の整理

以下、中心極限定理適用の前提ごとにそれが適合しない場合の評価をまとめました（図表3）。

さらに、主要な保険のリスクごとに各保険への該当状況をまとめると図表4のようになります。

図表3 前提ごとの問題点

前　提	不適合の場合の評価	該当する保険リスク
同一分布性 ①　各保険契約の均質性	（○）多少の不均質は許容可 大数化により問題は縮小する 異種のリスクの組合わせも保険者のリスクを軽減する	保険金額にばらつきのある火災リスク 付随的な補償に差のある傷害保険　等
同一分布性 ②　事故の斉一性（時間的普遍性）	△リスクの変化が速い場合、損害率が安定しない 大数化しても問題は縮小しない	役員賠償責任保険 サイバーリスク保険 感染症保険　等
独立性	×損害率は安定しない 保険者がリスクを取る前提 大数化すると問題が拡大しうる	風・水災・地震リスク基幹製品のPLリスク　等
大数性	※損害率は安定しない 保険者がリスクを取る前提 ただし、異種のリスクであっても、独立であればリスク分散は可能	宇宙ロケット オリンピック興行　等

図表4 主要な保険リスクの各条件の該当状況

条件の充足	大数性が成立	大数性が不成立
同一分布性、独立性とも成立	自動車事故リスク 火災リスク 傷害リスク	—
同一分布性のみ成立、独立性不成立	感染症リスク 風・水災リスク 地震リスク 基幹製品の PL リスク サイバーリスク	—
独立性のみ成立、同一分布性不成立	業務上の賠償責任リスク 労災リスク 役員賠償責任リスク 船舶・貨物　等	宇宙ロケット オリンピック興行 一部除く再保険　等
いずれも不成立	—	(一部の再保険)

(2) まとめ

① 大数の法則（中心極限定理）

大数の法則（中心極限定理）には同一分布性と独立性の条件が必要です。

② 同一分布性の条件

同一分布性の条件は、かなり緩和が可能です。少し粗っぽくいえば、リスクがある程度類似していれば、同一分布でなくてもかまいません。したがって、保険契約の内容にばらつきがあることでこの条件が満たされていなくても、問題はありません。

ただし、時間とともにリスクの実態が変化するために同一分布性が満たされないときは、話は異なります。過去のリスクと将来のリスクが異なることから、同一分布性が本質的に満たされず、このときは、中心極限定理は使えません。たとえばパンデミックや社会的問題を補償する保険では、この問題の十分な考慮が必要です。

③　独立性の条件

独立性の条件は、緩和は困難です。すなわち、これが満たされないと中心極限定理は適用できないことになります。自動車事故や、人の死亡、火事などのリスクはほぼ独立なので、条件を満たしますが、台風や地震など、集積損害については条件を満たさず、その結果取扱いが困難となる複数の問題が生じます。

商品設計に当たっては、大数の法則が妥当する保険商品と、そうではない商品の異質性を十分認識し、それにふさわしいリスク管理を行うことが必要です。

もし取り扱うリスクが、個々の契約ごとに独立であり、時間や社会環境による変動が小さい場合には、中心極限定理（大数の法則）が成り立つので、安心して発売してよいということです。

このような保険は、仮に開発時点でデータ不足のため保険料設定を誤ってしまい、一時的に損益に問題が出ても、後日きちんと料率を検証し改定すれば解決します。たとえば、ホールインワン保険は開発当初に信頼できる統計なかったため、結果として保険料が保険金期待値に対して大幅に過少に設定されてしまい、高い損害率が問題になったといわれています。しかし、その後データを検証して、料率を改定した結果、問題は解決しました。構造として大数の法則が成り立っていれば、統計が蓄積されれば損益を安定させることは容易です。保険期間が主に 1 年間と短く、問題が判明してから改定しても将来の禍根が小さい保険では、「わからないからやってみる、まちがったら直す」という試行錯誤が許容されるでしょう（保険期間が長期の生命保険や一部の第三分野保険は、まちがった場合には長期間直せませんので、話が違います）。

④ 保険会社の負うリスク

さて問題なのは、自然災害のように集積損害を伴う、独立性のないリスクと、パンデミックや社会現象などに関連した斉時性のないリスクです。これらのリスクを対象にした保険は、大数の法則の適用ができませんので、過去の統計から正しい保険金期待値を予測することができず、また仮に「神のみぞ知る正しい期待値」がわかったとしても、将来の保険金の平均がその真の期待値と近似する保証がありません。

正しい保険金の期待値がわからず、さらに仮にわかったとしても、結果的な保険金の支払がそれと大きく乖離する可能性があるということですから、当然リスクは大きくなります。このような商品を作ってはいけないわけではありませんが、大数の法則が成り立つリスクに対する保険とは本質的に違うものであることを認識して、それに見合う高い利益率を織り込む、リスク管理を万全にする、想定が狂った場合の撤退策を用意するなどの対応が必要です。虎を飼うには、猫を飼うのとは異なる心構えが求められるということです。

大数の法則の成り立つようなリスクに対する保険を、長年にわたって保険会社は取り扱ってきました。地震を原因とするものを除いた火災リスク、普通死亡リスク、傷害リスク、自動車保険の交通事故関係のリスクなどがこれに当たります。これら大数の法則の成り立つリスクに対する保険は、今日では広く普及しています。

その結果、新商品の開発は、大数の法則が成り立ちにくい分野に進出していく傾向があります。この流れは止めることは困難であり、また止めるべきものではないでしょう。

大数法則の成り立つ保険を販売することは、保険会社からみるとほぼ無リスクのビジネスです。一方、これが成り立たない保険を販売する場合は、大数法則からの乖離度合いに応じて、大小さまざまのリスクが保険会社に生じます。ビジネスの原則は、必要な事業リスクを取ることで、それにふさわしいリターンを得るものだとする考えがあります。この見地からみれば、今後の保険商品開発の大きな使命のひとつに、大数法則が必ずしも成り立たない領域に進出し、そのリスクに見合うリターンをもたらすことがあるといえるでしょう。

このような使命の認識は、経営リスクに代わるものですから、商品開発部門が単独で自認してはならず、経営者が会社方針として定めるべきです。

振り返ると、保険の源流は、今日よりはるかに航海が危険であった時代の海上交易にさかのぼります。初期の海上保険は、リスクを取ることでリターンを狙うビジネスであったとみることができるでしょう。

本章の最後に、保険を同質で互いに独立な多数のリスクから成り立つマス・リスク（大数の法則および中心極限定理が適用可能）と、そうではない非マス・リスクに区分することの重要性を改めて指摘したいと思います。この区分は、数学だけではなく、保険の歴史的分類においても重要です。

この区分の本質的な意味については、中出哲「リスクから見た二つの保険制度――保険の基本原則を手掛かりとした問題提起」[7]を参照ください。

7）生命保険論集 221 号（2022）1 ～ 33 頁。

第12章

結　び

1 クイズの解説

序章で、3題のクイズを掲げました。

読者の中には、ご説明の必要はないとお感じの方もおられるかもしれませんが、お約束ですので、1題ずつ解説します。

(1) クイズ1

「低価格によって、顧客を囲い込む。これが、当社の戦略だ。」といった経営者がいます。これはまちがいですが、では、どこがまちがっているのでしょうか？

解　説 ➡第10章コラム23

低価格を理由に、自社を選んだ顧客は、もっと安い価格があれば、他社に流出する顧客です。価格を武器にする場合は、一時的に顧客を引き寄せることはできても、囲い込むことはできません。このことを、「値引きでは、売上は作れても、顧客は作れない。」という風に表現します。

低価格に頼ることの、このほかの問題は、コラム23をご覧ください。

価値、価格、原価のうち、唯一「価値」だけが、顧客をつなぎとめるものです（図表1）。

投資の格言に、以下のものがあります。

「Price is what you pay, value is what you get.」

取引で顧客が払うものが価格、顧客が得るものが価値です。価格は払ってしまえばおしまい、価値は手に入れた時が始まりです。

図表1 三本川の付加価値

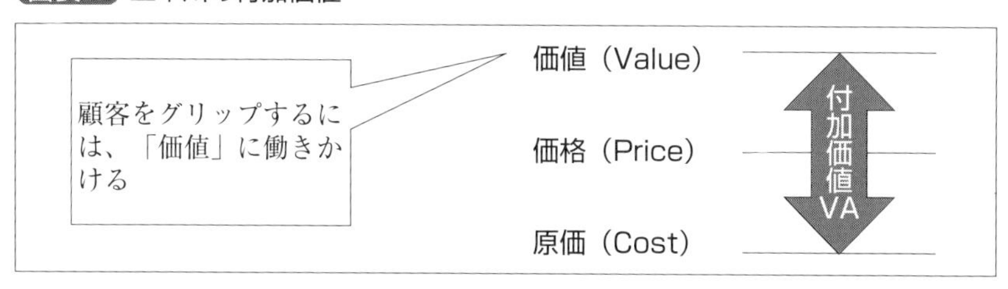

(2) クイズ2

「複数の保険契約を、セットで加入したら、保険料を割引するとよい」という案が、何度となく持ち上がります。実際に行われた例もありますが、そのうち消えていきます。良い考えにみえるのに、なぜ、成功しないのでしょうか？

解　説 ➡第2章6(2)、第10章4

保険料割引の効果は、万能ではありません。価格を5%割り引く戦略は、顧客層のうち、2,000円では高すぎて買わないが、1,900円なら買うというセグメントに対して有効ですが、2,000円以上でも買う層や、1,900円以下でも買わない層には効果がありません。

保険に対する市場の価格感応度は、特別高いものではありません。このことは、低価格を売り物にした通信販売の保険会社や、保険より安い傾向のある共済のシェアが、長い期間にわたり急激な増加をみせていないことからもわかります。

すなわち、セット割引は、有効なターゲットゾーンが狭いといえます。

また、複数の保険をセットすることは、保険会社にとって契約管理の業務の増大を意味し、原価の削減効果は、ほとんどないか、あるいはマイナスです。

一方、お客様にとっても、セットすること自体のメリットは特に大きくありません。

価格戦略としての効果が限定的で、価格以外のメリットは小さいので、成功させるのは難しい戦略といえます。

Column25 因果関係と相関関係

複数契約に加入している契約者は、契約の継続率が高いことが知られています。このことは、世界共通の現象のようです。

アメリカのステートファームという大手損保会社のマーケティング部長とこの話をしたことがあります。多種目に加入している人の継続率が高いことはわかっているのだから、損益上は無理をしてでも、複数種目への加入を誘導すればよいと主張する人がいるというのです。その結果、少々利益がマイナスになっても、獲得した契約は継続率が高いのだから、翌年以降の契約の利益で埋合わせができる。長期的視点に立った良い戦略だというのですが、さてうまくいくでしょうか。

彼女は懐疑的でした。多種目に加入することと、継続率が上がることの因果関係（Cause and Effect）がわからないからです。

因果関係がないのに、2つの現象の間に強い相関関係がある場合の典型的な構造は、何か別の原因事象があって、それによって両方の現象が誘発されることです。

たとえば、保険の販売担当者と契約者が、強い信頼関係で結び付いているとします。これが原因事象です。その結果として、複数種目の加入と、契約の長期継続が生じているわけです。このような場合に、複数種目加入率と契約の継続率には、相関関係（Relation）はあっても、因果関係はないといいます。

さて、無理をしてでも複数加入を促進したら、継続率は上がるのでしょうか。少し疑問があるように感じます。

雨が降れば皆が傘を差しますが、これは雨が原因で傘が結果で、逆ではありません。雨量と傘を差す人の数には相関関係がありますが、だからといって、皆が傘を差せば雨が降ってくるわけではありません。

観察されるデータから、相関関係を読み取ることは容易です。

一方、データだけで因果関係を読み取ることは大変困難ですので、因果関係の検証には通常計画された実験が必要です。

(3) クイズ３

新商品案をめぐって、ある人は、「顧客にとってとても魅力的だ」といい、別な人は、「全く魅力がない」と主張して、どちらも一歩も譲りません。どうやって決着させるのがよいでしょうか？

解　説 ➡第５章コラム 11、第７章

この種の問題は、正解がないことがわかっていますから、どちらが正しいかを議論することは無意味です。ご本人たちのために、不毛な議論が早く終わることを祈ります。

問題は、魅力的と感じる人がどれだけの割合でいて、どのくらいの人が実際に加入するかです。決着させる最良の方法は、定量的市場調査を行い、加入意向のある人の割合を数値化することです。

Column26 事実と真実

感情のほうが、理性より、人を動かす力を強く持ち合わせています。

事実は客観的であり、万人に共通のものです。突き詰めれば、事実は１つです。しかし、人を動かすのは、客観的事実ではなく、その人にとっての真実です。

客観的な事実に、その人の持つ価値観や信念を加えたものが真実です。したがって真実は本質的に主観的で、100 人の人がいれば、100 の真実があります。

さて、マーケティングは本来頭脳労働ですから、これに取り組むには、理性を頼りに、客観的に事実を追究するのが正しい姿勢です。

一方、セールスはこれとは異質です。お客様の評価を得るには、その人にとっての真実を尊重することが第一です。これを成功させるには、理屈ではなく、感情に寄り添わなくてはなりません。

特に生命保険のセールスで成功した販売者の方は、自らの価値観と信念を確立していて、真実に向かって邁進する人が多いように思います。

さて、商品開発はどうでしょうか。世の偉人の伝記を読むと、偉大な発明者には、不屈不撓の信念の人が多いようです。保険でも、前代未聞の革命的商品を開発するなら、真実に身を捧げる宗教家のようなタイプが向いているのかもしれません。以前、「論理や情報などに惑わされず、心の中の真実に耳を傾けろ」と説いた人もいたそうですが、こういう方に、市場調査をするなどといったら、殴られてしまいそうです。

ただし、前代未聞の新商品はごくまれにしか生じないでしょうから、普通の方には、論理と情報を重んじた商品開発をお勧めします。

2 Curiosity Killed the Cat

日本語でニュアンスを伝えるのが難しいのですが、これは「好奇心が命取り」という意味の諺です。必要以上に物事に興味を持ってしまった人が、いろいろと首を突っ込んだり実験したりしていると、ひどい目にあうという戒めです。こんな警句が数百年も命脈を保っているところをみると、世には好奇心が強すぎて身を亡ぼす人が一定数いるようです。

保険を含めてどのようなジャンルであれ、商品開発を行うには、好奇心が強いタイプの方が適しているように思います。持って生まれた性格は変えられませんので、好奇心が止まらない、というような方は是非商品開発を目指すことをお勧めします。

Good Luck ！

●参考文献●

生命保険新実務講座編集委員会＝生命保険文化研究所編『マーケティング2（生命保険新実務講座4)』（有斐閣、1990）

David A.Aaker（原著）陶山計介＝中田善啓＝尾崎久仁博＝小林哲（訳）『ブランド・エクイティ戦略』（ダイヤモンド社、1994）

M.E. ポーター（著）土岐坤＝中辻萬治＝服部照夫（訳）『競争の戦略〔新訂版〕』（ダイヤモンド社、1995）

ジャック・アタリ（著）林昌宏（訳）『21世紀の歴史——未来の人類から見た世界』（作品社、2008）

玉村勝彦『損害保険の知識〔第3版〕』（日本経済新聞出版社、2011）

英『エコノミスト』編集部（著）船橋洋一（解説）東江一紀＝峯村利哉（訳）『2050年の世界——英「エコノミスト」誌は予測する』（文芸春秋社、2012）

ダニエル・カーネマン（著）村井章子（訳）『ファスト&スロー(上)・(下)』（早川書房、2012）

フィリップ・コトラー＝ケビン・ケラー（著）恩藏直人（監修）月谷真紀（訳）『コトラー&ケラーのマーケティング・マネジメント基本編〔第3版〕』（丸善出版、2014）

リンダ・グラットン＝アンドリュー・スコット（著）池村千秋（訳）『LIFE SHIFT（ライフ・シフト)』（東洋経済新報社、2016）

中出哲『損害てん補の本質』（成文堂、2016）

中出哲＝中林真理子＝平澤敦（監修）損害保険事業総合研究所編『基礎からわかる損害保険』（有斐閣、2018）

損害保険事業総合研究所研究部『諸外国におけるインシュアテックの動向』（損害保険事業総合研究所、2019）

中出哲「リスクから見た二つの保険制度——保険の基本原則を手掛かりとした問題提起」生命保険論集221号（2022）1〜33頁

Richard Lipsey＝Peter O.Steiner＝Douglas D.Purvis『Economics International Edition』（Harpercollins College Divinfluence、1987）

V.Kumar＝Robert P.Leone＝David A.Aaker＝George S.Day『Marketing Research 13th Edition』（Wiley、2018）

●索　引●

●著者紹介●

星野　明雄（ほしの　あきお）

早稲田大学商学部准教授

日本アクチュアリー会正会員（FIAJ）、日本保険学会会員

1985年東京大学理学部数学科卒

1995年ペンシルバニア大ウォートン校MBA

大手保険会社グループで損害保険および生命保険の経営、企画、商品開発等を担当

海外生保事業戦略／インドネシア生命保険子会社を設立・開業指揮／国内生命保険子会社事業免許／利差配当型商品生命保険、がん保険等開発／中堅保険会社の商品企画、IT企画、事務企画／自動車保険人身傷害保険・損保貯蓄性商品（年金払積立傷害保険等）等開発

セミナー会社、損害保険事業研究所等での講演や雑誌記事等の連載（筆名蟹分解）多数

保険商品開発の理論〔改訂版〕
——リスク回避の効用から商品設計のフレームワークまで

著　　者　星　野　明　雄
発 行 日　2024年1月22日

発 行 所　株式会社保険毎日新聞社
〒110 - 0016　東京都台東区台東4 - 14 - 8
シモジンパークビル2F
TEL 03 - 5816 - 2861／FAX 03 - 5816 - 2863
URL https://www.homai.co.jp/

発 行 人　森　川　正　晴
カバーデザイン　塚　原　善　亮
カバー写真　伊　藤　和　平
印刷・製本　モリモト印刷株式会社

ISBN978 - 4 - 89293 - 472 - 8